D1318538

Français · 3e cycle du primaire

# Signet

## Françoise Dulude

## Livre A

**ERPI**
ÉDITIONS DU RENOUVEAU PÉDAGOGIQUE INC.

5757, RUE CYPIHOT, SAINT-LAURENT (QUÉBEC)  H4S 1R3
TÉLÉPHONE: (514) 334-2690       TÉLÉCOPIEUR: (514) 334-4720
COURRIEL: erpidlm@erpi.com      w w w . e r p i . c o m

**Éditrice**

Suzanne Berthiaume

**Chargée de projet et réviseure linguistique**

Christiane Gauthier

**Rédaction**

Emmanuelle Bergeron : p. 220-228
Geneviève Bougie : p. 86-89, 216-219
Geneviève Bougie / Liane Montplaisir : p. 128-150
Monique Désy Proulx : p. 196-205
Liane Montplaisir : p. 9-14, 124-127, 255-266
Isabelle Roberge : p. 190-195

**Correction d'épreuves**

Lucie Bernard
Marthe Bouchard

**Recherche iconographique et demande de droits**

Pierre Richard Bernier

**Cartographie**

Carto-Média

**Conception graphique et édition électronique**

Benoit Pitre pour **E :Pi**

**Couverture**

**E :Pi**

Illustration : Normand Cousineau

Nous tenons à remercier M. Jacques Sénéchal qui a fait la sélection des textes littéraires et la recherche bibliographique. M. Sénéchal est enseignant au 2e cycle du primaire à l'école Rabeau de la Commission scolaire Marie-Victorin.

© ÉDITIONS DU RENOUVEAU PÉDAGOGIQUE INC., 2003

**DANGER**

LE PHOTOCOPILLAGE TUE LE LIVRE

Tous droits réservés.

On ne peut reproduire aucun extrait de ce livre sous quelque forme ou par quelque procédé que ce soit – sur une machine électronique, mécanique, à photocopier ou à enregistrer, ou autrement – sans avoir obtenu, au préalable, la permission écrite des ÉDITIONS DU RENOUVEAU PÉDAGOGIQUE INC.

Dépôt légal : 1er trimestre 2003
Bibliothèque nationale du Québec
Bibliothèque nationale du Canada

IMPRIMÉ AU CANADA          1234567890 II 09876543
ISBN 2-7613-1419-0         10585 ABCD          JS12

# Table des matières

# Dossier 5

# Annexes

## Voici la signification des pictos utilisés dans ton manuel :

 te rappelle que tu dois lire ton contrat, puis le signer.

 t'annonce des stratégies en lecture et en écriture.

 t'invite à conserver des traces de tes réalisations.

 **Erreurs** t'indique qu'il y a des erreurs dans le texte.

# Dossier 1

# Le passé sous enquête

**S**avais-tu que le théâtre est né en Grèce et que les Incas ont inventé la transfusion sanguine 500 ans avant le reste du monde?

Comment a-t-on appris tout cela? En menant des enquêtes: en examinant des documents historiques et en faisant des fouilles archéologiques. Les historiens et les archéologues ont ainsi découvert de grandes sociétés qui ont influencé l'humanité. C'est maintenant à ton tour d'aller à la découverte de civilisations très anciennes.

## Dans ce dossier, tu vas :

- respecter les règles de discussion ;
- observer la structure d'un texte ;
- sélectionner des informations ;
- analyser les informations trouvées ;
- structurer ton texte ;
- communiquer les résultats de ton enquête ;
- trouver le sujet des diverses parties d'un texte ;
- comprendre l'organisation de la phrase ;
- reconnaître le groupe sujet ;
- reconnaître le groupe du verbe ;
- reconnaître le groupe complément de phrase ;
- détecter les erreurs dans un texte ;
- distinguer le radical de la terminaison des verbes.

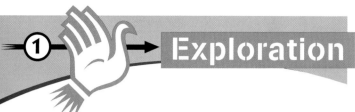

# D'où viens-tu?

**TU VAS:**

Respecter les règles
de discussion

Au cours des discussions, lève la main quand tu veux prendre la parole et attends ton tour pour exprimer tes idées.

**1.** Que sais-tu des origines de ta famille?

- Tes ancêtres sont-ils arrivés de France au 17e ou au 18e siècle? De quelle région venaient-ils?

- Tes parents ou tes grands-parents sont-ils plutôt venus s'installer ici au cours du siècle dernier? Si c'est le cas, sais-tu d'où ils venaient?

- Peut-être es-tu toi-même originaire d'un autre pays. De quel pays? Qu'est-ce que tu connais de cette région du monde?

**2.** Demande à tes parents ou à tes grands-parents de te parler des origines de ta famille. Partage tes connaissances avec tes camarades.

**3.** Certaines civilisations ont marqué notre histoire, notre mode de vie, notre culture, notre littérature. Que sais-tu de ces sociétés ?

- Avec tes camarades, discute de ce que tu connais de quelques grandes civilisations.
- Explique-leur où tu as appris ce que tu sais.

Ainsi, savais-tu que :
- les Hébreux ont été les premiers à croire en un seul dieu ?
- les Mayas ont construit des pyramides et des temples gigantesques ?
- le cerf-volant a été inventé en Chine ?
- la pyramide de Khéops en Égypte était destinée à recevoir le corps d'un pharaon ?
- notre alphabet nous vient des Sumériens ?
- c'est grâce aux Incas si, de nos jours, on peut manger des tomates ?
- les Nubiens fabriquaient des bijoux en or, il y a de cela 3000 ou 4000 ans ?
- c'est un philosophe grec qui, le premier, a conclu que la Terre était ronde ?

**4.** Laquelle de ces civilisations pique le plus ta curiosité ? Pourquoi ?

**5.** Dans ce dossier, tu vas t'informer sur une civilisation ancienne que tu feras connaître à tes camarades.

- Tu vas lire le texte du recueil qui porte sur la civilisation que tu as choisie, puis tu consulteras des ouvrages documentaires pour trouver des informations supplémentaires.
- Tu vas écrire un texte sur cette civilisation que tu afficheras dans la classe.
- Tu vas présenter oralement le résultat de tes travaux à la classe.

**6.** Feuillette les pages du dossier, puis lis attentivement ton contrat pour bien savoir à quoi tu t'engages. Remplis ton contrat et signe-le.

# Que l'enquête commence !

## Lecture

**TU VAS :**

Observer la structure d'un texte

Sélectionner des informations

Analyser les informations trouvées

**1.** Prends connaissance du texte du recueil (p. 123 à 150) qui porte sur la civilisation que tu as choisie.

- Observe le titre, les intertitres et les illustrations.
- Écris le titre et les intertitres du texte dans le schéma de la fiche *Une civilisation à connaître*.
- Selon toi, sur quoi porte chaque partie du texte ? Est-ce que les intertitres et les illustrations te donnent des indices ? Note le sujet de chaque partie dans le schéma présenté sur ta fiche.

**2.** Fais une lecture rapide du texte et vérifie sur quoi porte réellement chaque partie. Modifie ou précise au besoin le sujet que tu as noté dans ton schéma.

**3.** Fais une lecture approfondie du texte : cherche les informations contenues dans chacune des parties. Prends des notes sur ta fiche *Une civilisation à connaître*.

**4.** Forme une équipe avec un ou une camarade qui a choisi la même civilisation que toi. Comparez les informations que vous avez trouvées à celles qui sont inscrites sur la fiche *Une civilisation à connaître (corrigé)*.

- Sur votre fiche, surlignez chaque information qui est aussi sur la fiche « corrigé ».
- Sur la fiche « corrigé », surlignez chaque information qui n'est pas sur votre fiche.
- Si une information de votre fiche est incomplète ou erronée, corrigez-la, puis surlignez la correction apportée.

**5.** Faites le point sur votre lecture.

- Quelles informations vous semblent les plus importantes ?
- Avez-vous encore des questions sur le sujet ? Si oui, lesquelles ?
- Quelle question chaque membre de l'équipe va-t-il choisir ?

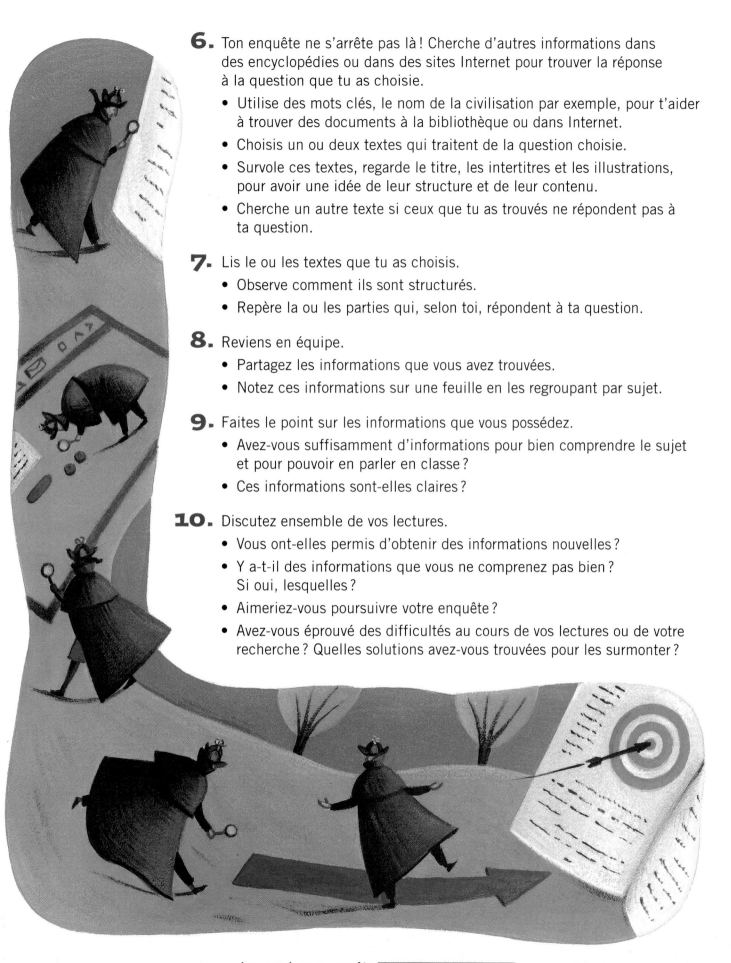

**6.** Ton enquête ne s'arrête pas là! Cherche d'autres informations dans des encyclopédies ou dans des sites Internet pour trouver la réponse à la question que tu as choisie.

- Utilise des mots clés, le nom de la civilisation par exemple, pour t'aider à trouver des documents à la bibliothèque ou dans Internet.
- Choisis un ou deux textes qui traitent de la question choisie.
- Survole ces textes, regarde le titre, les intertitres et les illustrations, pour avoir une idée de leur structure et de leur contenu.
- Cherche un autre texte si ceux que tu as trouvés ne répondent pas à ta question.

**7.** Lis le ou les textes que tu as choisis.

- Observe comment ils sont structurés.
- Repère la ou les parties qui, selon toi, répondent à ta question.

**8.** Reviens en équipe.

- Partagez les informations que vous avez trouvées.
- Notez ces informations sur une feuille en les regroupant par sujet.

**9.** Faites le point sur les informations que vous possédez.

- Avez-vous suffisamment d'informations pour bien comprendre le sujet et pour pouvoir en parler en classe?
- Ces informations sont-elles claires?

**10.** Discutez ensemble de vos lectures.

- Vous ont-elles permis d'obtenir des informations nouvelles?
- Y a-t-il des informations que vous ne comprenez pas bien? Si oui, lesquelles?
- Aimeriez-vous poursuivre votre enquête?
- Avez-vous éprouvé des difficultés au cours de vos lectures ou de votre recherche? Quelles solutions avez-vous trouvées pour les surmonter?

# Écriture

**1.** C'est le moment d'écrire ton rapport d'enquête.

- Vas-tu aborder tout ce qui est noté sur ta fiche ?
- Quelles informations vont intéresser davantage tes camarades ?
- Comment vas-tu présenter ces informations pour que les élèves aient une bonne idée de la civilisation que tu as étudiée ?

**2.** Fais le schéma de ton texte. Pour cela, inspire-toi de celui de la fiche *Une civilisation à connaître*.

**3.** Présente ton schéma à ton ou ta camarade de travail. Ensemble :

- discutez de ce que chacun ou chacune veut mettre dans son texte ;
- assurez-vous que les informations sont bien organisées.

**4.** Rédige ton rapport d'enquête.

- Laisse suffisamment d'espace entre les lignes pour pouvoir modifier ton texte par la suite.
- Si tu doutes de l'orthographe d'un mot ou de la structure d'une phrase, indique-le.

**5.** Relis ton texte pour t'assurer :

- qu'il contient toutes les informations dont tu voulais parler ;
- que les informations sont claires et bien organisées.

**6.** Relis ton texte une phrase à la fois en vérifiant :

- la ponctuation et la structure des phrases ;
- les accords dans les groupes du nom ;
- l'accord du ou des verbes ;
- l'orthographe d'usage.

**7.** Forme une équipe avec trois autres élèves pour détecter les erreurs dans les textes.

- Choisis une catégorie parmi les suivantes :
  - la ponctuation et la structure des phrases ;
  - les accords dans les groupes du nom ;
  - l'accord des verbes ;
  - l'orthographe d'usage.
- Relis les quatre textes pour détecter les erreurs qui relèvent de ta responsabilité. Note les erreurs, mais sans les corriger.

**8.** Reprends ton texte tout en restant en équipe.

- Classe les erreurs des 100 premiers mots de ton texte à l'aide de la fiche *Les erreurs dans mon texte*.
- Corrige toutes tes erreurs en te servant des outils dont tu disposes.
- Si tu as des doutes sur une correction ou si tu n'es pas d'accord avec celle-ci, discutes-en avec l'élève responsable.
- Assure-toi que tu as corrigé toutes tes erreurs.

**9.** Décide comment tu vas présenter et diffuser ton rapport d'enquête.

- Vas-tu le transcrire à la main ou à l'ordinateur ?
- Ajouteras-tu des dessins ou des illustrations pour appuyer tes idées ?
- Quelle mise en pages feras-tu pour susciter l'intérêt des lecteurs ?

**10.** Transcris ton texte et relis-le une dernière fois pour t'assurer qu'il ne reste pas d'erreurs.

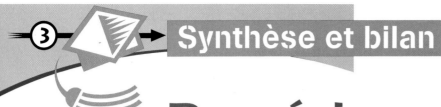
# De précieux rapports

**1.** Forme une équipe avec des camarades qui ont enquêté sur la même civilisation que toi. Vous allez présenter votre rapport à vos camarades. Ceux-ci formeront le jury, qui aura la responsabilité de juger si les faits présentés sont clairs et pertinents.

- Nommez une personne qui animera la discussion.

- Sélectionnez les faits à présenter.

- Partagez-vous les rôles pour la présentation.
    - Quel ton adopterez-vous pour présenter votre rapport?
    - Avez-vous besoin de vous exercer?

**2.** C'est à ton tour de prendre la parole; présente les faits clairement. Lorsque tu es membre du jury, écoute les faits et pose des questions, au besoin. Observe:
- si les faits rapportés décrivent bien la civilisation étudiée;
- s'ils sont expliqués clairement.

**3.** Écoute ce que le jury pense de la présentation de ton équipe.

**4.** Affiche ton rapport avec ceux qui portent sur la même civilisation. Trouve un moment pour lire les rapports qui traitent d'autres civilisations.

**5.** Discute de ce dossier avec tes camarades.
- As-tu aimé faire une enquête sur une civilisation ancienne?
- As-tu le goût de poursuivre ta recherche?
  Si oui, sur quelle civilisation?
- Qu'est-ce qui a le plus suscité ton intérêt au cours des présentations?
- Vois-tu des liens entre la civilisation que tu as étudiée et la société dans laquelle tu vis?

**6.** Relis ton contrat et vérifie si tu as bien respecté ton engagement. Discutes-en avec ton enseignante ou ton enseignant.

**7.** Dans ton portfolio, dépose:
- tes fiches de lecture;
- la partie du rapport d'enquête que tu as rédigée;
- ta fiche *Les erreurs dans mon texte*;
- ton contrat.

# Connaissances et stratégies

## A Lecture guidée

**TU VAS :**

Observer la structure
d'un texte

Trouver le sujet
des diverses parties
d'un texte

**1.** Tu vas lire un texte sur une civilisation plusieurs fois millénaire : les Mayas. Par la même occasion, tu vas observer comment ce texte est structuré ainsi que d'autres textes qui lui ressemblent. Un texte est plus facile à comprendre quand on sait de quelle manière il est construit.

- As-tu déjà entendu parler des Mayas ? Qu'est-ce que tu sais de ce peuple ?

- Pense à d'autres sociétés que tu connais : qu'est-ce que tu aimerais savoir sur les Mayas ?

**2.** Avant de commencer ta lecture, observe comment le texte est structuré.

- Note le titre et les intertitres dans le schéma de la fiche *Une civilisation à connaître*.

- Regarde le titre, les intertitres et les illustrations. Qu'est-ce qu'on dit des Mayas, selon toi ?

- De quoi parle-t-on dans chaque partie du texte ? Écris le sujet de chaque partie dans ton schéma.

**3.** Lis l'introduction : de quoi sera-t-il question dans le texte ?

**4.** Dans un texte informatif, l'introduction sert à présenter le sujet, c'est-à-dire de quoi il sera question dans le texte.

Ici, l'introduction joue-t-elle bien son rôle ?

# Les Mayas : un peuple qui a su dompter la nature

**D**ans les jungles profondes de l'Amérique du Nord et de l'Amérique centrale, les Mayas ont construit des cités fabuleuses. Ce peuple amérindien courageux et habile a réussi à dompter une nature sauvage pour y bâtir des villes et y cultiver la terre. Encore aujourd'hui, on peut contempler des vestiges des cités mayas. Celles-ci témoignent du génie de ce peuple.

**5.** Lis la première partie du texte : *Des espaces immenses*.

## Des espaces immenses

La grande aventure des Mayas a commencé vers 2600 avant notre ère. Elle s'est achevée vers 1500 de notre ère, soit au moment de l'arrivée de Christophe Colomb.

Le territoire maya couvrait plus de 350 000 km² ! Les Mayas ont occupé le sol de cinq pays : le Mexique, le Belize, le Guatemala, le Salvador et le Honduras.

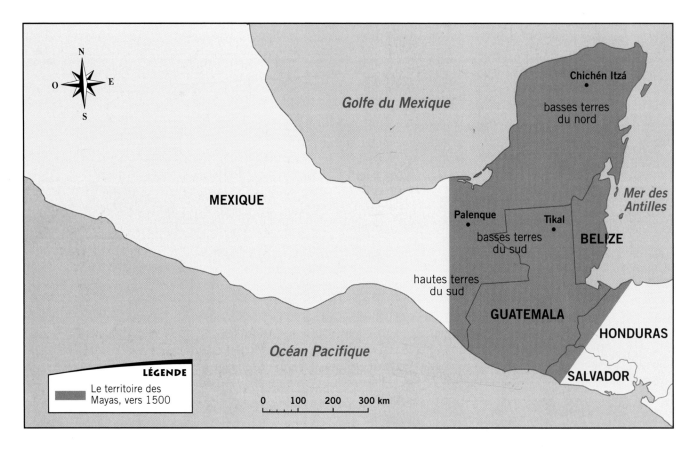

**LÉGENDE**
Le territoire des Mayas, vers 1500

**6.** Discute de ta lecture avec tes camarades, puis prends des notes sur ta fiche.

- De quoi est-il question dans cette partie du texte ?

- Quelles informations y trouve-t-on ?

- Le sujet que tu avais noté dans ton schéma est-il exact ? Corrige-le, au besoin.

- Sers-toi de mots clés pour inscrire ces informations dans ton schéma.

Au début de leur histoire, les Mayas vivaient dans les hautes terres du sud, composées de vallées, de plateaux et de montagnes volcaniques. Dans les vallées, ils ont défriché des forêts et cultivé des sols, qui étaient enrichis par les éruptions des volcans. Au plus fort de leur civilisation, ils habitaient plutôt les basses terres du sud, couvertes de forêts tropicales humides. C'est dans cette région, pourtant hostile, qu'ils ont bâti leurs cités les plus magnifiques. Au moment de leur déclin, ils occupaient les basses terres du nord, où le sol est peu fertile.

# La vie au quotidien

## Dans les cités

Les Mayas construisaient leurs immenses cités avec des blocs de pierre calcaire. Ils taillaient ces blocs avec des outils de pierre et les transportaient sur leur dos.

Leurs hautes pyramides surmontées de temples, leurs vastes palais à un étage et leurs maisons étaient bâtis sur des plates-formes de différentes hauteurs. Cette disposition produisait des villes majestueuses, dont les édifices étaient ornés de sculptures et de peintures murales faites par de grands artistes.

En général, seuls le dirigeant, le *halach uinic* (« vrai homme » en langue maya), les nobles et les prêtres vivaient dans les villes. Les gens du peuple y venaient pour travailler, offrir leurs produits au marché ou assister aux cérémonies religieuses.

Exemple de l'architecture maya : le *Castillo*, construit dans la cité maya de Chichén Itzá.

## Chez les paysans

Comme les commerçants et les artisans, les paysans vivaient autour de la ville. Leurs huttes en argile n'avaient qu'une ouverture : la porte. La pièce principale était meublée simplement : quelques tables, des tapis et des coffres en paille pour les vêtements. Dans l'unique chambre, des cadres en bois recouverts de roseaux servaient de lits.

Le soleil n'était pas encore levé quand commençait la journée des paysans, soit vers trois heures du matin. Les femmes allumaient un feu et préparaient le petit déjeuner, composé de tortillas de haricots et d'*atole* (boisson faite de pâte de maïs, de miel et d'eau chaude).

Après le repas, les hommes partaient aux champs pour y cultiver principalement le maïs, mais aussi les courges, les haricots et le tabac. De plus, ils entretenaient les huttes, chassaient, pêchaient et devenaient à l'occasion constructeurs ou soldats. Les femmes s'occupaient des enfants et fabriquaient les objets nécessaires à la famille : vêtements, poteries, etc. Vers 20 heures, toute la famille était au lit !

### En compagnie des dieux

À peu près tous les êtres vivants et les objets avaient leur divinité chez les Mayas (Soleil, Lune, maïs, pluie, nombres, etc.). Le dieu du maïs, par exemple, avait une grande importance, car les Mayas se croyaient les enfants de ce dieu.

Grands agriculteurs, les Mayas vénéraient Chac, le dieu de la pluie.

**8.** Discute de cette partie avec tes camarades.

- Quel est le sujet de cette partie ?
- Quelles informations y trouve-t-on ?
- Relis le sujet que tu avais inscrit dans ton schéma : est-il exact ?
- Sers-toi de mots clés pour inscrire ces informations dans ton schéma.

**9.** Lis la troisième partie du texte : *Des réalisations grandioses.*

Les dieux étaient au centre de la vie quotidienne. Pour obtenir leurs faveurs et éviter leur colère, les Mayas offraient des cadeaux, des jeûnes, des prières, de la musique et des danses. Ils pratiquaient aussi la pelote, un jeu de balle qui visait à prédire les volontés des dieux.

### Des réalisations grandioses

Les petits villages du début de la civilisation maya sont devenus d'immenses royaumes. Il est exceptionnel que l'architecture et l'art d'un peuple qui n'utilisait que des outils de pierre aient pu atteindre une telle perfection ! Construites dans la jungle il y a plus de 1500 ans avant notre ère, les cités mayas sont des plus imposantes.

Les Mayas ont défriché et brûlé de vastes forêts tropicales pour bâtir leurs cités et cultiver la terre. Aux endroits où l'eau était rare, ils ont construit des canaux et des citernes pour y recueillir et y entreposer l'eau de pluie. Ils ont tracé des routes à travers la jungle et les marais pour développer le commerce avec des peuples éloignés.

Aujourd'hui, il existe une centaine de sites connus. Tikal, par exemple, était la plus grande ville maya. Construite vers 700 de notre ère, au Guatemala, elle comptait près de 10 000 bâtiments. Les pyramides de Tikal étaient les plus élevées du monde maya : elles atteignaient 70 mètres, l'équivalent d'un édifice de 20 étages ! Cette cité abritait environ 70 000 habitants ; elle était donc beaucoup plus peuplée que les villes d'Europe à la même époque.

Les prêtres, qui étaient les savants de la société maya, ont inventé un système d'écriture très perfectionné pour l'époque. Cette écriture était composée de glyphes, des symboles qui représentaient des idées et des sons. Les glyphes étaient peints sur du papier, des murs ou des objets en céramique, ou encore gravés dans la pierre ou le bois.

Les prêtres ont aussi créé un ingénieux système de calcul, basé sur le nombre 20, soit le total de leurs doigts et de leurs orteils ! De plus, ils ont fait construire des observatoires pour étudier le ciel. Ils ont calculé avec une grande précision les cycles de l'année solaire, les phases lunaires, les éclipses du Soleil et de la Lune, les mouvements de la planète Vénus. Leurs observations les ont amenés à créer un calendrier de 365 jours, et cela bien avant le nôtre !

On peut encore admirer les ruines de la ville de Tikal, au Guatemala.

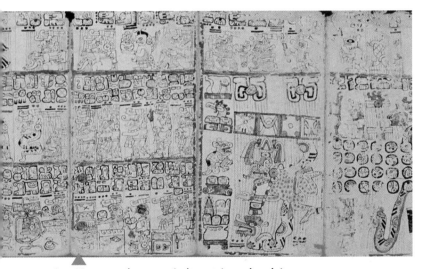

Les Mayas avaient une écriture très recherchée, comme on peut le voir sur ce manuscrit ancien.

**10.** Discute des réalisations des Mayas avec tes camarades.
Prends des notes sur cette partie du texte en utilisant ta fiche.

On pense que cette tour située à Palenque servait d'observatoire.

**11.** Lis la conclusion du texte sur les Mayas. Note, sur ta fiche, de quoi il est question dans ces deux paragraphes.

Après l'an 900, les Mayas ont abandonné leurs territoires. Ils ont peu à peu été soumis à d'autres peuples. On a fait plusieurs hypothèses pour expliquer le déclin de la civilisation maya : changements climatiques, famines, surpopulation, épidémies, guerres, etc. Mais les causes réelles demeurent un mystère...

De nos jours, environ six millions de descendants des Mayas vivent au Mexique, au Belize et au Guatemala. La plupart d'entre eux cultivent le maïs et vendent les produits de leur artisanat au marché. Plusieurs communautés mayas sont menacées d'extinction, mais certaines réussissent à préserver leur identité et leurs coutumes.

**12.** Fais un retour sur ta lecture avec tes camarades.

- Que retiens-tu de la société maya ?
- Aimerais-tu aller au Mexique ou en Amérique centrale voir des vestiges de cette civilisation ? Qu'est-ce qui t'intéresserait ?
- As-tu trouvé cette lecture facile ou difficile ?
- Est-ce que la lecture guidée t'a permis de mieux comprendre le texte ? Que retiens-tu de cette démarche ?

# B Structure des textes

**1.** Le texte que tu as lu, *Les Mayas : un peuple qui a su dompter la nature,* décrit une civilisation.

* La structure, ou le plan, qui a servi à écrire ce texte s'appelle une structure de description.

* Chaque partie du texte porte sur un aspect différent de la civilisation décrite. Ce texte traite :
    - du territoire de la société ;
    - de la vie des Mayas ;
    - de leurs réalisations.

**2.** Tu as sûrement déjà lu des textes qui avaient une structure semblable. Quel était le sujet de ces textes ? Comment étaient-ils divisés ?

**3.** Toi aussi, quand tu écris des textes pour décrire un animal, une personne ou un objet, tu peux utiliser cette structure. Voici un schéma qui la représente bien.

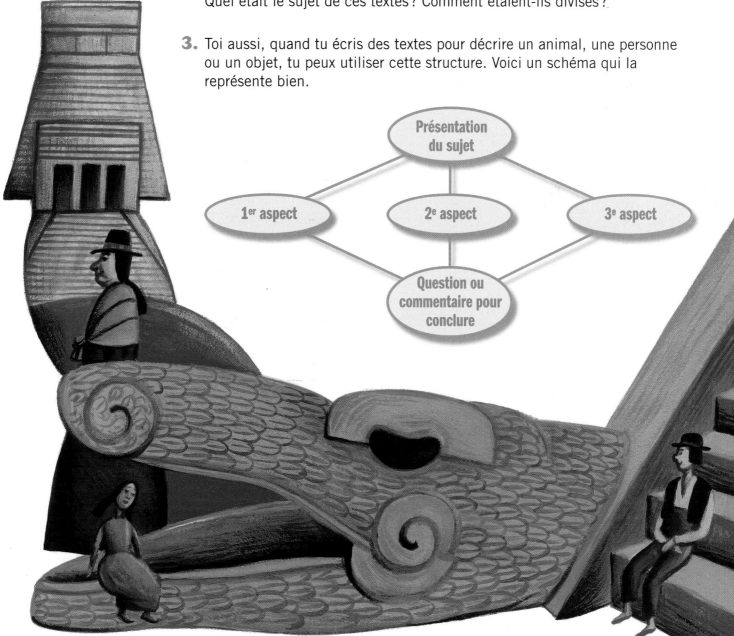

Présentation
du sujet

1er aspect

2e aspect

3e aspect

Question ou
commentaire pour
conclure

# ⒢ Syntaxe

**TU VAS :**

Comprendre
l'organisation de
la phrase

**1.** Compare les énoncés A et B, C et D, puis E et F.

- Quelles différences observes-tu ?
- Quels énoncés sont des phrases et lesquels n'en sont pas ? Pourquoi ?
- Partage tes observations avec tes camarades.

**A**  Les historiens.

**B**  Les historiens racontent le passé des peuples.

**C**  Un chercheur français a percé le mystère des hiéroglyphes.

**D**  A percé le mystère des hiéroglyphes.

**E**  Les ruines des temples mayas sont fascinantes à visiter.

**F**  Les ruines des temples mayas.

**TU VAS :**

Reconnaître
le groupe sujet

Reconnaître
le groupe du verbe

**2.** Les énoncés B, C et E sont des phrases complètes et bien construites.
Observe leur construction.

| Groupe sujet | + | Groupe du verbe |
| --- | --- | --- |
| Les historiens | | racontent le passé des peuples. |
| Un chercheur français | | a percé le mystère des hiéroglyphes. |
| Les ruines des temples mayas | | sont fascinantes à visiter. |

**3.** Dans ces phrases :

- le **groupe sujet** indique *de qui* ou *de quoi* on parle dans la phrase ;
- le **groupe du verbe** indique *ce qu'on dit du sujet* dans la phrase ;
- le groupe sujet et le groupe du verbe sont obligatoires.

**4.** Dans chacune des phrases ci-dessous, trouve le groupe sujet et le groupe du verbe. Classe-les dans un tableau semblable au suivant.

   **A** De nombreux sites mayas ont disparu.

   **B** La journée de travail des paysans était longue.

   **C** Le peuple maya cultivait les terres fertiles des vallées.

   **D** Des observatoires permettaient aux prêtres mayas d'étudier le ciel.

| Groupe sujet | Groupe du verbe |
|---|---|
|  |  |

**5.** Place-toi en équipe. Montre ton tableau à tes camarades et explique-leur comment tu as fait pour reconnaître chaque groupe.

**6.** Connais-tu d'autres moyens pour reconnaître le groupe sujet ? Discutes-en avec tes camarades. Quels moyens vous semblent vraiment sûrs ?

**7.** Compare les moyens qui viennent d'être énumérés à ceux qui suivent.

### Pour reconnaître le groupe sujet

*Lecture Écriture*

- Je regarde si la phrase contient un des pronoms suivants : « je », « tu », « il », « ils » ou « on » ; ces pronoms sont toujours sujets de la phrase.

   **Ex. :**   **Ils**   font une recherche sur les Sumériens.
   <small>Groupe sujet</small>   <small>Groupe du verbe</small>

- Lorsque le groupe sujet est formé d'un groupe du nom, je le remplace par le pronom « il », « ils », « elle » ou « elles ».

   **Ex. : L'équipe de Fiona** cherche des textes sur les Sumériens.

   **Elle** cherche des textes sur les Sumériens.

- Je me sers de la tournure « <u>c'est... qui</u> » pour encadrer le groupe sujet.

   **Ex. : L'équipe de Fiona** a trouvé trois livres très intéressants.

   <u>C'est</u> **l'équipe de Fiona** <u>qui</u> a trouvé trois livres très intéressants.

**8.** Reviens en équipe pour vérifier les moyens énumérés. Ensemble, trouvez le groupe sujet et le groupe du verbe dans les phrases suivantes.

   **A** Les Chinois ont découvert la fabrication du papier.

   **B** Tu devrais lire ce livre sur les civilisations du Nil.

   **C** L'origine de la civilisation hébraïque est très ancienne.

**9.** Observe les phrases suivantes.

- Qu'est-ce que les groupes de mots en caractères gras ajoutent à la phrase ?
- Peut-on enlever ces groupes de mots ?
- Peut-on placer ces groupes de mots ailleurs dans la phrase ?

**A**  **Dans l'Antiquité**, les Égyptiens ont érigé des pyramides spectaculaires.

**B**  Les pyramides des Égyptiens sont devenues célèbres **à cause de leur architecture**.

**C**  **Encore aujourd'hui**, les gens visitent les pyramides d'Égypte **pour admirer une des merveilles du monde**.

**10.** Les groupes de mots observés à l'activité 9 sont des **compléments de phrase**.

- Le complément de phrase apporte une précision à l'ensemble de la phrase ; habituellement, il indique *où, quand, comment, pourquoi, pendant combien de temps, depuis combien de temps, dans quel but* cela se passe.

- Le complément de phrase n'est pas obligatoire dans la phrase. Il est **effaçable**, c'est-à-dire qu'on peut le supprimer.

  Ex.: ~~Dans l'Antiquité~~, les Égyptiens ont érigé des pyramides spectaculaires.

- Le complément de phrase peut être placé à différents endroits dans la phrase. Il est **déplaçable**.

  Ex.: Les pyramides des Égyptiens sont devenues célèbres **à cause de leur architecture**.

  **À cause de leur architecture**, les pyramides des Égyptiens sont devenues célèbres.

  Les pyramides des Égyptiens, **à cause de leur architecture**, sont devenues célèbres.

**11.** Voici des moyens pour reconnaître les groupes compléments de phrase.

### Pour reconnaître le groupe complément de phrase

- Je cherche le ou les groupes de mots qui peuvent être enlevés ou déplacés.

- J'emploie la tournure «et cela» ou encore «et cela se passe» devant le complément de phrase.

  **Ex.:** On peut contempler des vestiges des cités mayas **encore de nos jours**.

  On peut contempler des vestiges des cités mayas <u>et cela se passe</u> **encore de nos jours**.

  Les pyramides des Égyptiens sont devenues célèbres **à cause de leur architecture**.

  Les pyramides des Égyptiens sont devenues célèbres <u>et cela</u> **à cause de leur architecture**.

*Lecture Écriture*

**12.** Dans les phrases suivantes, trouve le groupe sujet, le groupe du verbe et le groupe complément de phrase, s'il y en a un.

- Place chaque groupe dans un tableau semblable au suivant.

  **Attention!** Le complément de phrase n'est pas toujours à la fin de la phrase, même s'il est dans la dernière colonne du tableau.

- Explique à tes camarades comment tu as fait pour trouver chaque groupe.

| Groupe sujet | Groupe du verbe | Groupe complément de phrase |
|---|---|---|
| | | |

**A** Les Aztèques cultivaient le maïs, les courges et les haricots.

**B** Dans la Grèce antique, les premières pièces de monnaie représentaient une tortue.

**C** Des millions de touristes sont allés en Égypte pour visiter les pyramides.

**D** L'été prochain, Colin et sa famille vont explorer des ruines de temples mayas.

# D Syntaxe, orthographe grammaticale et orthographe d'usage

**TU VAS :**

Détecter les erreurs dans un texte

Erreurs

**1.** Lis le texte qui suit ; il contient des erreurs.

- Relève les erreurs et note-les dans ton cahier.
- Avec un ou une camarade, comparez les erreurs que vous avez détectées, puis discutez-en.

> Les Mayas ont vécu dans les jungles profonde du Mexique et de l'Amérique centrale il y a presque 7000 ans ils on construit des pyramides très haute. Au sommet des pyramides, les Mayas ont bati des temples impressionnants. Les paysans mayas habitaient pas ces pyramides. Ils habitaient autour des cités. Ils se levais très tôt le matin, même pendan la nuit pour aller travailler aux champs. cultivait le maïs, les courjes, les aricos et le tabac. T'aimerais-tu aller visiter les ruines de temples mayas ?

**2.** Toujours en équipe, classez les erreurs par catégorie dans un tableau semblable au suivant.

| Ponctuation et structure de phrase | Accords dans le groupe du nom | Accord du verbe | Orthographe d'usage |
|---|---|---|---|
|  |  |  |  |

Voici quelques exemples d'erreurs par catégorie.

- Erreurs de ponctuation et de structure de phrase :
  - il manque un signe de ponctuation ou une majuscule en début de phrase ;
  - il manque un mot dans une phrase ou encore ce mot est mal placé ;
  - il manque un terme de négation dans une phrase négative ;
  - la phrase interrogative est mal construite.

- Erreurs d'accord dans le groupe du nom :
  - le déterminant ou l'adjectif n'a pas le même genre ou le même nombre que le nom.

- Erreurs d'accord du verbe :
  - le verbe n'est pas de la même personne ou du même nombre que le sujet.

- Erreurs d'orthographe d'usage :
  - le mot n'est pas orthographié tel qu'on le trouve dans un dictionnaire.

**3.** Fais la dictée que ton enseignante ou ton enseignant te donnera.

Révise ta dictée et corrige toutes les erreurs que tu trouves avec un crayon de couleur.

**4.** Forme une équipe avec un ou une camarade. Révisez vos dictées en indiquant les erreurs qui restent avec un crayon d'une autre couleur.

**5.** Reprends ta dictée : classe les erreurs qui ont été trouvées sur la fiche *Les erreurs dans ma dictée.*

**6.** Avec un ou une camarade, discute de ta dictée et de la fiche que tu as remplie.
- Quelles erreurs fais-tu le plus souvent ?
- Y a-t-il des erreurs que tu détectes en te relisant et que tu corriges facilement ?
- Y a-t-il des erreurs que tu as de la difficulté à détecter ?

**7.** Discute avec les élèves de ta classe.
- Comment t'y prends-tu pour réviser ton texte ?
- Comment fais-tu pour trouver les erreurs ?
- Comment peux-tu expliquer qu'il reste des erreurs ? Est-ce parce que :
  - tu ne vois pas qu'il y a une erreur quand tu te relis ?
  - tu vois les erreurs, mais tu ne sais pas comment les corriger ?
  - pour toi, ce n'est pas important de réviser et de corriger ton texte ou ta dictée ?

**8.** Qu'est-ce que tu retiens de ces activités et de ces discussions ? Dans ton journal de bord, écris ce que tu comptes faire pour mieux détecter et corriger tes erreurs à l'avenir.

# E Conjugaison

**TU VAS :**

Distinguer le radical
de la terminaison
des verbes

**1.** Le verbe est composé de deux parties : le radical et la terminaison. Observe les exemples ci-dessous.

Combien de radicaux trouves-tu dans le verbe « aimer » à l'indicatif présent ? dans le verbe « grandir » ?

| | radical / | terminaison | | | radical / | terminaison |
|---|---|---|---|---|---|---|
| j' | aim | e | | je | grandi | s |
| tu | aim | es | | tu | grandi | s |
| il / elle | aim | e | | il / elle | grandi | t |
| nous | aim | ons | | nous | grandiss | ons |
| vous | aim | ez | | vous | grandiss | ez |
| ils / elles | aim | ent | | ils / elles | grandiss | ent |

**2.** Tu peux constater que :
- le radical des verbes de la 1re conjugaison (verbes en « er ») ne change pas à l'indicatif présent ;
- d'autres verbes, comme le verbe « grandir », ont deux radicaux à l'indicatif présent.

Cherche les verbes « aimer » et « grandir » dans un tableau de conjugaison. Y a-t-il d'autres radicaux nécessaires pour former les autres temps ?

**3.** Parmi les verbes suivants, lesquels suivent le modèle de « grandir » pour leur conjugaison ?

partir     finir     souffrir     rougir     venir     nourrir

**4.** Certains verbes ont plusieurs radicaux. C'est le cas du verbe « aller », qui en a six.
- Cherche ce verbe dans un tableau de conjugaison et trouve les radicaux qui servent à former le verbe aux temps et aux personnes suivantes.
- Observe les six radicaux que tu as dû utiliser.

### ALLER

| | | |
|---|---|---|
| **Indicatif présent** | je | ▮ s |
| | tu | ▮ s |
| | nous | ▮ ons |
| | elles | ▮ t |
| **Futur simple** | tu | ▮ ras |
| **Subjonctif présent** | que j' | ▮ e |

**5.** Avec ton équipe, cherche les verbes suivants dans un tableau de conjugaison. Combien de radicaux trouvez-vous pour chaque verbe ?

faire     finir     pouvoir     savoir     venir

# (F) Orthographe d'usage

1. Quels moyens utilises-tu pour retenir l'orthographe des mots et pour écrire ces mots correctement dans tes textes ? Discute de ces moyens avec tes camarades.

2. Voici des moyens qui peuvent t'aider à apprendre l'orthographe des mots.

## Pour apprendre l'orthographe d'un mot

- Je lis le mot attentivement une première fois.

- J'examine ce mot en cherchant ce qu'il a de particulier.

  **Ex.:** « civilisation » : ce mot se termine par le son [sion] qui s'écrit « tion » comme dans « action ».

  « territoire » : dans ce mot, il y a deux « r » comme dans « terre ».

- Je ferme les yeux et j'écris le mot dans ma tête.
  Si j'ai des doutes sur son orthographe, je le regarde de nouveau.

- J'écris le mot de mémoire, c'est-à-dire sans le regarder.

- Je vérifie si j'ai bien écrit le mot.
  Sinon, je le corrige.

3. Mémorise l'orthographe des mots suivants en te servant de la stratégie que tu viens d'observer.

époque, jungle, maïs, monument, palais, peuple, prêtre, pyramide, sacré, sacrée, statue, tabac

Discute avec tes camarades de cette stratégie.
L'as-tu trouvée efficace ?
Penses-tu l'utiliser à l'avenir ?
As-tu l'intention de la modifier ?

**4.** Pour retenir l'orthographe des mots, il faut bien les observer et chercher des ressemblances. Trouve les ressemblances entre les mots de chaque série, puis mémorise leur orthographe.

archéologie – écho – technique – technologie
civilisation – conversation
enthousiaste – théâtre – mathématique
mœurs – cœur
région – religion
royaume – payer – tuyau
tonnerre – terre

**5.** Parfois c'est la différence entre les mots qui nous aide à retenir leur orthographe. Trouve la différence entre les mots de chaque série et mémorise leur orthographe.

conversation – discussion
cour – secours
ère – air – aire
pantoufle – souffler
papillon – rayon
rivière – hier
signe – panier – peigne
sourire – soupir

**6.** Les mots de chaque série appartiennent à une même famille, c'est-à-dire qu'ils sont formés à partir d'un même mot de base. Observe leurs ressemblances et mémorise leur orthographe.

bâtir – bâtiment
histoire – historique – préhistoire – préhistorique
puissance – puissant – puissante
site – situation – situé – située – situer
terre – terrestre – enterrer – territoire – atterrir

**7.** Les noms de peuples et de lieux géographiques (pays, province, ville, village) commencent toujours par une majuscule. Ce sont des noms propres.

**Ex.:** Les Mayas ont habité le Mexique, le Belize, le Guatemala, le Salvador et le Honduras.

**Attention!** Il ne faut pas confondre le nom et l'adjectif.

**Ex.:** Le peuple maya cultivait le maïs.

Dans ce cas, « maya » est un adjectif et il s'écrit avec une minuscule.

**8.** Les mots soulignés sont-ils bien orthographiés? Explique ta réponse.

Les <u>Grecs</u> ont organisé les premiers jeux olympiques.

Des grandes villes <u>chinoises</u> sont devenues populeuses.

Sylviane est née à <u>Québec</u>. Cette jeune fille <u>québécoise</u> habite maintenant <u>Gaspé</u>.

# Dossier ②

# Des histoires pour tous les goûts

**L**orsqu'on se lance dans un roman, on aime retrouver un peu de son univers: se laisser charmer par des personnages qui nous ressemblent, explorer des lieux qui nous attirent, frissonner au gré des émotions des personnages. En même temps, on souhaite explorer l'inconnu, se laisser transporter par les événements.

La lecture d'un roman, c'est une expérience unique, aussi envoûtante que le jeu. Tu en doutes? Vas-y, plonge! Tu vivras une aventure sans pareille.

**Dans ce dossier, tu vas:**

- explorer le monde des livres;
- faire preuve de créativité;
- lire un roman;
- critiquer un roman;
- rédiger une critique de roman;
- exprimer clairement tes idées;
- te poser des questions dans le but de comprendre un roman;
- réfléchir à ta manière de rédiger des textes;
- reconnaître les groupes du nom;
- reconnaître un GN précédé d'une préposition;
- faire les accords dans le groupe du nom;
- conjuguer les verbes à l'indicatif présent.

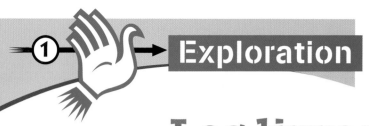

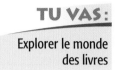

# Exploration

# Les livres et toi

**TU VAS :**

Explorer le monde
des livres

**1.** Qu'est-ce que la lecture d'un roman représente pour toi : un moment de bonheur ou une corvée ? Discute avec tes camarades de tes expériences de lecture. Explique clairement ton point de vue.

**2.** Quelles sont tes habitudes de lecture ?

- Quand lis-tu : tous les jours ? une fois par semaine ? une fois par mois ? quand tu n'as pas le choix ? jamais ?
- Qu'est-ce que tu préfères : des romans, des bandes dessinées, des ouvrages documentaires ? Pourquoi ?
- Où t'installes-tu pour lire ? Quel est le meilleur moment pour te plonger dans ta lecture ?

**3.** Forme une équipe avec des camarades avec qui tu peux partager facilement tes expériences.

- Quand tu étais jeune enfant, est-ce qu'on te lisait des histoires ? Quels souvenirs gardes-tu de ces moments ?
- Avais-tu hâte de savoir lire ? Quand tu as commencé à lire, est-ce qu'il t'arrivait de prendre un livre pour le simple plaisir de le faire ?
- Maintenant, est-ce que tu aimes lire ? Explique ta réponse.
- Quelles sont tes expériences de lecture les plus heureuses ? Si tu n'en as pas connu, aimerais-tu en connaître ? Que pourrais-tu faire pour que cela se produise ?
- Est-ce qu'il t'arrive de parler de tes lectures ? Si oui, avec qui ?

**4.** Voici des témoignages de jeunes de ton âge qui n'aiment pas lire des romans.

- En équipe, trouvez des arguments pour les convaincre de se lancer dans l'aventure.
- Nommez un animateur ou une animatrice qui dirigera la discussion ainsi qu'un ou une porte-parole qui fera un compte rendu de votre discussion à la classe.

Je trouve que c'est trop long : je vais voir tout de suite à la fin pour connaître la conclusion.

Je n'ai jamais entrepris un roman complet. Je lis trop lentement, j'ai peur de ne pas suivre l'histoire.

Moi, je préfère faire du sport, m'amuser avec des jeux électroniques et jouer avec mes amis. Les personnes qui aiment lire ne font rien de tout ça.

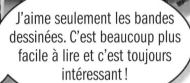

J'aime seulement les bandes dessinées. C'est beaucoup plus facile à lire et c'est toujours intéressant !

**5.** Si tu es porte-parole, présente les arguments de ton équipe.

Sinon, écoute les arguments présentés par tes camarades.
Tu pourras y ajouter ton point de vue après les présentations.

**6.** Revenez en équipe, puis changez d'animateur ou d'animatrice et de porte-parole. Discutez de l'univers des livres en vous aidant des questions suivantes.

- Selon vous, quelles sont les différences et les ressemblances entre :
  - un album de contes et un roman ?
  - une bande dessinée et un roman ?
  - un roman et un ouvrage documentaire ?
  - un roman d'amour et un roman d'aventures ?
  - un roman fantastique et un roman de science-fiction ?
  - un roman biographique et un roman historique ?
  - un roman d'enquête et un roman d'aventures ?
- À quoi sert la couverture d'un livre ? la quatrième de couverture ?

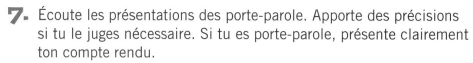

**7.** Écoute les présentations des porte-parole. Apporte des précisions si tu le juges nécessaire. Si tu es porte-parole, présente clairement ton compte rendu.

**8.** Dans ce dossier, tu vas participer à un club de lecture.

- Tu vas choisir un roman que tu liras au complet.
- Tu vas former un club de lecture avec des camarades qui ont choisi le même roman que toi.
- Tu vas écrire un texte dans lequel tu donneras ton opinion sur ton roman.
- Enfin, tu vas expliquer ton opinion à des élèves qui ont lu d'autres romans que le tien.

**9.** Sais-tu ce qu'est un club de lecture ?

- Connais-tu des gens qui font partie d'un club : club de pêche, de philatélie ou de protection de l'environnement, par exemple ?
- À ton avis, qu'est-ce qui se passe dans ce genre de club ?
- As-tu une idée de ce que peut être un club de lecture ? Que voudrais-tu que ce soit ?

**10.** Avant de former ton club, écoute ton enseignante ou ton enseignant qui va te présenter les différents romans mis à ta disposition. Les voici :

- *Un ami qui te veut du mal*, un roman d'aventures d'André Marois
- *Le parc aux sortilèges*, un roman fantastique de Denis Côté
- *Silence de mort*, un roman d'aventures de Laurent Chabin
- *Opération violoncelle*, un roman d'enquête de Micheline Gauvin
- *Trafic chez les Hurons*, un roman historique d'André Noël
- *Prisonniers des Grrihs*, un roman de science-fiction de Christian Martin
- *Jérôme et le silence des mots*, un roman d'amour de Claudie Stanké
- *La métamorphose d'Helen Keller*, un roman biographique de Margaret Davidson.

**11.** Lis attentivement ton contrat, puis signe-le.

# Un club de lecture dynamique!

## Production

**1.** Forme ton club de lecture.

- Quel roman veux-tu lire?
- Avec qui veux-tu te lancer dans cette aventure?

**2.** Tout club qui se respecte a un nom et un insigne.

- Quel nom donnerez-vous à votre club?
- Quel sera votre insigne? Aurez-vous une mascotte? À vous de décider, mais assurez-vous que votre club sera bien représenté.
- Faites votre insigne. N'oubliez pas d'y inscrire le nom de votre club.
- À chacune de vos rencontres, affichez-le.

## Lecture

### Première rencontre

**1.** Enfin, voici la première rencontre de votre club de lecture.

- Ensemble, explorez le roman que vous avez choisi.
  - Qui l'a écrit? Connaissez-vous cet auteur ou cette auteure?
  - Quelles images vous viennent en tête à la lecture du titre?
  - Que vous suggère l'illustration de la couverture?
  - Est-ce que le texte en quatrième de couverture vous donne une bonne idée du roman?
- Discutez de vos attentes.
  - Qu'est-ce qui vous a poussé à choisir ce roman?
  - À quoi vous attendez-vous comme histoire?

**2.** Garde des traces de ta lecture dans ton carnet de lectures. Tes notes te seront utiles lorsque viendra le temps de rédiger ta critique de roman.

- Identifie le roman que tu as choisi :
  - Quel en est le titre ?
  - Qui l'a écrit ?
  - Qui a fait les illustrations ?
  - Quelle maison d'édition l'a publié ? En quelle année ?
- Explique ton choix en quelques phrases.
  - Pourquoi as-tu choisi ce roman ?
  - À quel genre d'histoire t'attends-tu ?

**3.** Feuillette le recueil (p. 151 à 188) et lis la première tranche du roman que tu as choisi.

### Deuxième rencontre

**4.** Discutez de votre lecture en vous inspirant des questions suivantes.

- Cette première tranche correspond-elle à ce que vous pensiez trouver ?
- Que racontait cette partie de l'histoire ?
- Selon vous, qu'est-ce qui va se passer dans la deuxième tranche du roman ? Sur quels indices vous appuyez-vous pour faire vos prédictions ?

**5.** Prends des notes dans ton carnet de lectures : celui-ci te servira à conserver des souvenirs de ce que tu lis et à recueillir tes impressions.

- Que raconte la première partie de l'histoire ?
- Qu'est-ce que tu penses de ce début ?
- Selon toi, qu'est-ce qui va se passer dans la deuxième partie ?

**6.** Lis la deuxième tranche de ton roman.

## Troisième rencontre

**7.** Discutez de ce que vous avez compris de l'histoire.

- Discutez de la deuxième tranche en vous aidant des questions inscrites sur votre fiche *Au fil de ma lecture*.

- Selon vous, qu'est-ce qui va se passer dans la suite de l'histoire ? Sur quoi vous basez-vous pour faire vos prédictions ?

**8.** Garde des souvenirs de ton expérience dans ton carnet de lectures.

- La deuxième partie correspond-elle à ce que tu avais prévu ?

- Trouves-tu ton roman intéressant ? Écris ce qui te donne le goût de continuer ou, au contraire, ce qui te pousserait à arrêter.

- Écris tes prédictions sur la suite de l'histoire.

## Au cours des autres rencontres

**9.** Poursuis ta lecture en suivant la même démarche.

- Lis la tranche de roman qu'on te désigne.

- Partage, avec les membres de ton club, ce que tu as compris de l'histoire et ce que tu en penses.

- Poursuis ta discussion à l'aide des questions inscrites sur ta fiche *Au fil de ma lecture*.

- Note ce que tu penses du passage que tu viens de lire dans ton carnet de lectures.

- Fais tes prédictions sur la suite de l'histoire.

**10.** As-tu terminé ton roman ? Fais le point avec les membres de ton club de lecture.

- Qu'est-ce que vous retenez de ce roman ? Racontez l'histoire en quelques phrases.

- L'avez-vous aimé ? Quels sont ses points forts et ses points faibles ? Voici quelques questions pour orienter votre discussion :
  - L'histoire vous a-t-elle tenus en haleine ? Y avait-il des épisodes trop longs ou inutiles ?
  - Que pensez-vous des personnages ?
  - Est-ce que les actions ou les événements étaient vraisemblables ?
  - Est-ce que le dénouement était étonnant ?
  - Est-ce que l'auteur ou l'auteure a fait preuve d'imagination ?
  - Était-ce un roman agréable à lire ? bien écrit ?

**11.** Écris tes impressions dans ton carnet de lectures.

# Écriture

**1.** Voici le moment de faire connaître ton opinion sur le roman que tu as lu.

- Qu'est-ce que tu penses de ce roman ? L'as-tu beaucoup aimé ? plus ou moins ? très peu ? pas du tout ?

- Relis tes notes afin de t'aider à préciser ton opinion :
  - donne des raisons pour justifier ton opinion ;
  - trouve des passages qui illustrent ces raisons.

**2.** Organise tes idées dans un schéma comme celui qui suit. Tu peux donner autant de raisons que tu le désires.

**Présentation du roman et appréciation globale**

**1re raison : explications et exemples**

**2e raison : explications et exemples**

**3e raison : explications et exemples**

**Une question ou un commentaire pour conclure**

**3.** Comment vas-tu t'y prendre pour rédiger ton texte ? Discutes-en avec tes camarades.

**4.** Rédige ton texte en t'inspirant de ton schéma.

- Laisse assez d'espace entre les lignes pour pouvoir modifier et corriger ton texte.

- Fais un paragraphe pour chaque partie du schéma.

- Si tu as des doutes sur le choix ou l'orthographe des mots ou encore sur la structure des phrases, indique-le.

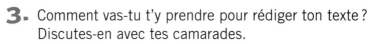

**5.** Relis ton texte en te posant les questions ci-dessous.
Indique ce que tu veux ajouter ou modifier.

- Est-ce que tu as bien présenté ton roman ?
- As-tu exprimé clairement ton opinion ?
- As-tu donné des raisons qui expliquent ton opinion ?
- Est-ce que tes raisons sont suffisamment bien expliquées
  pour que d'autres lecteurs les comprennent ?
- As-tu fait un commentaire ou posé une question en guise
  de conclusion ?

**6.** Lisez les textes des membres du club en vous posant les questions
ci-dessous. Suggérez des améliorations, au besoin.

- Le texte est-il clair ?
- Contient-il assez d'informations pour être compris par des camarades
  qui n'ont pas lu ce roman ?

**7.** Reprends ton texte et apporte les modifications que tu juges nécessaires.

**8.** Relis ton texte une phrase à la fois en examinant les points suivants.

- La ponctuation : la phrase commence-t-elle par une majuscule
  et se termine-t-elle par un point ?

- La structure : la phrase est-elle bien structurée ?
  Contient-elle un groupe sujet et un groupe du verbe ?
  Contient-elle aussi un complément de phrase ?

- Les accords dans les groupes du nom :
  - souligne les groupes du nom ;
  - dans chaque groupe du nom, vérifie si les déterminants et
    les adjectifs sont du même genre et du même nombre que le nom.

- L'accord du ou des verbes : repère chaque verbe et trouve le sujet.
  Vérifie si les accords sont bien faits.

- L'orthographe d'usage : vérifie l'orthographe de tous les mots.
  Consulte ta liste orthographique ou un dictionnaire, au besoin.

**9.** Au moment de la synthèse, tu parleras de ton roman à des élèves qui
ne l'ont pas lu. Tu pourrais en profiter pour leur remettre ton texte.

- Transcris ton texte à l'ordinateur ou à la main.
- Fais attention de ne pas y laisser d'erreurs.
- Relis-le une dernière fois pour t'assurer qu'il est à ton goût.

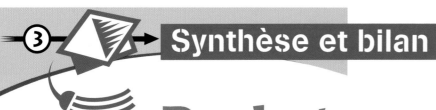
# Des lectures en perspective !

**TU VAS :**

Exprimer clairement
tes idées

Critiquer un roman

**1.** Tu vas bientôt partager ton aventure avec des camarades. Prépare ta discussion.

- Consulte ton carnet de lectures et le texte que tu as écrit pour ramasser tes idées.
- Résume l'histoire dans ta tête (attention ! Il ne faut pas que tu dévoiles le dénouement) ; pour t'aider, note des mots clés.
- Pense à des raisons qui peuvent convaincre des camarades de lire ce roman (ou de ne pas le lire, si c'est le cas).
- Trouve un ou deux passages qui illustrent ton opinion.

**2.** Forme une équipe avec des élèves qui ont lu d'autres romans.

- Écoute les présentations des membres de ton équipe ; peut-être y trouveras-tu des suggestions de lectures intéressantes.
- Présente ton roman et dis ce que tu en penses de façon claire.

**3.** Si des camarades te présentent leur texte, prends le temps de le lire et fais-leur part de tes réactions.

**4.** Fais le bilan du dossier en classe.

- As-tu trouvé l'expérience facile ou difficile ? Explique ton point de vue.
- As-tu aimé discuter d'un roman au fur et à mesure que tu le lisais ?
- Que penses-tu de l'idée de faire partie d'un club pour pouvoir discuter de tes lectures ?

**5.** Fais ton bilan personnel dans ton journal de bord.

- Écris le nom de ton club de lecture.
- Mets-y l'insigne du club ou dessine la mascotte.
- Exprime en quelques phrases ce que tu retires de cette expérience.

**6.** Relis ton contrat et évalue si tu l'as respecté. Discutes-en avec ton enseignante ou ton enseignant.

**7.** Dans ton portfolio, dépose :

- ton contrat ;
- ton carnet de lectures ;
- ta critique de roman ;
- ton journal de bord.

# Connaissances et stratégies

## Ⓐ Lecture guidée

**TU VAS :**

Te poser des questions dans le but de comprendre un roman

Tu détestes lire des romans ! Tu trouves que c'est trop long, puis tu as toujours peur de perdre le fil… Pour t'aider, suis cette stratégie. Elle consiste à te poser des questions tout au long de ta lecture. Tu auras ainsi de bonnes chances de réussir à lire un roman au complet. Et même d'y prendre goût !

Tu vas lire le premier chapitre d'un roman d'André Marois, *Un ami qui te veut du mal*, en suivant cette démarche.

**1.** Observe le titre et l'illustration de la couverture. Selon toi, de quoi parle-t-on dans ce roman ?

**2.** Écoute ton enseignant ou ton enseignante te lire le texte de la quatrième de couverture. Est-ce qu'il te donne une bonne idée de l'histoire ?

**3.** Lis la première partie du chapitre.

## *Un ami qui te veut du mal*

— J'en ai marre ! Ma vie est plate !

Le jeune Charlie est vraiment en colère. Tout seul chez lui, il se regarde dans le miroir et il crie. Il est plus rouge qu'une tomate. Il est rouge comme deux tomates.

— Je veux un problème !

Charlie, justement, n'a aucun problème. Sa santé va bien, merci. Il n'a pas vu de docteur depuis ses cinq ans. Ses parents ne sont ni divorcés, ni séparés, ni en chicane. Pire : ils s'aiment et s'entendent à merveille. À l'école, il a de bonnes notes. Jusqu'au basket, où il joue vraiment comme un pro, accumulant les victoires et les félicitations de son entraîneur. Que des choses positives. Et c'est ça qui le met en rage.

— Pourquoi je vis pas en garde partagée, comme tous mes copains ? Pourquoi papa est pas en prison ? Pourquoi maman chante pas à la télévision ?

Charlie se rapproche de son reflet dans le miroir, espérant repérer sur son visage quelques boutons, un début d'acné, ou le signe d'une maladie rare. Rien !

— Je suis terriblement normal. Je suis même encore plus normal que tout le monde. Plus normal que les normaux.

À onze ans, Charlie vient de découvrir ce qui le ronge : la normalité de sa vie. Tous ses héros préférés passent leur temps à régler des problèmes énormes, à sauver la planète ou à combattre les extraterrestres poilus qui ont enlevé leur petite sœur. Lui, il est fils unique et ses parents trouvent que c'est très bien ainsi. Vraiment, c'est à désespérer. Comment voulez-vous qu'il s'en sorte ?

— Ça va changer, c'est moi qui vous le dis !

Charlie fait alors un truc stupide. Il saisit le verre à dents et le projette violemment contre le miroir qui éclate en morceaux. Il ricane, essaie de ramasser les débris, se coupe. Mais ça ne le calme pas pour autant. On dirait même que la vue du sang décuple son énervement.

— Un miroir cassé : sept ans de malheur ! C'est pas trop tôt. Youpi la, youpi la, youpi lo, pouêt, pouêt. Tagada tsoin-tsoin !

**4.** Discute avec tes camarades.

- Que se passe-t-il dans cette partie du roman ?

- Est-ce qu'il t'arrive de te sentir comme Charlie ? Si oui, explique ce que tu ressens dans ces moments-là.

- As-tu une bonne idée de ce qui va se passer dans la suite du roman ? Fais tes prédictions.

Il chante et danse tout seul un tango avec une partenaire imaginaire. Qu'il finit par embrasser comme dans les films. Smac! Il a décidé de ne plus être normal et de souffrir, et il va être servi! Ration double, même.

Juste à ce moment-là, on sonne à la porte. Charlie s'immobilise, surpris. Il croit qu'il a rêvé. La sonnerie retentit de nouveau. Mince alors, qui ça peut être? Il n'attend personne et maman ne rentre pas de son cours de gym avant une demi-heure. Son pouls s'accélère.

— Qui est là?

— Un ami qui te veut du mal.

C'est une grosse voix d'homme qui lui répond. Charlie tremble de peur. Qu'est-ce que c'est que cette plaisanterie? Mais, hé! il voulait du piquant dans sa vie, et voilà qu'il se présente à sa porte. Ce n'est pas le moment de se dégonfler. Il déverrouille en silence, tourne la poignée et ouvre d'un seul coup. Personne!

— Ben ça alors, j'ai quand même pas rêvé!

— Non, tu as pas rêvé.

Charlie fait un bond. L'homme s'était plaqué contre le mur à gauche de l'entrée. Et soudain, il apparaît devant lui. C'est un grand gaillard dans la cinquantaine, avec des yeux qui vous transpercent et des habits tout noirs, sauf ses chaussures qui sont rouges.

— Que... que... qui êtes-vous ?

— Je te l'ai dit : un ami qui te veut du mal.

— Mais ça veut dire quoi ?

— Ça veut dire que je vais te faire du mal, pour ton bien.

— Je comprends rien.

— Tu comprendras bien assez vite. Salut ! À très bientôt.

Et le bonhomme repart en sifflotant. Et Charlie referme la porte. Et son cœur bat à trois cents à l'heure. Et il voit les débris du miroir et se dépêche de tout ramasser avant que sa mère ne revienne. Et la journée s'achève comme d'habitude. Ou presque.

Dans la soirée, le téléphone sonne plusieurs fois, mais il n'y a jamais personne au bout du fil. Le père de Charlie s'énerve. Il râle contre les imbéciles qui sont incapables de faire un numéro sans se tromper. Charlie se tait. Il pense à son nouvel « ami ». Il sourit et sa maman lui répond par un clin d'œil. Ça, ça l'énerve, alors il prend un air sévère. Et sa mère éclate de rire.

Il préfère aller se coucher.

Demain sera un autre jour. Une très longue journée pas normale du tout.

Tiré de André MAROIS, *Un ami qui te veut du mal*, Montréal, Les Éditions du Boréal, collection Boréal Junior, 1999.

**5.** Discute du chapitre que tu viens de lire avec tes camarades.

- Qu'est-ce qui se passe dans la deuxième partie du chapitre ?

- Est-ce que tes prédictions étaient justes ?

- As-tu une meilleure idée de ce qui va se passer dans la suite du roman ?

- Quels sont les personnages du roman ?

**6.** Est-ce que le fait de te poser des questions sur l'histoire et de discuter avec tes camarades t'a permis de mieux comprendre cette partie du roman ? Est-ce que cela t'a donné le goût d'en poursuivre la lecture ?

Voici la stratégie que tu as suivie jusqu'à maintenant. Elle peut t'être utile chaque fois que tu lis un roman.

**Pour comprendre un roman**

**1°** Avant de commencer ma lecture :
- j'observe le titre et l'illustration de la couverture ;
- je me fais une idée de l'histoire ;
- je lis le texte de la quatrième de couverture ;
- je précise mon idée sur l'histoire.

**2°** Souvent, au cours de ma lecture, je m'arrête pour me demander :
- qu'est-ce que je retiens de l'histoire jusqu'à maintenant ?
- est-ce que mes prédictions étaient justes ?
- qu'est-ce que je ressens en lisant ce roman ?
- est-ce que je saisis bien les intentions et les réactions des personnages ?
- est-ce que j'éprouve des difficultés dans ma lecture ? Quelles solutions puis-je utiliser ?

**3°** Après ma lecture, je me pose les questions suivantes :
- qu'est-ce que je retiens de l'histoire que j'ai lue ?
- qu'est-ce que je pense de ce roman : est-ce que je l'ai aimé ? Qu'est-ce que j'ai préféré ? Qu'est-ce que je n'ai pas tellement aimé ?

# B Rédaction

**TU VAS :**

Réfléchir à ta manière
de rédiger des textes

**1.** Comment t'y prends-tu habituellement pour rédiger un texte ?
Est-ce que tu fais comme Caroline ou plutôt comme Jean-Daniel ?

## La démarche de Caroline

Quand j'ai toutes mes idées en tête,
je commence à rédiger. J'écris mon texte
d'un seul jet.

Je m'arrête uniquement quand je n'ai plus
d'idées ou que je ne sais pas comment écrire
une idée.

Parfois, si j'ai des doutes, je mets un point
d'interrogation ou j'entoure le mot que
je ne sais pas écrire. Mais je ne le fais pas
souvent parce que j'ai peur de perdre le fil
de mes idées.

Quand mon texte est rédigé, je le relis
du début à la fin en me demandant s'il est
logique et si j'ai bien écrit tout ce que
j'avais en tête.

Parfois, je change une phrase ou deux
ou encore j'ajoute une phrase ou un mot
qui manque. En même temps, je vérifie
s'il y a des erreurs d'orthographe.

## La démarche de Jean-Daniel

Je pense d'abord au premier paragraphe :
j'écris la première phrase.

Je relis la phrase que je viens d'écrire,
puis je me demande avec quelle phrase
poursuivre pour que ça soit logique.

Après avoir écrit deux ou trois phrases,
je me relis et je cherche comment je vais
dire la suite.

Parfois, en me relisant, je trouve
des erreurs d'orthographe ou des répétitions :
je prends le temps de les corriger.

Je m'y prends de la même façon pour tous
les paragraphes.

À la fin, quand mon texte est terminé,
je le relis en entier. Je vérifie s'il est complet
et si les idées s'enchaînent de façon logique.

Je corrige ensuite les erreurs d'orthographe
qui restent.

**2.** En équipe, discute de ta démarche pour rédiger un texte.

- Explique ta démarche.
- Écoute les explications des autres. Au besoin, pose des questions.
- Quels sont les avantages et les inconvénients de ta démarche ?
- Penses-tu modifier ta démarche ? Si oui, qu'est-ce que tu voudrais
  changer ? Pourquoi ?

**3.** Dans ton journal de bord, note tes réflexions sur ta façon de rédiger
des textes. Trouves-tu ta démarche satisfaisante ? Explique ta réponse et,
au besoin, dis ce que tu voudrais améliorer.

# Ⓖ Syntaxe

**TU VAS :**

Reconnaître
les groupes du nom

**1.** Révise tes connaissances sur la phrase.

- Décompose les phrases ci-dessous dans un tableau semblable au suivant.
- Explique à tes camarades comment tu as fait pour reconnaître chacun des groupes.

| Groupe sujet | Groupe du verbe | Groupe complément de phrase |
|---|---|---|
|  |  |  |

**A** Dominique Demers a écrit un grand nombre de romans.

**B** Ce roman remarquable a bouleversé tous les jeunes de mon équipe.

**C** La semaine prochaine, un auteur de romans viendra nous parler de son travail.

**2.** Dans les phrases que tu viens d'observer, le groupe sujet est formé d'un groupe du nom. Mais tu peux trouver des groupes du nom ailleurs que dans le groupe sujet. Observe la phrase suivante.

Ce soir, le bibliothécaire lira des histoires tristes.

| Groupe sujet | Groupe du verbe | Groupe complément de phrase |
|---|---|---|
| Le bibliothécaire | lira des histoires tristes | ce soir. |
| GN | GN | GN |

**Remarque.** On utilise l'abréviation GN pour représenter le groupe du nom.

Dans cette phrase, il y a trois groupes du nom : un dans le groupe sujet, un autre dans le groupe du verbe et un dernier dans le groupe complément de phrase.

**3.** Un groupe du nom contient toujours un nom : c'est ce mot qui donne son nom au groupe.

- On appelle ce nom le noyau du groupe du nom.

   **Ex.:** Le bibliothécaire lira <u>des histoires tristes</u> ce soir.

   Le mot « histoires » est le noyau du groupe du nom souligné.

- Le noyau d'un groupe du nom ne peut pas être effacé.

   **Ex.:** Le bibliothécaire lira des ~~histoires~~ tristes ce soir.

   Ainsi, on ne peut pas dire :

   > Le bibliothécaire lira des tristes ce soir.

**4.** Compare les groupes du nom soulignés dans les phrases suivantes. Sont-ils tous formés de la même façon ? Partage tes observations avec tes camarades.

**A** <u>Jasmine</u> aime beaucoup écrire.

**B** <u>Grand-père</u> peut lire sans lunettes.

**C** <u>La bibliothécaire</u> arrivera demain.

**D** <u>La bibliothécaire de l'école</u> réparera les livres bientôt.

**E** La bibliothécaire réparera <u>les livres brisés</u>.

**5.** Le groupe du nom peut être formé de différentes façons :

- d'un nom seul :
  - soit un nom propre
    **Ex.:** <u>Jasmine</u> aime beaucoup écrire.

  - soit un nom commun
    **Ex.:** <u>Grand-père</u> peut lire sans lunettes.

- d'un déterminant et d'un nom :

   **Ex.:** <u>La bibliothécaire</u> arrivera demain.

- d'un groupe du nom qui inclut un complément du nom, c'est-à-dire d'un groupe de mots qui ajoute des précisions au nom. Les compléments du nom sont effaçables, c'est-à-dire qu'ils peuvent être supprimés.

   **Ex.:** <u>La bibliothécaire ~~de l'école~~ réparera <u>les livres ~~brisés~~</u>.

**6.** Forme une équipe avec un ou une camarade.

- Repérez les groupes du nom dans le texte suivant.
- Expliquez votre démarche pour reconnaître les groupes du nom.

> Chaque semaine, Julien passe des heures à lire. Il se lève tôt le matin et lit cinq pages avant de quitter la maison. Le garçon fréquente régulièrement la bibliothèque municipale. C'est là qu'il a choisi son premier roman : un roman policier palpitant.

**7.** Observe attentivement les groupes du nom soulignés dans la phrase suivante.

<u>La bibliothécaire de l'école</u> réparera <u>les livres brisés</u>.

Dans cet exemple :

- le groupe du nom « les livres brisés » contient un complément du nom : l'adjectif « brisés » ;
- le groupe du nom « la bibliothécaire de l'école » contient aussi un complément du nom : « de l'école » ;
- le complément du nom « de l'école » contient lui-même un groupe du nom : « l'école ».

GN

<u>La bibliothécaire de |l'école|</u> réparera les livres brisés.

GN

**TU VAS :**

Reconnaître un GN précédé d'une préposition

**8.** Comme tu viens de l'observer, un complément du nom peut être formé d'un groupe du nom précédé d'un mot comme « à » ou « de ». On appelle ces mots des prépositions.

**Ex. :** La bibliothécaire **de** <u>l'école</u> réparera les livres brisés.

Dans cette phrase, le complément du nom « de l'école » est formé ainsi :

    de       l'école

préposition + groupe du nom

Voici d'autres exemples de groupes du nom précédés d'une préposition. Observe-les. Est-ce que ce sont toujours des compléments du nom ?

**A** **Dans** <u>ce roman</u>, un inconnu **à** <u>l'allure bizarre</u> se présente **chez** <u>Charlie</u>.

**B** Seule **sur** <u>son radeau</u>, Annie devra se débrouiller **avec** <u>courage</u>.

Les prépositions qu'on trouve le plus souvent devant un groupe du nom sont : « de », « à », « dans », « pour », « avec », « sans », « chez », « sur », « sous ».

**Remarque.** La préposition « à » peut aussi prendre les formes « au » et « aux ».

**Ex. :** Le bibliothécaire s'adresse **aux** <u>enfants attentifs</u>.

    « aux » = « à » + « les »

    Il leur lit le roman *L'île* **au** <u>trésor</u>.

    « au » = « à » + « le »

**9.** Pour trouver le groupe du nom, tu dois savoir reconnaître le nom. Sais-tu bien le faire ? Observe les moyens suivants.

### Pour reconnaître un nom

Je me pose les questions suivantes.

- Est-ce que ce mot sert à nommer des personnes, des animaux, des objets ou d'autres réalités comme des lieux, des activités, des sentiments ?

  **Ex.:** Cette **affiche** représente bien le **personnage** principal de l'**histoire**.

- Est-ce que je peux placer un déterminant comme « un », « une », « des », « le », « la », « l' » ou « les » devant ce nom ?

  **Ex.:** **une** affiche, **le** personnage, **l'**histoire

- Est-ce que je peux placer un adjectif avant ou après ce mot ?

  **Ex.:** une **grande** affiche, un personnage **comique**, une **belle** histoire

**10.** Tu dois aussi reconnaître l'adjectif qui fait parfois partie du groupe du nom.

### Pour reconnaître un adjectif

Je me pose les questions suivantes.

- Est-ce que ce mot dit comment est la personne, l'animal, l'objet ou la réalité désigné par le nom ?

  **Ex.:** J'ai lu un roman **intéressant**.

  Le mot « intéressant » dit comment est le roman. C'est un adjectif.

- Est-ce que je peux mettre ce mot au masculin et au féminin ?

  **Ex.:** un roman **intéressant** (masculin)
  une histoire **intéressante** (féminin)

- Est-ce que je peux placer le mot « très » devant ce mot ?

  **Ex.:** une histoire **très** intéressante.

  **Attention !** On ne peut pas placer le mot « très » devant tous les adjectifs. Par exemple, on ne peut pas dire : un personnage **très** principal.

**11.** Fais le travail suivant en équipe.

- Dans les phrases ci-dessous, repérez les groupes du nom.
- Expliquez la démarche que vous avez employée.

**A** Des auteurs éprouvent un plaisir fou à écrire des romans humoristiques.

**B** Cette année, deux jeunes ont entrepris d'écrire un roman fantastique.

**C** Les auteurs de romans policiers doivent être des personnes curieuses.

**D** L'année passée, mes livres préférés étaient surtout des romans d'aventures.

# D Orthographe grammaticale

**TU VAS :**

Faire les accords dans le groupe du nom

**1.** Tu le sais déjà : dans un groupe du nom, le nom noyau donne son genre et son nombre au déterminant et à l'adjectif. Observe l'exemple qui suit.

Les enfants émerveillés ont écrit une lettre à leur auteure préférée.
m. pl.                                                    f. s.                    f. s.

**2.** Reviens en équipe. Transcrivez les phrases de l'activité 11, puis faites une flèche du nom vers le déterminant et une autre du nom vers l'adjectif ou les adjectifs, s'il y a lieu.

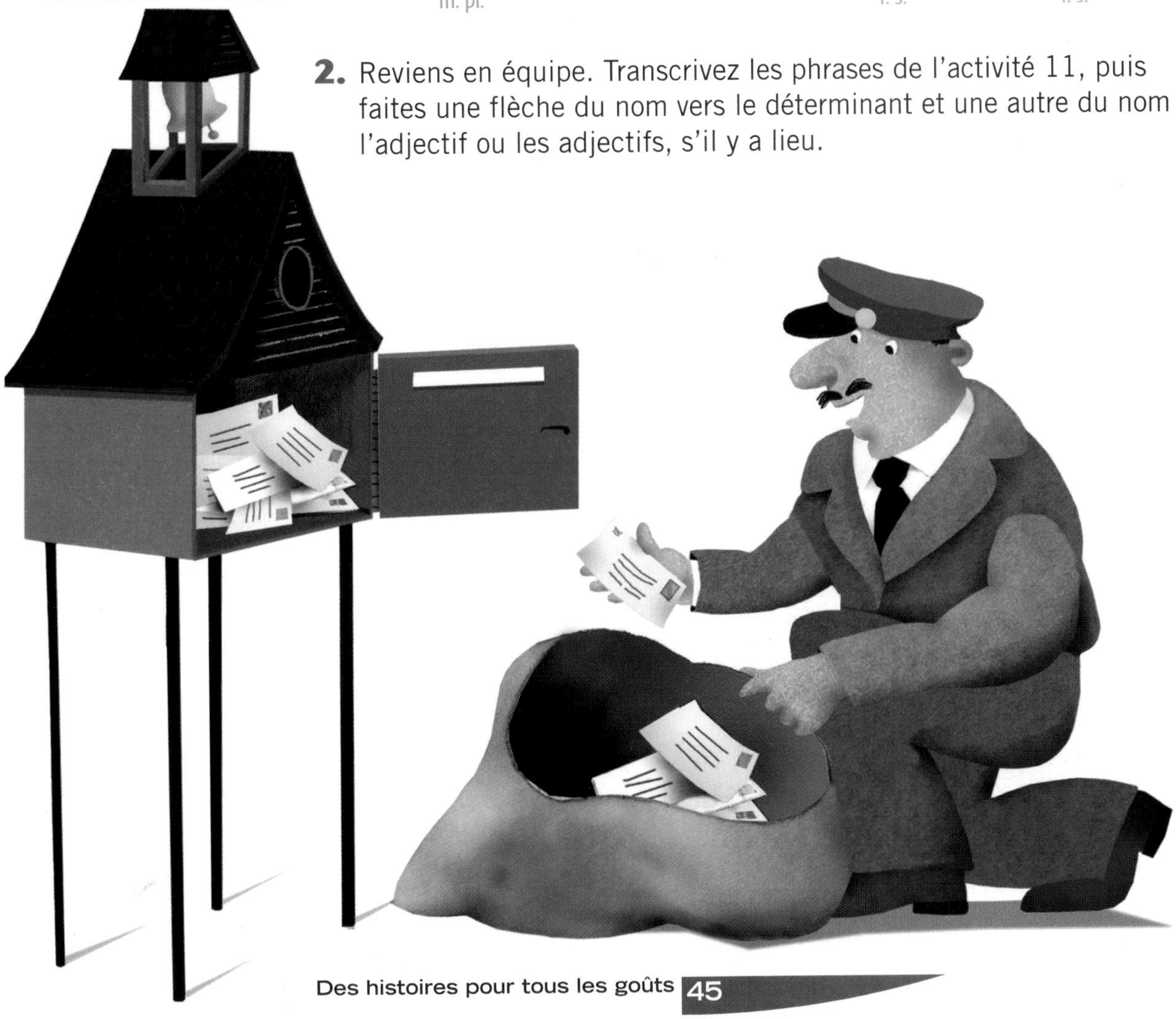

**3.** Dans le texte suivant, les accords dans les groupes du nom sont-ils bien faits ?

- Transcris le texte, relève les erreurs et corrige-les.
- Retrouve les membres de ton équipe ; explique-leur ta démarche pour repérer, puis corriger les erreurs.

**Erreurs**

> Une auteure farfelu a décidé d'écrire un roman d'amour. Tout d'abord, elle a créé des personnages bizarre. La fille avait les cheveux long ; quand elle les coiffait, ils ressemblaient à une tour penché. Un bon moyen d'attirer le regard curieuse des garçons ! Le garçon de cette histoire amusant jouait continuellement avec un yoyo défraîchie. C'était un antiquité aux couleurs éteinte. Ce garçon bizarre n'était préoccupé que par son yoyo : il ne voyait pas les filles amusé qui le regardaient passer.

## Ⓔ Conjugaison

**TU VAS :**

Conjuguer les verbes à l'indicatif présent

**1.** Tu as déjà étudié les terminaisons des verbes à l'indicatif présent. Te rappelles-tu les terminaisons des verbes à la 1re personne du singulier ?

- Transcris le tableau suivant et complète la terminaison des verbes de chaque série.
- Écris ce qui est commun aux verbes de chaque colonne.

| je brise | je finis | je peux | j'ai |
|---|---|---|---|
| je chante | j'écris | je vaux | |
| je joue | je sai | je veu | |
| j'étudi | je grandi | | |
| je cri | je rougis | | |
| je mange | je dis | | |
| je dérang | je sui | | |
| je tomb | je dor | | |
| je roul | je vien | | |
| je tromp | je fai | | |

**2.** Lorsque tu écris la terminaison des verbes à la 1<sup>re</sup> personne du singulier, à quoi dois-tu penser ?

**3.** Que sais-tu de la 3<sup>e</sup> personne du singulier de l'indicatif présent ?

- Quel peut être le pronom de conjugaison à la 3<sup>e</sup> personne du singulier ?
- Fais un tableau semblable au précédent ; conjugue les mêmes verbes à la 3<sup>e</sup> personne du singulier en employant tous les pronoms de conjugaison. Auras-tu le même nombre de colonnes ?
- Comment se terminent les verbes « prendre », « comprendre », « apprendre », « reprendre » et « surprendre » à la 3<sup>e</sup> personne du singulier ? Quel moyen peux-tu utiliser pour t'en rappeler lorsque tu écris ces verbes ?

**4.** Comment se terminent les verbes à la 2<sup>e</sup> personne du singulier de l'indicatif présent ? Y a-t-il des exceptions ? Si tu ne connais pas la réponse, consulte un tableau de conjugaison.

**5.** Conjugue les verbes suivants :

- à la 1<sup>re</sup> personne du pluriel ;
- à la 2<sup>e</sup> personne du pluriel.

aimer, grandir, mentir, pouvoir, vouloir, faire, aller, dire, savoir, tenir

Que remarques-tu ?

**6.** Écris les verbes « aller » et « faire » à la 3<sup>e</sup> personne du pluriel. Ces deux verbes ne se terminent pas de la même façon que les autres. Explique en quoi ils sont différents.

# Ⓕ Orthographe d'usage

**1.** Voici des mots qui sont liés au thème du dossier. Mémorise leur orthographe.

auteur – auteure

écrivain – écrivaine

roman

**2.** Plusieurs mots se terminent par le son [an] comme le mot « roman ».
Observe les mots qui suivent et mémorise leur orthographe.

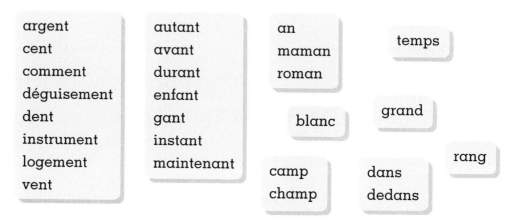

argent
cent
comment
déguisement
dent
instrument
logement
vent

autant
avant
durant
enfant
gant
instant
maintenant

an
maman
roman

temps

blanc

grand

camp
champ

dans
dedans

rang

**3.** Dessine des encadrés semblables à ceux ci-dessus.
- Au-dessus de chaque encadré, écris les lettres qui font le son [an].
- Classe les mots suivants dans ces encadrés, puis mémorise
leur orthographe.

aliment, appartement, banc, bâtiment, cadran, cependant, ciment,
courant, étang, franc, goéland, jument, longtemps, montant,
monument, mouvement, parlement, plan, pourtant, printemps,
semblant, sentiment

**4.** Dans quels encadrés classerais-tu les mots suivants ?

accident, changement, chant, devant, divan, écran, élan, jugement,
médicament, océan, paysan, présent, règlement, ruban, serpent,
seulement, tant, tellement, vêtement, volcan

**5.** Les mots « sans » et « sang » se prononcent de la même façon, mais ils s'écrivent
différemment ; c'est pareil pour les mots « tant » et « temps ».
- Compose une phrase avec chaque mot. Consulte un dictionnaire si tu as
des doutes sur le sens des mots.
- Si tu veux relever un défi plus grand, essaie de placer deux mots dans
la même phrase.

# Dossier ③

# En forme !

**E**s-tu en forme ? Lorsqu'on te pose cette question, tu penses sans doute qu'on fait allusion à ton état physique ou encore à ta santé mentale. Est-ce qu'on parle de la même chose lorsqu'on traite de la forme d'un édifice, par exemple ?

Dans ce dossier, tu l'auras compris, nous allons aborder la forme. Tu vas découvrir ce qu'il faut faire pour rester en forme, comment des artistes travaillent la forme des immeubles et des objets, de quelle façon les sculpteurs transforment la matière pour lui donner une forme. Tu examineras aussi les différentes formes que les poètes donnent aux mots.

**Dans ce dossier, tu vas :**

- explorer les différents sens de certains mots ;
- interpréter des expressions courantes ;
- préciser tes idées ;
- t'assurer que les autres comprennent ce que tu veux dire ;
- sélectionner des informations dans un texte ;
- coopérer ;
- faire preuve de créativité ;
- utiliser des méthodes de travail efficaces ;
- comparer des poèmes ;
- observer la forme des poèmes ;
- soigner ton langage ;
- utiliser la phrase de base pour analyser des phrases ;
- utiliser les opérations syntaxiques pour analyser des phrases ;
- faire les accords dans le groupe du nom ;
- reconnaître l'adverbe ;
- détecter les erreurs dans un texte ;
- conjuguer les verbes à l'imparfait, au conditionnel présent et au futur simple.

49

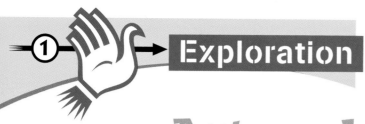

# Exploration

# Autour des mots

**TU VAS:**

Explorer les différents sens de certains mots

Interpréter des expressions courantes

Préciser tes idées

T'assurer que les autres comprennent ce que tu veux dire

**1.** Que veut dire l'expression « être en forme » ? Discutes-en avec tes camarades en t'exprimant le plus clairement possible.

- Comment te sens-tu quand tu es en forme ?
- Lorsqu'on dit d'une personne qu'elle est dans une forme extraordinaire, comment cela se manifeste-t-il ?

**2.** As-tu déjà remarqué les différentes formes présentes dans ton entourage ? Décris quelques formes que tu connais :

- celles des maisons et des édifices ;
- celles des autos, des meubles, de certains appareils ;
- celles des sculptures que tu as déjà vues dans les villes ou les musées, par exemple. Si tu n'en as jamais vu, peut-être as-tu pu en admirer dans des livres d'art ?

**3.** Selon toi, est-ce que les poètes sont aussi des artistes de la forme ? Ceux-ci savent donner aux mots des formes parfois surprenantes pour créer des images. As-tu déjà observé la forme des poèmes ?

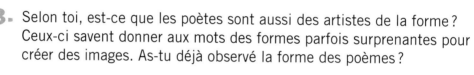

Mets-toi en équipe avec trois camarades pour faire les activités 4, 5, 6 et 7. Suivez les consignes ci-dessous.

- Au cours de vos discussions, précisez le mieux possible vos idées et assurez-vous que le ou la porte-parole comprend bien ce que vous voulez dire.

- Après chaque discussion, faites un compte rendu de votre discussion à la classe :

  - si tu es porte-parole, communique les idées de ton équipe le plus fidèlement possible ;

  - sinon, assure-toi que le ou la porte-parole rapporte avec justesse les résultats de votre discussion.

**Attention !** Pour chaque activité, changez d'animateur ou d'animatrice et de porte-parole.

**4.** Discutez du sens du mot « forme » dans les phrases et expressions suivantes. Au besoin, consultez un dictionnaire.

**A** En 1976, le Stade olympique de Montréal a surpris les gens par sa forme moderne.

**B** Le projet de notre équipe prend forme.

**C** Avant d'entreprendre son travail, Max a signé un contrat en bonne et due forme.

**D** Autrefois, les hommes portaient le haut-de-forme dans les cérémonies officielles.

**5.** D'autres mots ont des sens différents selon le contexte. Toujours en équipe, discutez des différents sens du mot « grand ». Par quels mots pourrait-on le remplacer dans les phrases ci-dessous ?

**A** Cette table est très grande.

**B** Quand il sera grand, Francis veut devenir vétérinaire.

**C** Il y avait une grande foule au cirque ce jour-là.

**D** Marina nous a appris une grande nouvelle.

**E** Philippe est devenu un grand artiste.

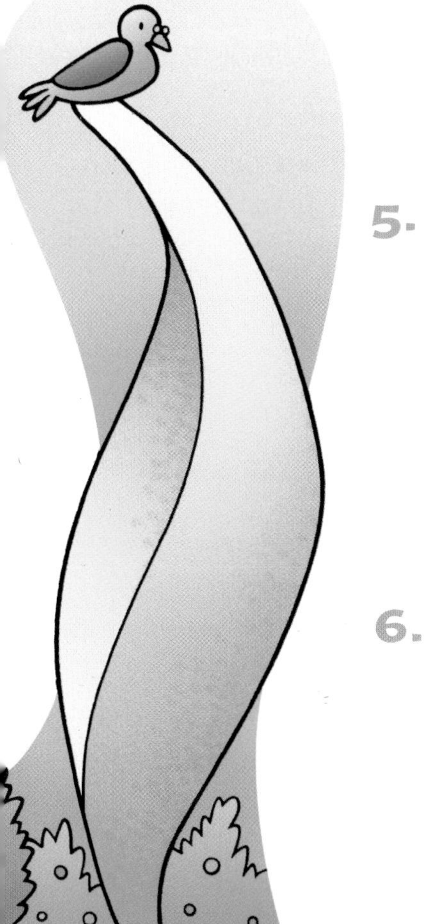

**6.** Que veulent dire les expressions soulignées ?

**A** Maude a permis à son équipe de gagner du temps.

**B** Avec le temps, cet athlète deviendra un champion.

**C** Cette vieille voiture a fait son temps.

**D** En ce temps-là, les enfants marchaient pour se rendre à l'école.

**E** Les invités sont arrivés à temps pour le spectacle.

**7.** Le mot « chaud » a-t-il le même sens dans les phrases suivantes ?

**A** Laurence a pris une douche chaude en revenant du gymnase.

**B** Au début de sa grippe, Amir se sentait le front chaud.

**C** Carla s'est mise à pleurer à chaudes larmes.

**D** Mes amis sont de chauds admirateurs de l'équipe de soccer de l'école.

**E** Cette chanteuse possède une voix chaude.

**8.** Dans ce dossier, tu auras le choix entre trois types de projets.

- Pour sélectionner ton projet, feuillette les textes du recueil (p. 189 à 214) et lis les différentes démarches.
- Choisis le projet que tu préfères.

Tu peux faire une affiche où tu expliqueras à tes camarades ce qu'est la santé physique ou la santé mentale avec quelques conseils pour être en forme.

Tu peux expliquer le travail d'un ou d'une artiste qui joue avec les formes (architecte, designer, sculpteur ou sculpteure), puis concevoir un objet ou une œuvre que tu présenteras à tes camarades.

Tu peux expliquer les différentes formes que peuvent prendre les poèmes, puis composer un poème en soignant sa forme.

**9.** Lis ton contrat et remplis-le. Signe-le en gardant en tête ton engagement jusqu'à la fin du dossier.

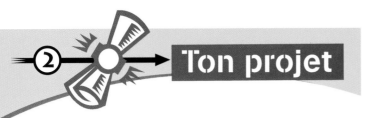

## Ton projet

# Des idées sous toutes les formes

- Si tu as choisi la santé physique ou la santé mentale,
  suis la démarche A.

- Si tu as choisi le travail d'un ou d'une artiste (architecte, designer,
  sculpteur ou sculpteure), suis la démarche B.

- Si tu as choisi la forme des poèmes, suis la démarche C,
  que tu trouveras à la page 59.

**TU VAS :**

Sélectionner
des informations
dans un texte
Coopérer

**Lecture**

| Démarche A | Démarche B |
|---|---|
| **1.** Choisis le sujet qui t'intéresse : | **1.** Choisis le sujet qui t'intéresse : |
| • la forme mentale ; | • l'architecture ; |
| • la forme physique. | • le design ; |
| | • la sculpture. |

## 2.

Fais le point sur le sujet que tu as choisi. Pour cela, utilise la première partie de ta fiche de lecture.

- Qu'est-ce que tu sais sur le sujet ?

- Qu'est-ce que tu aimerais savoir ?

- As-tu une idée de ce que contiendra le texte qui traite de ton sujet ?

## 3.

Dans le recueil, trouve le texte qui traite du sujet que tu as choisi.

- Observe le titre et les illustrations.

- Lis les intertitres et demande-toi quelles informations seront abordées dans chaque partie du texte.

# 4.

Lis le texte que tu as choisi.

Au fil de ta lecture, note des mots clés qui t'aideront à te rappeler les idées du texte.

# 5.

Forme une équipe avec des élèves qui ont lu le même texte que toi. Ensemble, discutez de ce que vous retenez du texte.

- Quelles informations vous ont semblé les plus étonnantes ?
- Est-ce que vous êtes en forme physiquement ou mentalement ? Expliquez votre réponse.
- Connaissez-vous des personnes qui sont en excellente forme sur le plan physique ou mental ?

- Le texte a-t-il modifié ce que vous pensiez de l'architecture, du design ou de la sculpture ? Expliquez ce qui vous a le plus frappés.
- En lisant ce texte, aviez-vous en tête des édifices, des objets ou des sculptures en particulier ? Si oui, est-ce que le texte vous a permis de mieux comprendre comment ils ont été conçus ?
- Est-ce que le texte vous a donné le goût de découvrir d'autres édifices, objets ou sculptures ? Si oui, lesquels ?

# 6.

Relis ton texte.

- Prends des notes sur ta fiche de lecture.
- Surligne, sur ta fiche, les informations que tu aimerais communiquer à tes camarades.

# 7.

En équipe, discutez des informations que vous avez recueillies.

- Vos informations sont-elles claires et précises ? Quelles modifications devriez-vous apporter ?
- Avez-vous suffisamment d'informations pour pouvoir parler de votre sujet (puis faire une affiche, s'il y a lieu) ? Qu'est-ce qu'il vous manque comme informations ? Comment ferez-vous pour les trouver ?

# 8.

Discute de ta lecture avec les membres de ton équipe.

- Le texte t'a-t-il apporté des informations nouvelles sur le sujet ? Lesquelles ?
- As-tu trouvé le texte facile ou difficile à comprendre ? Quelles difficultés as-tu éprouvées et quelles solutions as-tu trouvées ?
- Est-ce que les discussions en équipe t'ont permis de mieux comprendre le texte ? Qu'est-ce que ces discussions t'ont apporté ?

TU VAS :

Faire preuve de
créativité

Utiliser des méthodes
de travail efficaces

Coopérer

# Production

## Démarche A

Si tu suis la démarche A, passe à l'étape
Écriture, à la page 56.

## Démarche B

**1.** À ton tour maintenant de te lancer en
architecture, en design, ou en sculpture !
Tu peux faire la maquette d'une maison
ou d'un édifice, créer un objet original
ou encore, faire une sculpture à la forme
de ton choix. Tu peux aussi faire le dessin
de ce que tu voudrais créer.

Planifie soigneusement ton travail.

- Qu'est-ce que tu veux créer ? Comment
  t'imagines-tu ce que tu veux créer ?

- Comment comptes-tu t'y prendre
  pour réaliser ta création ? Détermine
  les étapes qui te seront nécessaires.

**2.** Fais une esquisse de ce que
tu veux créer.

**3.** Soumets ton esquisse aux camarades
de ton équipe. Explique-leur ce que
tu veux réaliser.

- Écoute attentivement le projet
  de chaque membre de l'équipe en
  cherchant à comprendre ses idées
  et en les respectant.

- Examine chaque esquisse en te posant
  les questions suivantes :
  - La création de ton ou ta camarade
    est-elle originale ?
  - Quelles améliorations pourrais-tu
    lui suggérer ?

**4.** Retravaille ton esquisse en tenant compte
des suggestions que tu juges pertinentes.

**5.** Réalise ta création.

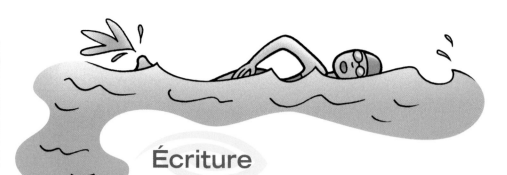

# Écriture

| **Démarche A** | **Démarche B** |
| --- | --- |

**Démarche A**

**1.** Tu vas faire une affiche qui portera sur la santé physique ou la santé mentale. Qu'est-ce que tu veux y mettre :

- des données statistiques que tu as trouvées impressionnantes ;
- une ou deux explications qui sauront intéresser les lecteurs ;
- quelques conseils qui leur seront utiles ;
- une ou plusieurs illustrations pour les aider à comprendre ?

**2.** Fais l'esquisse de ton affiche en ayant en tête tout ce que tu veux y mettre. Tu peux consulter le schéma de la page 15 pour t'aider.

- Quel message veux-tu mettre en évidence ?
- Comment disposeras-tu les informations ?

**3.** Présente ton projet d'affiche aux camarades de ton équipe. Ensemble, discutez de chaque affiche.

- Écoutez attentivement chaque membre de l'équipe en cherchant à comprendre ses idées et en les respectant.
- Examinez chaque esquisse en vous posant les questions suivantes :
  - Est-ce que le message ressort clairement ?
  - Les informations (explications, statistiques, illustrations, etc.) aident-elles à comprendre le message ?

Au besoin, suggérez des améliorations.

**Démarche B**

**1.** Rédige un texte pour présenter ta création et en faire ressortir l'originalité. Réfléchis à ce que tu veux dire.

- Comment présenteras-tu ta création ? Lui donneras-tu un nom ?
- Quelles caractéristiques as-tu l'intention de faire ressortir ?

**2.** Dans quel ordre vas-tu présenter tes idées ? Suis le schéma de la page 15 pour organiser tes idées.

**3.** Fais un brouillon de ton texte.

- Réfléchis à ta démarche quand tu rédiges un texte.
- Laisse assez d'espace entre les lignes pour pouvoir modifier ton texte par la suite.
- Si tu as des doutes, indique-les à mesure que tu écris.

**4.** Retravaille ton esquisse en tenant compte des suggestions que tu juges pertinentes.

- Fais un brouillon du texte de ton affiche.
- Si tu as des doutes, note-les à mesure que tu écris.

**5.** Relis le texte de ton affiche en te posant les questions suivantes :

- Le message que tu veux communiquer ressort-il clairement ?
- Les autres informations aident-elles à comprendre le message que tu veux transmettre ?
- Le texte est-il facile à comprendre ?
- La disposition est-elle attirante ?

**6.** En équipe, discutez de chaque texte.

- Examinez chaque texte en vous posant les questions énumérées à l'activité 5.
- Écoutez les idées de l'élève qui présente son affiche.
- Faites-lui des suggestions tout en respectant ses idées.

**4.** Relis ton texte en te posant les questions suivantes :

- Ton texte présente-t-il bien ta création ?
- Est-ce qu'il fait ressortir son originalité ?
- Devrais-tu ajouter des informations pour le décrire avec plus de précision ?
- Les informations sont-elles bien organisées ?

**5.** Présente ton texte et ta création aux membres de ton équipe. Ensemble, discutez de chaque texte en vous posant les questions suivantes :

- Le texte représente-t-il bien la création ? Comparez le texte et la création pour vérifier si toutes les informations pertinentes sont mentionnées.
- Le texte est-il clair ?
- Quelles améliorations suggérez-vous ?

**6.** Reprends ton texte et apportes-y les modifications que tu juges pertinentes.

# 7.

Corrige ton texte. Repère chaque phrase, examine-la en te posant les questions ci-dessous. Fais les corrections nécessaires.

- La phrase commence-t-elle par une majuscule et se termine-t-elle par un point, un point d'interrogation ou un point d'exclamation ?
- Est-elle bien structurée : contient-elle un groupe sujet et un groupe du verbe ?
- Les accords dans les groupes du nom sont-ils faits ?
- Le ou les verbes sont-ils bien accordés ?
- Les mots sont-ils bien orthographiés ? Consulte ta liste orthographique ou un dictionnaire, au besoin.

# 8.

Demande à un ou une camarade de vérifier tes corrections. Ensemble, examinez les éléments énumérés à l'activité 7.

# 9.

Transcris ton texte au propre. Relis-le une dernière fois pour t'assurer qu'il n'y reste pas d'erreurs.

**TU VAS :**

Comparer des poèmes
Observer la forme
des poèmes

# Lecture

## Démarche C

**1.** Tu vas lire des poèmes qui se distinguent par leur forme. Feuillette le recueil (p. 206 à 214) et choisis un thème parmi les suivants :

- la maison ;
- l'art ;
- la ville ;
- l'ouverture.

**2.** Quelles images te viennent en tête quand tu penses au thème que tu as choisi ? Écris ces images dans ton carnet de lectures.

**3.** Survole les poèmes qui se rapportent au thème que tu as choisi. Observe le titre et la forme de chacun.

**4.** Lis chaque poème en prenant le temps de bien le comprendre. Relis les poèmes, au besoin.

- Quel poème préfères-tu ?
- Qu'est-ce qui te plaît davantage : la forme du poème ou son sens ?
- Quelles images te frappent le plus ?

**5.** Forme une équipe avec des camarades qui ont choisi le même thème que toi. Discutez des poèmes que vous venez de lire.

- Quel poème vous plaît le plus ? Pourquoi ?
- Ces poèmes sont-ils tous écrits de la même façon ? Quelles ressemblances et quelles différences observez-vous ?
- Vous souvenez-vous d'autres poèmes que vous avez lus ? Ressemblaient-ils à certains de ceux que vous venez de lire ?

**6.** Note tes impressions dans ton carnet de lectures.

- As-tu retrouvé, dans ces poèmes, les images que tu avais en tête avant de commencer ta lecture?

- Lequel de ces poèmes aurais-tu aimé écrire? Pourquoi?

- Y a-t-il des passages que tu aimerais conserver? Si oui, transcris ces passages et explique en quoi ils te plaisent.

**7.** Discute de ta lecture avec les membres de ton équipe.

- Cette lecture vous a-t-elle donné des idées de sujets ou de formes pour vos poèmes?

- Avez-vous trouvé les poèmes faciles ou difficiles à comprendre? Quelles difficultés avez-vous éprouvées et quelles solutions avez-vous trouvées?

- Les discussions en équipe vous ont-elles permis de mieux comprendre les poèmes? Qu'est-ce que ces discussions vous ont apporté?

## TU VAS:

Faire preuve de créativité

Utiliser des méthodes de travail efficaces

Coopérer

## Écriture

### Démarche C

**1.** Tu vas maintenant composer un poème en travaillant particulièrement sa forme. Tu peux t'inspirer de ceux que tu as lus ou encore inventer une forme différente. Planifie ton poème.

- Quel sera le thème de ton poème?
- Quels sentiments, images et souvenirs te viennent en tête?
- Quelle forme veux-tu donner à ton poème: feras-tu un poème en prose, en vers libres, en rimes? un haïku, un calligramme, une typoscénie?

**2.** Note les images, les souvenirs, les sentiments que tu veux exprimer. Réfléchis ensuite à la manière d'écrire ton poème en tenant compte de la forme que tu as choisie.

**3.** Fais un brouillon de ton poème. Laisse assez d'espace pour pouvoir le retravailler.

**4.** Relis ton poème en te posant les questions suivantes :

- Exprime-t-il bien les sentiments, les souvenirs, les images que tu voulais exprimer ?

- La forme de ton poème te plaît-elle ? Correspond-elle à ce que tu souhaites ?

**5.** Présente ton poème aux membres de ton équipe.

- Écoute attentivement le poème de chaque membre de l'équipe en cherchant à comprendre ses idées et en les respectant.

- Ensemble, discutez de chaque poème en vous posant les questions suivantes :

  - Est-ce qu'on saisit bien les sentiments, les souvenirs ou les images exprimés ?

  - La forme du poème est-elle intéressante ? À quel autre poème sa forme te fait-elle penser ?

  - Quelles améliorations suggérez-vous ?

**6.** Reprends ton poème et apporte les modifications que tu juges pertinentes.

**7.** Corrige ton poème. Examine chaque vers en te posant les questions suivantes, puis fais les corrections nécessaires.

- Si tu as choisi de ponctuer ton poème, la ponctuation est-elle correcte ?

- Est-ce que les vers ou les phrases sont compréhensibles ?

- Les accords dans les groupes du nom sont-ils faits ?

- Les verbes sont-ils bien accordés ?

- Les mots sont-ils bien orthographiés ? Consulte ta liste orthographique ou un dictionnaire, au besoin.

**8.** Demande à un ou une camarade de vérifier ta correction. Ensemble, examinez les éléments énumérés à l'activité 7.

**9.** Transcris ton poème au propre.

- Pense à sa disposition.

- Choisis un papier qui le met en valeur et ajoute une illustration, si tu le désires.

- Relis ton poème une dernière fois pour t'assurer qu'il ne reste pas d'erreurs.

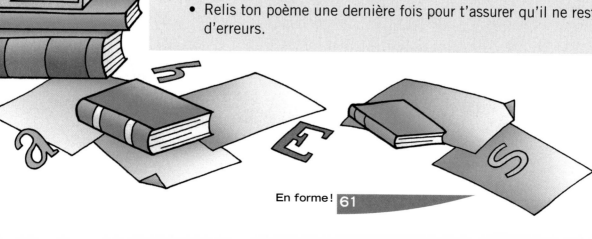

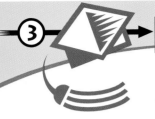

# Synthèse et bilan

## Pleins feux sur la création

**TU VAS:**

Soigner ton langage

**1.** Bientôt, ce sera le moment de présenter le résultat de ton travail à tes camarades. Réfléchis au langage que tu emploieras.

- Selon toi, est-ce qu'on parle de la même manière devant un groupe et entre amis?

- Utilise-t-on les mêmes mots, prononce-t-on de la même façon? Explique ce que tu as déjà remarqué.

**2.** Prépare ta présentation. À l'aide de mots clés, note les idées que tu veux communiquer à tes camarades pour expliquer ce que tu as réalisé.

- Si tu as fait une affiche, explique ce que tu as appris sur la santé physique ou sur la santé mentale, puis présente ton affiche.

- Explique en quoi consiste le travail d'architecte, de designer, de sculpteur ou sculpteure en consultant ta fiche de lecture, puis présente ta création. Expose ensuite ta création et le texte que tu as écrit.

- Si tu as composé un poème, explique les différentes formes de poèmes en donnant des exemples, puis lis ton poème.

**3.** Pense à soigner ton langage.

- Fais attention aux mots que tu choisis.

- Surveille ta prononciation.

**4.** Exerce-toi à faire ta présentation devant un ou une camarade. Écoute sa présentation et fais-lui des commentaires pour améliorer son choix de mots ou sa prononciation.

**5.** Voici le moment de faire ta présentation.

- Montre à tes camarades ce que tu as réalisé.
- Écoute les présentations de tes camarades.
- Pose des questions si tu as besoin de précisions.

**6.** Qu'est-ce que tu retiens de ce dossier ?

- Y a-t-il une idée plus importante qui ressort ?
- As-tu eu de la facilité ou de la difficulté à exprimer ta créativité ? Explique ce qui t'a semblé facile ou difficile.
- Quelles étapes as-tu suivies pour réaliser ton projet ? As-tu trouvé cette démarche efficace ? facile à suivre ?
- Tu as eu l'occasion de travailler avec des camarades. Comment as-tu réagi à leurs suggestions ?

**7.** Fais un bref bilan de ce dossier dans ton journal de bord.

- Décris ce que tu as fait.
- Note une ou deux idées importantes que tu retiens de ce dossier.

**8.** Relis ton contrat et vérifie si tu l'as bien respecté. Discutes-en avec ton enseignante ou ton enseignant.

**9.** Dans ton portfolio, dépose :

- ta fiche de lecture ou ton carnet de lectures ;
- le texte que tu as rédigé ;
- un dessin ou une photo de ta création, s'il y a lieu ;
- ton contrat.

# Connaissances et stratégies

## A Lecture guidée

**TU VAS :**

Observer la forme
des poèmes

**1.** Les poèmes prennent toutes sortes de formes, certaines sont parfois surprenantes. Observe les poèmes des pages 64 à 66.

- Quelles ressemblances et quelles différences observes-tu ?

- Quel poème te surprend le plus ? Pourquoi ?

**2.** Quelle idée te fais-tu de la poésie ?

- Pour t'aider à répondre à cette question, regarde les poèmes de ce dossier et pense à ceux que tu as déjà lus.

- Note tes réflexions dans ton journal de bord.

- Poursuis ta réflexion avec tes camarades.

**3.** Lis le poème *Voyez-vous*. Discutes-en avec tes camarades.

- Selon toi, que signifie ce poème ?

- Est-ce que ta perception de la poésie ressemble à ce qui est exprimé dans le poème ?

- Est-ce que tes camarades interprètent le poème de la même façon que toi ?

- À ton avis, est-ce que tout le monde comprend un poème de la même façon ?

# Voyez-vous

Voyez-vous le poème

Perd toute sa forme

Quand on le clame entre quatre murs

Comme l'algue

Hors de l'eau

Comme l'enfant

Hors de son rire.

Gilles BRULET
Tiré de *Poèmes à l'air libre*, Paris, Hachette Jeunesse, coll. Le Livre de Poche, 1996.
© Hachette Livre

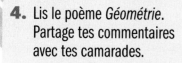

**4.** Lis le poème *Géométrie*.
Partage tes commentaires
avec tes camarades.

- Que penses-tu de ce poème ?
  Le trouves-tu agréable à lire ?
  Pourquoi ?

- Le poème *Géométrie* est un peu
  différent du poème *Voyez-vous*.
  Quelles différences remarques-tu ?

# Géométrie

Deux droites parallèles
depuis longtemps s'aimaient :
— Nous toucher, disaient-elles,
le pourrons-nous jamais ?
Messieurs les géomètres
nous parlent d'infini ;
c'est bien beau de promettre,
mais tant de kilomètres,
ça donne le tournis !…

— Si le sort vous accable,
leur répondis-je alors,
rapprochez-vous, que diable,
rapprochez-vous encor !

Ma remarque, opportune,
leur fut d'un grand secours :
il n'en reste plus qu'une.
Quel beau roman d'amour !

Jean-Luc MOREAU
Tiré de *Poèmes de la souris verte*,
Paris, Hachette,
coll. Le Livre de Poche, 1992.
© Hachette Livre

**5.** Les poèmes [*la froidure...*] et [*des formes colorées...*] sont différents des deux autres. Lis ces poèmes, puis discutes-en avec tes camarades.

- Quelles images te viennent en tête quand tu lis chaque poème?

- Quelles sont les particularités de chaque poème? En quoi ceux-ci sont-ils différents des deux premiers?

la froidure sculpte

des pétales de glace

art éphémère

des formes colorées

aux reflets de lumière

le vitrail

Monique POITRAS-NADEAU, Inédit.

**6.** Le poème [*Comptine pour mon...*] a une forme plutôt originale. Prends le temps de le lire et d'observer sa forme. Partage tes impressions avec tes camarades.

# Comptine pour mon...          ... ter un escalier...

souliers.

de bons

(t)avoir

faut

calier,

un es-

monter

Pour

la force;

voir de

faut a-

il

calier

(r)un es-

monter

Pour

Jean-Luc MOREAU

Tiré de *Poèmes de la souris verte*, Paris, Hachette Jeunesse, coll. Le Livre de Poche, 1992.

© Hachette Livre

**7.** Quel poème préfères-tu ? Explique ton point de vue.

**8.** Les poèmes que tu viens de lire ont tous des formes différentes.

- *Géométrie* est un poème en rimes. Le premier et le troisième vers se terminent par un même son, alors que le deuxième et le quatrième se terminent par un autre son.

- Le poème *Voyez-vous* est en vers libres, c'est-à-dire qu'il ne rime pas.

- [*la froidure...*] et [*des formes colorées...*] sont des haïkus. Il s'agit de poèmes très courts, pas plus de trois vers, sans rimes.

  L'art du haïku a d'abord été pratiqué au Japon. Des poètes d'autres pays en composent aussi aujourd'hui.

- *Comptine pour mon...* est un calligramme : sa forme rappelle le thème. Ici, c'est un escalier.

## Et pour le re...                                              ... descendre

À
   dé-
      va-
         ler
            l'es-
               ca-
                 lier,
                    on
                        at-
                           tra-
                             pe
                         des
                           (z')en-
                             torses,
                    **Aïe !**
                        Quand
                          (t')on est
                             trop es-
                               tropié,
                                  on
                             descend
                                   à clo-
                                     che-
                                       pied.

# B Syntaxe

**TU VAS :**

Utiliser la phrase de base pour analyser des phrases

Utiliser les opérations syntaxiques pour analyser des phrases

**1.** Éprouves-tu parfois des difficultés à lire des phrases compliquées ? As-tu parfois du mal à structurer une phrase pour qu'elle traduise bien ton idée ? Tu vas découvrir des outils qui peuvent te dépanner dans ces situations : tu vas apprendre à analyser les phrases.

Voici deux outils qui peuvent t'aider :

- la **phrase de base**
  Elle est comme un mètre, ou encore un instrument de comparaison.
  Tu peux comparer les phrases qui te causent des problèmes à la phrase de base. Cela t'aidera à les comprendre ou à les construire.

- les **opérations syntaxiques**
  Ce sont des actions que tu peux faire pour mieux comprendre les phrases :
  - l'effacement ;
  - le déplacement ;
  - le remplacement ;
  - l'addition.

**2.** Les phrases suivantes ont la même structure, c'est-à-dire qu'elles sont construites de la même façon. Peux-tu dire comment elles sont construites ?

**A** Les designers ont créé des objets surprenants.

**B** Ce sculpteur est un artiste très imaginatif.

**C** Des architectes de Québec ont imaginé un édifice original.

**3.** Ces trois phrases sont construites sur un même modèle : celui de la **phrase de base**. Elles sont formées de deux groupes de mots : le groupe sujet et le groupe du verbe.

On peut représenter la phrase de base de la façon suivante :

| Groupe sujet | + | Groupe du verbe |

**Ex. :** Les designers       ont créé des objets surprenants.

Ce sculpteur       est un artiste très imaginatif.

Des architectes de Québec       ont imaginé un édifice original.

**4.** Observe encore une fois les phrases ci-dessus.

- Si tu enlevais l'un des deux groupes de mots, la suite de mots qui reste formerait-elle une phrase ?
- Pourrais-tu placer ces groupes de mots ailleurs dans la phrase ?

**5.** Tu peux dégager trois caractéristiques de la **phrase de base.**

- Elle est constituée de deux groupes de mots : le groupe sujet et le groupe du verbe.
  - Le groupe sujet indique *de qui* ou *de quoi on parle* dans la phrase.
  - Le groupe du verbe indique *ce qu'on dit du sujet* dans la phrase.
- Le groupe sujet et le groupe du verbe sont obligatoires : on ne peut pas les enlever.
- Le groupe sujet et le groupe du verbe sont fixes : on ne peut pas les déplacer.

**6.** Jusqu'à maintenant, tu as utilisé deux opérations syntaxiques pour observer les phrases.

- L'**effacement** : tu as essayé d'enlever l'un ou l'autre des groupes de mots pour vérifier s'ils étaient obligatoires ou facultatifs.
- Le **déplacement** : tu as essayé de déplacer des groupes de mots pour vérifier s'ils étaient fixes ou déplaçables.

**7.** Sais-tu comment repérer le groupe sujet dans une phrase ?
Discute avec tes camarades des moyens que tu emploies.

**8.** Tu sais que :

- les pronoms « je », « tu », « il », « ils » et « on » sont toujours sujets ;
- tu peux remplacer un groupe du nom sujet par un pronom comme « il », « ils », « elle » ou « elles » ;
- tu peux encadrer le groupe sujet par « c'est... qui ».

**9.** Le **remplacement** est aussi une opération syntaxique. Elle te permet de remplacer un groupe de mots par un autre. Ainsi, tu peux remplacer un groupe du nom sujet par un pronom sujet.

| Groupe sujet | + | Groupe du verbe |

**Ex.:** Des architectes de Québec     ont imaginé un édifice original.

Ils     ont imaginé un édifice original.

Le **remplacement** peut t'aider à :

- repérer le groupe sujet dans la phrase ;
- améliorer tes phrases en remplaçant un mot par un autre plus précis ou plus imagé ;
- éviter les répétitions dans un texte.

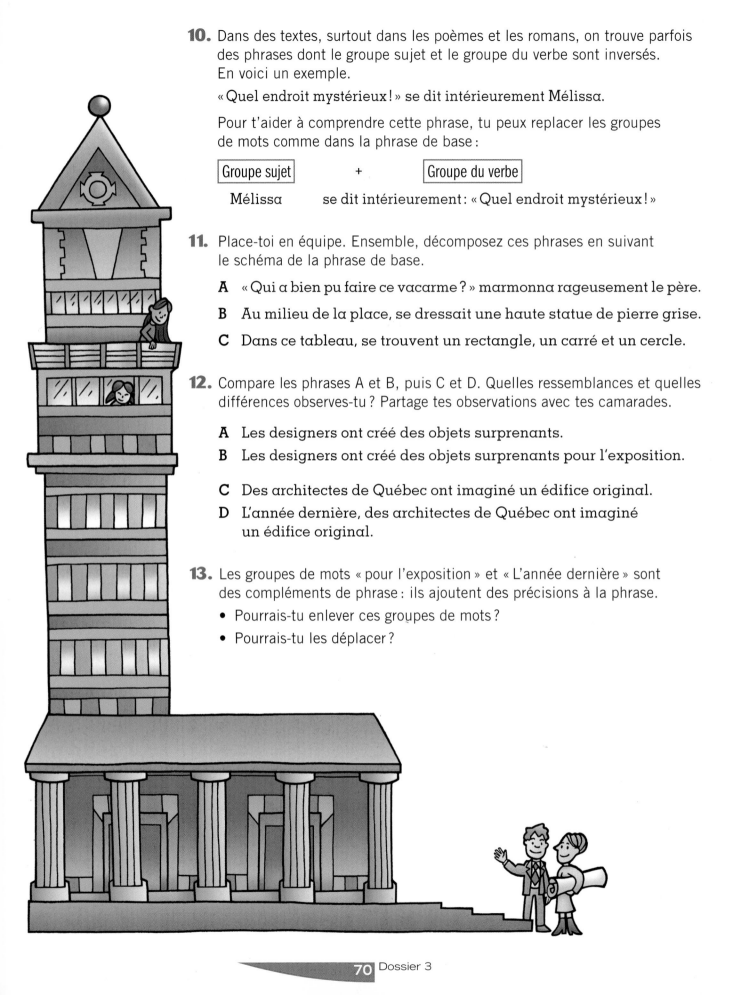

**10.** Dans des textes, surtout dans les poèmes et les romans, on trouve parfois des phrases dont le groupe sujet et le groupe du verbe sont inversés. En voici un exemple.

« Quel endroit mystérieux ! » se dit intérieurement Mélissa.

Pour t'aider à comprendre cette phrase, tu peux replacer les groupes de mots comme dans la phrase de base :

| Groupe sujet | + | Groupe du verbe |

Mélissa        se dit intérieurement : « Quel endroit mystérieux ! »

**11.** Place-toi en équipe. Ensemble, décomposez ces phrases en suivant le schéma de la phrase de base.

**A**  « Qui a bien pu faire ce vacarme ? » marmonna rageusement le père.

**B**  Au milieu de la place, se dressait une haute statue de pierre grise.

**C**  Dans ce tableau, se trouvent un rectangle, un carré et un cercle.

**12.** Compare les phrases A et B, puis C et D. Quelles ressemblances et quelles différences observes-tu ? Partage tes observations avec tes camarades.

**A**  Les designers ont créé des objets surprenants.

**B**  Les designers ont créé des objets surprenants pour l'exposition.

**C**  Des architectes de Québec ont imaginé un édifice original.

**D**  L'année dernière, des architectes de Québec ont imaginé un édifice original.

**13.** Les groupes de mots « pour l'exposition » et « L'année dernière » sont des compléments de phrase : ils ajoutent des précisions à la phrase.

• Pourrais-tu enlever ces groupes de mots ?

• Pourrais-tu les déplacer ?

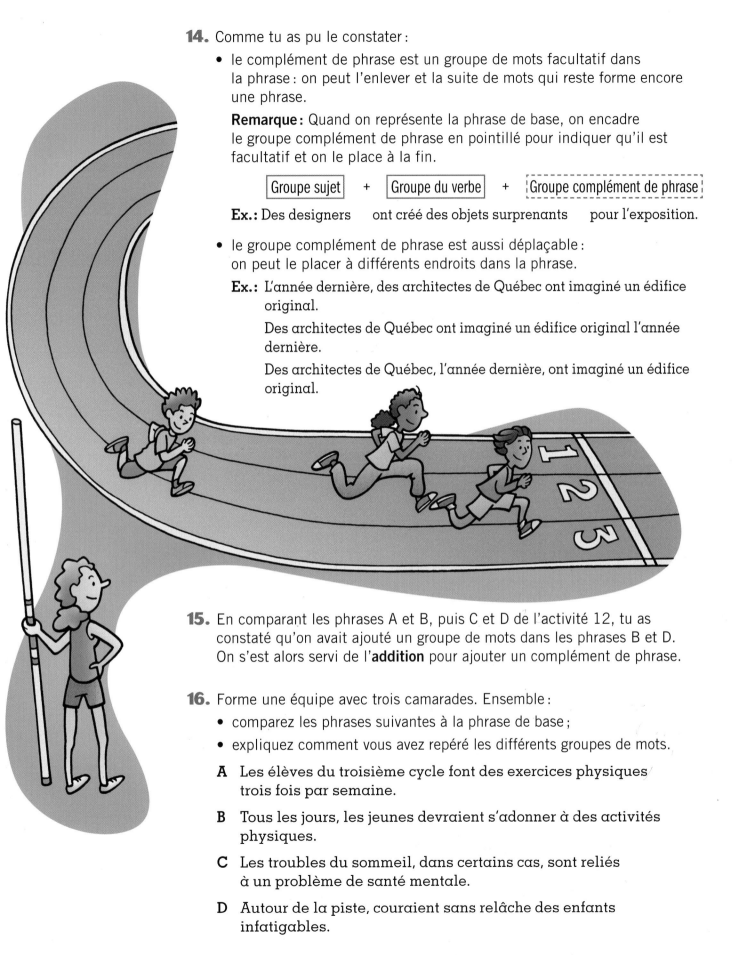

**14.** Comme tu as pu le constater :

- le complément de phrase est un groupe de mots facultatif dans la phrase : on peut l'enlever et la suite de mots qui reste forme encore une phrase.

    **Remarque :** Quand on représente la phrase de base, on encadre le groupe complément de phrase en pointillé pour indiquer qu'il est facultatif et on le place à la fin.

    | Groupe sujet | + | Groupe du verbe | + | ┊Groupe complément de phrase┊ |

    **Ex. :** Des designers    ont créé des objets surprenants    pour l'exposition.

- le groupe complément de phrase est aussi déplaçable : on peut le placer à différents endroits dans la phrase.

    **Ex. :** L'année dernière, des architectes de Québec ont imaginé un édifice original.

    Des architectes de Québec ont imaginé un édifice original l'année dernière.

    Des architectes de Québec, l'année dernière, ont imaginé un édifice original.

**15.** En comparant les phrases A et B, puis C et D de l'activité 12, tu as constaté qu'on avait ajouté un groupe de mots dans les phrases B et D. On s'est alors servi de l'**addition** pour ajouter un complément de phrase.

**16.** Forme une équipe avec trois camarades. Ensemble :

- comparez les phrases suivantes à la phrase de base ;
- expliquez comment vous avez repéré les différents groupes de mots.

**A** Les élèves du troisième cycle font des exercices physiques trois fois par semaine.

**B** Tous les jours, les jeunes devraient s'adonner à des activités physiques.

**C** Les troubles du sommeil, dans certains cas, sont reliés à un problème de santé mentale.

**D** Autour de la piste, couraient sans relâche des enfants infatigables.

# G Orthographe grammaticale

**TU VAS:**

Faire les accords dans le groupe du nom

Reconnaître l'adverbe

**1.** Souligne les groupes du nom dans les phrases suivantes, puis discutes-en avec les membres de ton équipe.

- Vérifiez si vous avez bien repéré tous les groupes du nom.

- Expliquez comment vous les avez repérés.

**A** Le petit déjeuner est un repas important ; il nous permet d'avoir une meilleure concentration le matin.

**B** Des loisirs comme les jeux électroniques et l'écoute de la télévision augmentent l'inactivité chez les jeunes.

**C** La circulation routière complique l'utilisation de la bicyclette dans les grandes villes.

**2.** Les groupes du nom comprennent parfois plusieurs adjectifs ou un adjectif précédé d'un adverbe. Tu dois donc toujours vérifier si tu as bien accordé tous les adjectifs dans un groupe du nom. Observe les exemples suivants.

**A** Naomie est une fille très sensible.

Dans le groupe du nom « une fille très sensible », on trouve l'adverbe « très » devant l'adjectif « sensible ».

**B** Ce garçon enthousiaste et curieux amuse ses amis.

Le groupe du nom « ce garçon enthousiaste et curieux » compte deux adjectifs, « enthousiaste » et « curieux ».

**Remarque.** Les adverbes forment une classe de mots invariables. Ici, l'adverbe « très » apporte une précision à l'adjectif « sensible ».

**C** À l'âge de cinq ans, ces deux petites filles affectueuses, vives et joyeuses avaient beaucoup d'amis.

Le groupe du nom « ces deux petites filles affectueuses, vives et joyeuses » contient quatre adjectifs : « petites », « affectueuses », « vives » et « joyeuses ».

**3.** Repère les groupes du nom dans les phrases suivantes et vérifie si tous les adjectifs sont bien accordés.

**Attention!** Les phrases comportent des erreurs.

**A** Un concours originale et très populaire a lieu dans le parc municipal.

**B** De nombreux sculpteurs amateur se rassemblent pour construire de gigantesque et somptueux châteaux de sable.

**C** Les magnifique et fragile constructions disparaissent à la première averse.

**D** Parfois, certains sculpteurs trop audacieux voient leur œuvre s'écrouler d'une manière inattendu sous le regard amusé de la foule.

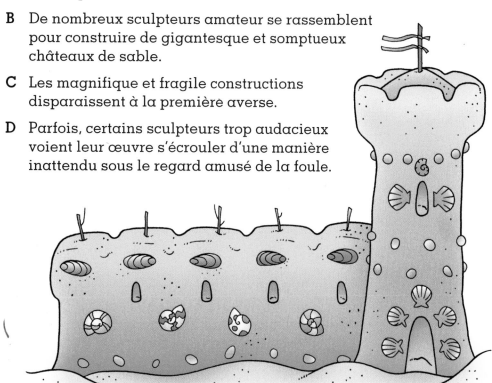

**TU VAS:**

Détecter les erreurs
dans un texte

**4.** Dans le dossier 1, tu as appris à détecter les erreurs dans un texte. Vérifie si tu as fait des progrès.

- Lis le texte qui suit. Relève les erreurs qu'il contient.
- Classe les erreurs que tu as trouvées dans un tableau semblable au suivant.

| Ponctuation et structure de phrase | Accords dans le groupe du nom | Accord du verbe | Orthographe d'usage |
|---|---|---|---|
| | | | |

Erreurs

Le première architecte connu a vécu en Égypte, au temp des pharaons. C'est lui qui a créé la plus vieil pyramide du monde. Avant lui, on construisais pas les pyramides avec des pierres, mais avec du bois et de la brique faite de bout séché au soleil. Cet architecte ingénieux a remplacé la brique par de la pierre il a ouvert des chantiers pour tailler les pierres nécessaire à ses constructions. Il a aussi inventé des techniques pour transporter ces imenses blocs de pierre par bateau. Jusqu'au site de la construction. Vous connaissai-vous le nom de ce personnage? C'est Imhotep.

**5.** Prends un texte que tu as écrit récemment. Tu pourrais aussi faire ce travail avec le prochain texte que tu écriras.

- Corrige ton texte comme tu le fais habituellement.
- Fais un trait vertical après les 100 premiers mots de ton texte. Demande à ton enseignante ou à ton enseignant de souligner les erreurs que tu as oubliées ou mal corrigées dans cette partie du texte.
- Classe les erreurs soulignées dans le tableau de la fiche *Les erreurs dans mon texte*.
- Compare ton tableau à celui que tu avais fait dans le dossier 1.

**6.** Discute avec tes camarades.

- Depuis le dossier 1, sais-tu mieux détecter et corriger tes erreurs ?
- Quelles erreurs fais-tu le plus souvent ?
- Y a-t-il des erreurs que tu ne vois pas ?
- Comment t'y prends-tu pour réviser ton texte ?
- As-tu l'intention de modifier ta façon de faire ? Si oui, comment ?

## Ⓓ Conjugaison

**TU VAS :**

Conjuguer les verbes à l'imparfait, au conditionnel présent et au futur simple

**1.** Observe les verbes suivants. Ils sont conjugués à l'imparfait.

- Les terminaisons varient-elles d'un verbe à l'autre ?
- Y a-t-il des ressemblances et des différences entre le présent et l'imparfait aux deux premières personnes du pluriel ?

je jou **ais**
tu jou **ais**
il/elle/on jou **ait**
nous jou **ions**
vous jou **iez**
ils/elles jou **aient**

je rougiss **ais**
tu rougiss **ais**
il/elle/on rougiss **ait**
nous rougiss **ions**
vous rougiss **iez**
ils/elles rougiss **aient**

je pouv **ais**
tu pouv **ais**
il/elle/on pouv **ait**
nous pouv **ions**
vous pouv **iez**
ils/elles pouv **aient**

je fais **ais**
tu fais **ais**
il/elle/on fais **ait**
nous fais **ions**
vous fais **iez**
ils/elles fais **aient**

**2.** Les terminaisons de l'imparfait sont-elles les mêmes pour tous les verbes ? Pour le savoir, consulte un tableau de conjugaison et observe l'imparfait de quelques verbes comme « avoir », « être », « finir », « dire », « prendre », « voir ».

**3.** Observe le radical et les terminaisons des verbes suivants.

- Quelle particularité remarques-tu pour les verbes en « er » ?
- Quelles ressemblances et quelles différences y a-t-il entre le futur simple et le conditionnel présent ?

| Futur simple | | Conditionnel présent | | Futur simple | | Conditionnel présent | |
|---|---|---|---|---|---|---|---|
| j'aim | **erai** | j'aim | **erais** | je dormi | **rai** | je dormi | **rais** |
| tu aim | **eras** | tu aim | **erais** | tu dormi | **ras** | tu dormi | **rais** |
| il aim | **era** | elle aim | **erait** | il dormi | **ra** | elle dormi | **rait** |
| nous aim | **erons** | nous aim | **erions** | nous dormi | **rons** | nous dormi | **rions** |
| vous aim | **erez** | vous aim | **eriez** | vous dormi | **rez** | vous dormi | **riez** |
| ils aim | **eront** | elles aim | **eraient** | ils dormi | **ront** | elles dormi | **raient** |

**4.** Fais ce travail en équipe.

- Conjuguez les verbes ci-dessous au futur simple et au conditionnel présent. Au besoin, consultez un tableau de conjugaison.
- Que remarquez-vous ?

être, avoir, pouvoir, savoir, aller, faire

# Ⓔ Orthographe d'usage

**1.** Les mots suivants apparaissent souvent dans ce dossier.

- Rappelle-toi la stratégie que tu as apprise à la page 23 pour mémoriser l'orthographe des mots.
- Observe les mots suivants et mémorise leur orthographe.

architecte – architecture

décorer – décoration

design

forme – former

mode

physique

sculpter – sculpteur – sculpteure – sculpture

**2.** Dans ce dossier, tu as vu qu'il y a parfois des adverbes dans le groupe du nom. Comme beaucoup d'autres mots que tu as observés à la page 48, les adverbes se terminent souvent par le son [an].

Place-toi en équipe pour faire les observations suivantes :

- Quels liens pouvez-vous faire entre l'orthographe de l'adjectif et celui de l'adverbe ?
- Trouvez des moyens pour vous rappeler comment s'écrivent ces mots, puis mémorisez leur orthographe.

| Adjectif masculin | Adjectif féminin | Adverbe |
|---|---|---|
| amical | amicale | amicalement |
| brusque | brusque | brusquement |
| certain | certaine | certainement |
| chaud | chaude | chaudement |
| complet | complète | complètement |
| généreux | généreuse | généreusement |
| heureux | heureuse | heureusement |
| malheureux | malheureuse | malheureusement |
| parfait | parfaite | parfaitement |
| propre | propre | proprement |
| rapide | rapide | rapidement |
| rare | rare | rarement |
| simple | simple | simplement |
| tendre | tendre | tendrement |

**3.** Poursuivez ce travail en équipe. Vous savez que les mots d'une même famille ont souvent une orthographe semblable.

- Observez les ressemblances entre les mots de même famille.
- Trouvez des moyens pour retenir comment s'écrivent ces mots, puis mémorisez leur orthographe.

| Nom | Adjectif masculin | Adjectif féminin | Adverbe | Verbe |
|---|---|---|---|---|
| correction | correct | correcte | correctement | corriger |
| direction | direct | directe | directement | diriger |
| douceur | doux | douce | doucement | adoucir |
| facilité | facile | facile | facilement | faciliter |
| force | fort | forte | fortement | forcer |
| lenteur | lent | lente | lentement | ralentir |
| tristesse | triste | triste | tristement | attrister |

# Dossier 4

# Le monde à vol d'oiseau

**Q**u'est-ce qui peut bien se cacher derrière le titre de ce dossier ? Des expéditions dans des contrées dont tu ne soupçonnes pas l'existence... Un voyage à l'époque où les continents étaient totalement différents d'aujourd'hui... Le survol de la Terre du haut des airs... ou, pourquoi pas, à dos d'oiseau migrateur... Chose certaine, ce dossier te réserve des surprises époustouflantes !

**Dans ce dossier, tu vas :**

- soigner ton vocabulaire ;
- travailler en coopération ;
- te poser des questions dans le but de comprendre un texte ;
- trouver des informations dans des ouvrages documentaires et des sites Internet ;
- communiquer oralement d'une manière claire ;
- reconnaître le groupe sujet ;
- reconnaître le groupe du verbe ;
- accorder les verbes conjugués.

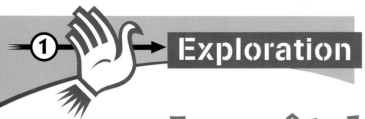

# Exploration

## Le goût des voyages

TU VAS :

Soigner ton vocabulaire

Qu'est-ce qui te vient à l'esprit quand tu réfléchis au dossier que l'on vient de te présenter ? Pense au titre et partage tes idées avec tes camarades.

Au cours des discussions :

- utilise des mots qui traduisent tes idées avec précision ;
- demande à des camarades de t'aider si tu ne trouves pas le mot juste.

**1.** Le titre du dossier évoque l'idée de voyage. As-tu déjà voyagé ?

- Où es-tu allé ? Au pays ou dans d'autres pays ? Quand ? Avec qui ?
- Peux-tu situer l'endroit que tu as visité sur une carte ou sur un globe ?

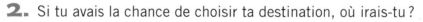

**2.** Si tu avais la chance de choisir ta destination, où irais-tu ?

- Pourquoi choisirais-tu cet endroit ?
- Sur quel continent ce lieu est-il situé ?
- Faut-il traverser un océan pour s'y rendre ? Si oui, lequel ?

**3.** Tout le monde n'a pas le désir ou la possibilité de partir en voyage, mais tous peuvent le faire grâce aux pouvoirs de l'imagination. Est-ce qu'il t'arrive de t'imaginer dans des contrées mystérieuses ? Si oui, où ?

**4.** Il n'y a pas que les humains qui utilisent la voie des airs pour se déplacer d'un endroit à un autre. Les oiseaux l'ont toujours fait. C'est d'ailleurs ce désir d'imiter les oiseaux qui a poussé les humains à inventer les avions.

En équipe, partage tes connaissances et tes hypothèses sur le vol des oiseaux et des avions.

- Qu'est-ce qui fait que les oiseaux peuvent voler et non les humains ?
- Quels liens y a-t-il, selon vous, entre le vol des oiseaux et celui des avions ?

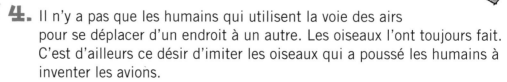

**5.** Qu'est-ce que tu retiens de cette discussion ? Écris tes idées dans ton journal de bord.

**6.** Au cours de cette discussion, tu as fait attention aux mots que tu utilisais. Discute de tes réussites et de tes difficultés avec les membres de ton équipe.

- As-tu vraiment cherché des mots précis ? Quel effort particulier as-tu fait ?
- As-tu appris des mots nouveaux ? Si oui, lesquels ? Comment les as-tu appris ?
- As-tu eu de la difficulté à trouver les mots exacts ? Connais-tu des moyens qui peuvent t'aider à améliorer ton vocabulaire ?

**7.** Le moment est venu de choisir ton projet. Voici des suggestions. Tu peux :

- faire connaître un continent de notre planète ;
- expliquer comment les continents ont été formés ;
- expliquer comment les oiseaux ou les avions volent ;
- raconter des voyages que des enfants ont faits ou encore parler de voyages imaginaires.

Tu pourrais aussi élaborer un autre projet avec l'accord de ton enseignante ou de ton enseignant.

**8.** Maintenant que tu as choisi ton projet, décide avec quels camarades tu veux le réaliser.

**9.** C'est fait, tu as choisi ton projet ! Lis ton contrat, puis remplis-le.

# Carnets de voyage

- Tu as choisi de faire connaître l'un ou l'autre des continents de notre planète, d'expliquer comment les continents ont été formés ou comment les oiseaux ou les avions volent ? Suis la **démarche A**.

- Tu as choisi de faire connaître des voyages que des enfants ont réellement faits ou des voyages imaginaires ? Suis la **démarche B**.

**TU VAS :**

Travailler en coopération

Te poser des questions dans le but de comprendre un texte

Trouver des informations dans des ouvrages documentaires et des sites Internet

**Lecture**

## Démarche A

**1.** Que sais-tu du sujet que tu as choisi ? Quelles questions te poses-tu ?

- À l'activité 1 de la fiche qu'on te remettra, écris ce que tu sais et les questions que tu te poses.

- Partage tes connaissances et tes questions avec les membres de ton équipe.

- Ensemble, faites un grand tableau semblable à celui de votre fiche et notez-y vos connaissances et vos questions.

## Démarche B

**1.** Choisis le type de récit que tu liras : le récit d'un voyage réel ou imaginaire.

Survole les textes du recueil (p. 229 à 242) pour en choisir un. Explique ton choix dans ton journal de bord.

- Qu'est-ce qui a motivé ton choix : le genre de récit ? les illustrations ? tes goûts en matière de lecture ?

- As-tu déjà lu ou vu des récits de voyage ? Lesquels ? Quel souvenir en as-tu gardé ?

- Comment fais-tu pour savoir s'il s'agit d'un voyage imaginaire ou réel ?

**2.** Trouvez le texte du recueil (p. 216 à 228) qui traite de votre sujet.

- Observez le titre et les intertitres : pensez-vous que vous aurez à le lire en entier ?

- Selon vous, le texte répondra-t-il à toutes vos questions ?

**2.** Forme une équipe avec des camarades qui ont choisi le même récit que toi. Observez le titre et les illustrations du récit.

Selon vous, qu'est-ce que ce récit raconte ?

Écrivez vos prédictions à l'activité 1 de la fiche qu'on vous remettra.

# 3.

Lis le texte et fais les autres activités de ta fiche.

Utilise la stratégie à la page 90.

Au besoin, inspire-toi de la démarche que tu as utilisée dans le dossier 2 (p. 35 à 38).

# 4.

Discute de ta lecture avec les membres de ton équipe.

- Le texte a-t-il confirmé des informations que vous possédiez déjà ? Surlignez ces informations dans votre tableau.

- Avez-vous trouvé des réponses à vos questions personnelles ? Écrivez ces réponses dans votre tableau.

- Avez-vous trouvé des informations auxquelles vous ne vous attendiez pas ? Si oui, notez-les dans votre tableau.

- Le texte a-t-il répondu à toutes vos questions ? Lesquelles restent sans réponses ?

- Lesquelles de vos prédictions ont été confirmées ? Lesquelles ne l'ont pas été ?

- Répondez ensemble aux questions de la fiche en cherchant la meilleure réponse possible.

**5.** Pour répondre aux questions en suspens, faites une recherche à la bibliothèque ou dans des sites Internet.

- Répartissez-vous les questions en suspens.

- Trouvez des mots clés qui pourront vous aider dans votre recherche.

**5.** Vous n'avez lu qu'un extrait du récit.

- Pour raconter ce voyage à vos camarades, vous pouvez :
  - lire d'autres épisodes ou le récit en entier ;
  - vous documenter sur le pays en question : le situer sur la planète, connaître sa population, ses caractéristiques géographiques, etc.

- Où allez-vous trouver les informations dont vous avez besoin ?

- Comment vous partagerez-vous le travail ?

## 6.

Accomplis la tâche dont tu es responsable.

**7.** Partage les informations que tu as trouvées avec les membres de ton équipe. Placez ces informations dans votre tableau.

**7.** Partage tes découvertes avec les membres de ton équipe.

## 8.

Comment se déroule le travail en équipe depuis le début du projet ?

- Quelles responsabilités prends-tu ?
- Qu'est-ce que tu voudrais améliorer ?

Partage tes réflexions avec les membres de ton équipe.

Ensemble, décidez des améliorations à apporter.

## 9.

Comment allez-vous présenter vos résultats à la classe ?

- Pensez à une façon originale de faire votre présentation orale.
- Faites un texte à distribuer à vos camarades en guise d'aide-mémoire.

## Écriture

| Démarche A | Démarche B |
|---|---|
| **1.** En équipe, planifiez le texte à écrire. | **1.** En équipe, planifiez le texte à écrire. |
| • Relisez vos notes. Choisissez les informations dont vous voulez traiter dans votre texte. | • Relisez vos notes. |
| |    – Choisissez un ou des épisodes du récit que vous raconterez. |
| |    – S'il y a lieu, décidez quelles informations vous donnerez pour aider les lecteurs à situer le lieu du voyage. |

- Prévoyez comment vous allez structurer votre texte.
- Partagez-vous le travail à faire.

## 2.

Rédige la partie du texte dont tu es responsable.

Comment vas-tu t'y prendre pour rédiger ton texte ? Rappelle-toi
la réflexion que tu as faite dans le dossier 2 (p. 40) et les idées
que tu as consignées dans ton journal de bord.

## 3.

Présente ton texte aux membres de ton équipe. Ensemble, relisez chaque
texte en vous posant les questions suivantes.

- Contient-il des informations
  pertinentes ?
- Est-ce qu'il sera compris par des élèves
  qui ne connaissent pas le sujet ?
- Faudrait-il préciser des informations
  ou en ajouter pour qu'il soit plus clair ?

- Contient-il des idées pertinentes ?
  - Raconte-t-il clairement un ou
    des épisodes du récit ?
  - S'il y a lieu, donne-t-il des informations
    claires sur le lieu du voyage ?
- Est-ce qu'il sera compris par des élèves
  qui n'ont pas lu le récit ?

## 4.

Partagez-vous la tâche de révision. Chaque élève est responsable
de détecter (mais non de corriger) les erreurs dans l'une des catégories
suivantes :

- ponctuation et structure de la phrase ;
- accords dans les groupes du nom ;
- accord des verbes ;
- orthographe d'usage.

## 5.

Reprends la partie du texte que tu as rédigée et corrige les erreurs qui
ont été détectées. Si tu as des doutes ou si tu n'es pas d'accord avec
une erreur indiquée, discutes-en avec l'élève responsable de cette catégorie.

## 6.

Décidez de la présentation de votre texte. Transcris ensuite la partie que tu as rédigée.

## 7.

Évaluez votre travail d'équipe. Au cours de cette étape, qu'est-ce que vous avez amélioré ?

# Communication orale

Bravo ! Votre texte est écrit. Il vous reste à planifier votre présentation orale.

## 1.

Préparez votre présentation.

- Choisissez ce dont vous voulez parler.
- Prenez vos idées en note à l'aide de mots clés.
- Prévoyez comment vous allez organiser votre présentation.
  - Pensez aux objets ou aux illustrations qui aideront à faire comprendre les explications.
  - Fixez le rôle de chaque membre de l'équipe.

## 2.

Exercez-vous à faire une présentation vivante.

- Trouvez l'intonation et le rythme qui conviennent.
- Utilisez un langage soigné.

# Le tour du monde

**TU VAS :**

Communiquer oralement d'une manière claire

Travailler en coopération

**1.** En équipe, mettez la dernière main à votre présentation.
- Le texte que vous voulez distribuer ou afficher est-il prêt ?
- Avez-vous tout le matériel dont vous avez besoin : carte, globe, etc. ?

**2.** Le tour du monde à vol d'oiseau !
- Écoute les présentations des autres équipes, puis pose des questions pour obtenir des clarifications ou des informations supplémentaires, au besoin.
- C'est au tour de ton équipe.
    - Pense à ce que tu as à dire et n'oublie pas d'utiliser des mots précis.
    - Réponds aux questions qui te sont posées.

**3.** Lis le texte des autres équipes.

**4.** Fais le bilan du dossier avec ta classe.
- Quelles connaissances sur le monde as-tu acquises grâce à ce dossier ?
- Y a-t-il des questions que tu aimerais approfondir ? Quand et comment comptes-tu le faire ?
- Te sens-tu plus habile en lecture ? en écriture ? en communication orale ? Parmi les apprentissages que tu as faits, lesquels te seront les plus utiles ?

**5.** Fais ton bilan personnel.
- Écris dans ton journal de bord ce que tu retiens de ce dossier.
- Relis ton contrat et évalue si tu l'as respecté.
- Discutes-en avec ton enseignante ou ton enseignant.

**6.** Dans ton portfolio, dépose :
- ton contrat ;
- tes notes de lecture ;
- ton texte ;
- ton journal de bord.

# Connaissances et stratégies

## A Lecture guidée

Des textes passionnants peuvent parfois être difficiles à comprendre. Voici une stratégie qui peut t'aider ; elle consiste à te poser des questions tout au long de ta lecture.

**1.** Le texte qui suit s'intitule *Les machines volantes de Léonard de Vinci*.

- As-tu déjà entendu parler de Léonard de Vinci ? Qui t'en a parlé ? Dans quel contexte ? Que sais-tu de lui ?

- Survole le texte : observe le titre, les intertitres et les illustrations. D'après toi, de quoi est-il question dans ce texte ?

- Quelles informations penses-tu y trouver ? Sur quels indices t'appuies-tu pour faire tes prédictions ?

**2.** Lis l'introduction pour vérifier si tes prédictions sont justes. Au fait, à quoi sert une introduction ?

**3.** Discute de ta lecture avec tes camarades.

- Que dit-on de Léonard de Vinci dans l'introduction ?

- Que veulent dire les nombres entre parenthèses ?

- À ton avis, les découvertes de Léonard de Vinci sont-elles étonnantes ? Si oui, qu'est-ce qui te permet de le penser ?

# Les machines volantes de Léonard de Vinci

De tout temps, l'être humain a essayé d'imiter les oiseaux. C'était également le rêve de Léonard de Vinci. Cet homme était un extraordinaire touche-à-tout : peintre de grand talent, sculpteur, architecte. Mais c'était aussi un remarquable inventeur. L'un des premiers inventeurs dont l'histoire se souvienne.

Léonard de Vinci (1452-1519) a dessiné et imaginé, et peut-être fabriqué, de nombreux engins, tels que le planeur, le parachute et même l'hélicoptère. Il a fallu 400 ans avant que d'autres hommes ne réalisent de tels rêves !

**4.** Lis le premier intertitre, observe les illustrations et survole cette partie du texte.

- À ton avis, de quoi sera-t-il question ?
- Sur quels indices t'appuies-tu pour faire tes prédictions ?

**5.** Lis la première partie du texte pour en savoir davantage sur les travaux de Léonard de Vinci et pour vérifier tes prédictions.

## L'observation des oiseaux

Fasciné par les oiseaux, Léonard de Vinci consacre une partie de sa vie à étudier leur vol et le fonctionnement de leurs ailes. Pour construire une machine à leur ressemblance, il passe des années entières à analyser la structure des ailes, la musculature des articulations, la position des plumes et leurs rôles – puisque toutes les plumes d'un oiseau ne jouent pas le même rôle.

Les recherches de Léonard de Vinci le mènent à des constatations importantes. Lorsqu'ils descendent, les oiseaux tiennent leurs plumes très

Armatures de l'aile d'une machine volante. À remarquer la ressemblance de celle de droite avec une aile de chauve-souris. ►

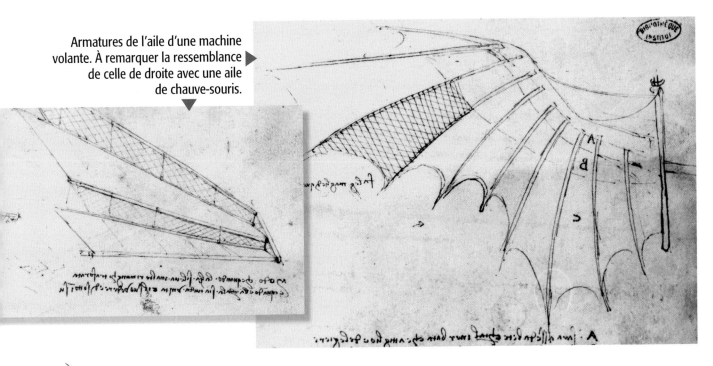

**6.** Partage tes idées avec tes camarades.

- Qu'est-ce que tu retiens de ces paragraphes ?
- Tes prédictions étaient-elles justes ?
- Y a-t-il des phrases que tu as trouvées difficiles à comprendre ? Quelles stratégies as-tu utilisées ? Est-ce qu'elles t'ont permis de mieux comprendre ces phrases ?

**7.** Place-toi en équipe. Ensemble, discutez des inventions de Léonard de Vinci qui, plus tard, ont servi à inventer l'avion.

serrées. Il en déduit que lorsqu'ils s'envolent, les oiseaux étendent leurs plumes pour laisser passer l'air. Il conçoit alors un modèle d'aile avec des portillons qu'il faut ouvrir au décollage et fermer à l'atterrissage. Il vient d'établir les bases de l'aviation !

Léonard s'intéresse aussi au vol des grands rapaces ; ceux-ci, en vol plané, se laissent porter par les courants aériens et peuvent ainsi planer pendant un très long moment. Sans le savoir, Léonard vient de découvrir ce qu'on appelle aujourd'hui l'aérodynamisme (ce qui permet à un oiseau ou à un avion de voler plus efficacement, en fonction des conditions du vent) de même que l'importance… de la météo !

**8.** Quelles informations penses-tu trouver dans la deuxième partie du texte ? Sur quoi te bases-tu pour faire tes prédictions ?

**9.** Lis cette partie du texte pour mieux connaître les inventions de Léonard de Vinci.

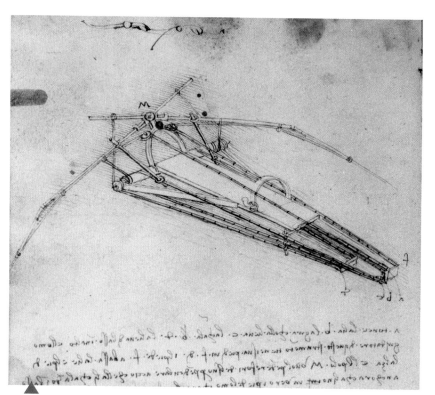

Machine volante devant être pilotée par un homme en position couchée.

**10.** Partage tes découvertes avec tes camarades.

- Qu'est-ce que tu retiens de ta lecture ?

- Est-ce que les hommes peuvent voler comme les oiseaux ?

- Parmi tes prédictions et celles de tes camarades, lesquelles étaient justes ?

- Y a-t-il des passages que tu as trouvés difficiles à lire ? Quelles stratégies as-tu utilisées pour te dépanner ?

## Quelques inventions fabuleuses

Parmi les machines volantes les plus géniales créées par Léonard de Vinci, on trouve le célèbre ornithoptère. Cette machine ressemble à une chauve-souris géante, munie d'un levier manœuvré par un pilote. Léonard de Vinci a dessiné plusieurs modèles d'ornithoptères, dont un modèle fait de deux paires d'ailes qui étaient actionnées par des cordes et des poulies.

Un autre modèle d'ornithoptère était plus spectaculaire encore. Un pilote debout devait actionner les quatre ailes de l'appareil en poussant un bâton… avec la tête, tout en manœuvrant une manivelle avec ses bras et deux pédales avec les pieds. L'ornithoptère en forme de cloche était encore plus étrange : un pauvre pilote, à demi couché, faisait fonctionner des leviers avec les mains tout en pédalant.

Il ne faut pas oublier qu'à cette époque, les moteurs n'existent pas encore. Léonard de Vinci doit donc utiliser les bras, les jambes… ou la tête pour faire fonctionner ses appareils.

Parmi les autres inventions de Léonard, on trouve le parachute en forme de pyramide, fait de tissu relié à un harnais, destiné à diminuer la vitesse au moment de la chute.

On raconte qu'après quelques tentatives de vol avec ses ornithoptères, Léonard de Vinci se rend bien compte que l'être humain ne pourra jamais battre des ailes avec la même rapidité et la même efficacité que les oiseaux. Il pense alors à remplacer le vol musculaire par le vol mécanique. Il se lance donc dans divers projets, dont des constructions à ailes rigides, puis un appareil volant doté d'une hélice, soit l'ancêtre de l'hélicoptère moderne ! Mais la technologie de l'époque ne lui permet pas d'aller beaucoup plus loin.

**11.** À ton avis, quelle sera la conclusion du texte ? Qu'est-ce qui te le fait dire ?

**12.** Lis la conclusion.

Léonard de Vinci a laissé des milliers de dessins techniques, artistiques et scientifiques, des dessins qui contribuent encore aujourd'hui à sa renommée.

Après sa mort en 1519, d'autres inventeurs ont tenté leur chance, mais en vain. Ce n'est que 400 ans plus tard que l'on redécouvre le génie des dessins de Léonard de Vinci. En 1895, les plans de machines volantes sont repris presque tels quels par l'Allemand Otto Lilienthal, qui a été le premier homme à voler en planeur sur des distances de 200 à 300 mètres.

C'est la curiosité et l'imagination de Léonard de Vinci qui l'ont poussé à concevoir de telles machines qui dépassaient de loin les possibilités techniques de son époque. Ce que l'on doit retenir de Léonard de Vinci, ce n'est donc pas l'échec de ses tentatives pour voler, mais le fait qu'il ait essayé, et qu'il n'ait jamais cessé d'être curieux.

Plan d'hélicoptère. L'appareil conçu par Léonard de Vinci avait la forme d'une vis.

Maquette réalisée à partir du dessin de l'inventeur.

**13.** Discute de ta lecture avec tes camarades et explique bien tes réponses.

- Tes prédictions étaient-elles justes ? Que retiens-tu de la conclusion ?

- Crois-tu que Léonard de Vinci a été un homme important dans l'histoire de l'aviation ?

- Aimerais-tu en connaître davantage sur Léonard de Vinci ou sur l'aviation ? Où peux-tu trouver de l'information ?

**14.** Comment t'y prends-tu habituellement pour t'assurer de bien comprendre un texte informatif ?

Voici la stratégie que tu as utilisée avec ta classe tout au long de cette lecture.

## Pour comprendre un texte informatif

**1°** Avant de commencer à lire :

- je me demande ce que je sais sur le sujet ;
- je survole le texte en observant le titre, les intertitres et les illustrations ;
- je fais des prédictions sur le sujet du texte ;
- je lis l'introduction pour savoir de quoi le texte parle.

**2°** Régulièrement, au cours de ma lecture, je m'arrête pour me poser les questions suivantes :

- Qu'est-ce que je retiens de ma lecture ?
- Est-ce que mes prédictions étaient justes ?
- Qu'est-ce que je pense trouver dans la suite du texte ?
- Quelles difficultés ai-je éprouvées et quelles solutions ai-je trouvées ?

**3°** Après ma lecture, je me pose ces questions :

- Qu'est-ce que je retiens du texte que j'ai lu ?
- Est-ce que j'aimerais en savoir davantage sur le sujet ?
- Où est-ce que je peux trouver davantage d'information ?

# B Syntaxe

**TU VAS :**

Reconnaître le groupe sujet

**1.** Compare les phrases suivantes à la phrase de base.

- Fais le schéma de la phrase de base, puis place chaque groupe de mots au bon endroit. Suis l'exemple ci-dessous.
- Explique à tes camarades comment tu as fait pour reconnaître le groupe sujet.

Ex.: | Groupe sujet | + | Groupe du verbe | + | Groupe complément de phrase |

William      fera un petit avion      après l'école.

**A** De tout temps, les humains ont essayé d'imiter les oiseaux.

**B** La classe de Nathalie présentera une exposition d'avions miniatures demain matin.

**C** Nous cherchons de la documentation sur Léonard de Vinci.

**D** J'aimerais beaucoup piloter un avion un jour.

**2.** Comme tu l'as vu dans le dossier 1 (p. 17), tu disposes de différents moyens pour reconnaître le groupe sujet dans une phrase.

- Si la phrase contient un des pronoms « je », « tu », « il », « ils » ou « on », celui-ci est toujours sujet. C'est le cas dans la phrase D de l'activité 1.

- Si le groupe sujet est formé d'un autre pronom comme « elle », « elles », « nous », « vous », « cela » ou « ça » ou encore s'il est formé d'un groupe du nom, tu peux utiliser la tournure « <u>c'est... qui</u> » + verbe. Tu as pu utiliser ce moyen dans le cas des phrases A, B et C.

- Si le groupe sujet est formé d'un groupe du nom, tu peux remplacer ce dernier par le pronom « il », « ils », « elle » ou « elles ». C'est ce que tu as pu faire pour trouver le groupe sujet des phrases A et B.

**3.** Le groupe sujet est souvent formé d'un groupe du nom. Comme tu l'as déjà vu dans le dossier 2 (p. 41 à 44), un groupe du nom peut être formé de différentes façons. Observe les groupes du nom sujets dans les phrases suivantes.

**A  Mathieu** visionnera un documentaire sur l'aviation.

- « Mathieu » est un groupe du nom ;
- il est formé d'un nom seul, un nom propre.

**B  Trois élèves** visionneront un documentaire sur l'aviation.

- « Trois élèves » est un groupe du nom ;
- il est formé d'un déterminant et d'un nom commun ;
- le nom « élèves » est le noyau de ce groupe du nom.

**C  Trois élèves chanceux** visionneront un documentaire sur l'aviation.

- « Trois élèves chanceux » est un groupe du nom ;
- le nom « élèves » est le noyau de ce groupe du nom ;
- l'adjectif « chanceux » est le complément du nom « élèves ».

**D  Trois élèves de notre classe** visionneront un documentaire sur l'aviation.

- « Trois élèves de notre classe » est un groupe du nom ;
- le nom « élèves » est le noyau de ce groupe du nom ;
- le groupe de mots « de notre classe » est le complément du nom « élèves » ;
- le groupe de mots « de notre classe » contient lui aussi un groupe du nom : « notre classe ».

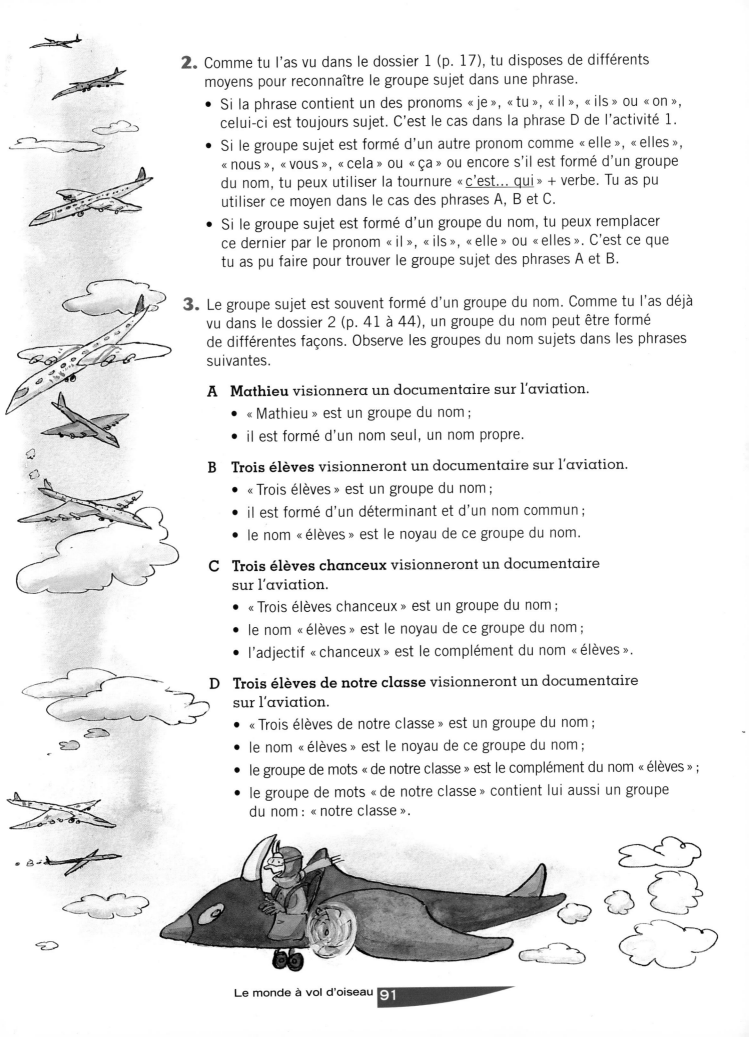

**4.** Reviens en équipe.

- Repérez le groupe sujet dans les phrases suivantes et expliquez comment il est formé.
- Par quel pronom pourriez-vous remplacer chaque groupe sujet ?

**A** Fabienne a cherché des livres sur l'histoire de l'aviation.

**B** Pour descendre, les oiseaux tiennent leurs plumes très serrées.

**C** La semaine prochaine, les voisines de Jonathan reviendront d'une expédition dans l'Arctique.

**TU VAS :**

Reconnaître le groupe du verbe

**5.** Fais ce travail en équipe.

- Comparez les phrases suivantes à la phrase de base. Faites le schéma de la phrase de base, puis placez chaque groupe de mots au bon endroit.
- Expliquez comment vous avez reconnu le groupe du verbe.
- Partagez vos connaissances avec vos camarades.

**A** À cause de ses découvertes, Léonard de Vinci est un scientifique important.

**B** Encore cette année, des explorateurs audacieux partiront à la conquête des plus hauts sommets du monde.

**C** Les personnages, dans plusieurs romans d'aventures, entreprennent des expéditions palpitantes.

**6.** Les moyens qui suivent peuvent t'aider à repérer le groupe du verbe. Compare-les à ceux que ton équipe a utilisés.

### Pour reconnaître le groupe du verbe

- Le groupe du verbe indique ce qu'on dit du sujet dans la phrase.

- Le groupe du verbe est obligatoire : on ne peut pas l'effacer.
  Ex. : En fin de semaine, Mathilde fera une excursion.
  Sans groupe du verbe, cette suite de mots n'est pas une phrase.

- Le groupe du verbe ne peut pas être déplacé : il suit le groupe sujet.
  Ex. : Fera une excursion Mathilde.
  Cette suite de mots ne forme pas une phrase.

- Pour reconnaître un groupe du verbe, on peut remplacer celui-ci par un verbe ou par un autre groupe du verbe.
  Ex. : Mathilde fera une excursion.
  Mathilde court.

**7.** Observe de quoi le groupe du verbe est formé dans les phrases suivantes. Partage tes observations avec tes camarades.

| Groupe sujet | Groupe du verbe |
|---|---|
| **A** Jean-Philippe | voyage.<br>verbe |
| **B** Jean-Philippe | visitera l'Italie.<br>verbe + complément du verbe |
| **C** Jean-Philippe | écrira à ses amis.<br>verbe + complément du verbe |
| **D** Jean-Philippe | est curieux.<br>verbe « être » + attribut du sujet |

**Remarque.** Quand le verbe conjugué est le verbe « être », ce qui suit le verbe n'est pas un complément du verbe, mais un attribut du sujet.

| | |
|---|---|
| **E** Jean-Philippe | voyage beaucoup.<br>verbe + adverbe |

**Remarque.** L'adverbe est une classe de mots, comme la classe des noms, des verbes, des déterminants, des adjectifs et des prépositions que tu connais déjà. Très souvent, l'adverbe permet d'ajouter une précision au verbe.

L'adverbe est un mot invariable, c'est-à-dire qui ne s'accorde pas.

**8.** En examinant les exemples ci-dessus, tu peux constater que :
- le groupe du verbe contient toujours un verbe ;
- le verbe est le noyau du groupe : c'est lui qui donne son nom au groupe ;
- le groupe du verbe peut contenir un verbe seul ou un verbe accompagné d'autres groupes de mots.

**9.** Reviens en équipe pour faire le travail suivant.

- Décomposez les phrases qui suivent dans un schéma représentant la phrase de base.

- Décrivez de quoi les groupes du verbe sont formés.

- Expliquez la démarche que vous avez utilisée pour repérer les groupes du verbe et pour trouver de quoi ils sont formés.

**A** Chaque année, de nombreux touristes visitent les monuments anciens.

**B** Certaines aventures sont périlleuses.

**C** Des élèves de cinquième année iront à Québec à la fin de l'année.

**10.** Tes connaissances sur le groupe sujet et sur le groupe du verbe peuvent t'être utiles.

- Si tu sais repérer le groupe sujet dans une phrase difficile à lire, tu comprends mieux de qui ou de quoi on parle dans cette phrase.

- En écriture, tu peux préciser de qui ou de quoi tu parles en ajoutant des compléments du nom dans un groupe du nom sujet.

- Tu peux aussi préciser le groupe du verbe en ajoutant un adverbe.

# Ⓖ Orthographe grammaticale

**TU VAS :**

Accorder les verbes conjugués

Pour accorder un verbe conjugué, tu dois :

- reconnaître le verbe conjugué ;

- repérer le noyau du groupe sujet.

**1.** Sais-tu reconnaître le verbe dans une phrase ? Explique à tes camarades comment tu fais pour reconnaître le verbe dans la phrase suivante.

Des élèves parleront des voyages de quelques explorateurs.

**2.** Ta stratégie ressemble-t-elle à celle qui suit ?

**Pour reconnaître le verbe**

- Je repère le mot ou les mots qui pourraient être des verbes.

  **Ex.:** Stéphanie expose une affiche sur le vol des oiseaux.

  Les mots « expose » et « affiche » pourraient être des verbes.

- Je me demande si le mot se conjugue à différents temps.

  **Ex.:** OUI, je peux dire :        NON, je ne peux pas dire :

  Stéphanie exposait une affiche.   Stéphanie expose une affichait.

  Stéphanie exposera une affiche.   Stéphanie expose une affichera.

- Je me demande si le mot se conjugue à différentes personnes du singulier et du pluriel.

  **Ex.:** OUI, je peux dire :        NON, je ne peux pas dire :

  J'expose une affiche.        Stéphanie expose une j'affiche.

  Nous exposons une affiche.   Stéphanie expose une nous affichons.

- Je me demande si je peux mettre le mot « ne » ou « n' » avant ce mot et le mot « pas » après.

  **Ex.:** OUI, je peux dire :        NON, je ne peux pas dire :

  Stéphanie n'expose pas une affiche.   Stéphanie expose une n'affiche pas.

- Donc, dans cette phrase, le mot « expose » est un verbe. Le mot « affiche » n'est pas un verbe.

**3.** Repère les verbes conjugués dans les phrases qui suivent. Explique ensuite à tes camarades comment tu as procédé.

   **A**  Les oiseaux mangent en plein vol.

   **B**  Les cerfs-volants exécutent une véritable danse dans le ciel.

   **C**  La croûte terrestre forme la couche supérieure de la Terre.

**4.** Te rappelles-tu comment trouver le groupe sujet d'une phrase ?

- Explique à tes camarades comment tu fais pour trouver le groupe sujet dans la phrase ci-dessous.

- Compare les moyens que tu as utilisés à la stratégie de la page 17 de ton manuel.

  Au cours de l'année, mon équipe fabriquera une maquette d'ornithoptère.

**5.** Tu sais qu'il y a un lien très étroit entre le groupe sujet et le groupe du verbe : le groupe sujet donne sa personne et son nombre au verbe.

| Groupe sujet | + | Groupe du verbe |

|  3ᵉ pers. s. |  | 3ᵉ pers. s. |

**Ex.:** Le voyageur     raconte     ses souvenirs.
                 verbe     +     complément du verbe

      3ᵉ pers. pl.                 3ᵉ pers. pl.

      Les voyageurs     racontent     leurs souvenirs.
                 verbe     +     complément du verbe

**6.** Place-toi en équipe pour faire le travail suivant. Expliquez l'accord du verbe dans les phrases ci-dessous.

    **A**    La navigatrice solitaire lance des appels de détresse.

    **B**    Deux ou trois personnes chantent depuis l'arrivée du soleil.

    **C**    Les plus hautes montagnes se trouvent au fond de l'océan.

**7.** Tu sais que le groupe sujet peut être formé d'un groupe du nom qui contient un complément du nom. Pour accorder le verbe dans un cas semblable, tu dois trouver le noyau du groupe du nom sujet.

### Pour trouver le noyau d'un groupe du nom sujet

- J'efface tous les mots que je peux effacer dans le groupe du nom sujet ; j'efface donc le ou les compléments du nom.

  **Ex.:** Les élèves ~~de cinquième année~~ organisent un voyage pour la fin de l'année.

- J'utilise la tournure « c'est... qui » pour encadrer ce qui reste du sujet.

  **Ex.:** C'est **les élèves** qui organisent un voyage pour la fin de l'année.

- J'accorde le verbe avec le nom qui commande son accord.

      3ᵉ pers. pl.                      3ᵉ pers. pl.

  **Ex.: Les élèves** ~~de cinquième année~~ organisent un voyage pour la fin de l'année.

**8.** Fais ce travail avec les membres de ton équipe.

- Vérifiez l'accord de tous les verbes du texte qui suit.
- Relevez les erreurs, s'il y en a.
- Expliquez votre démarche pour repérer les verbes et vérifier leur orthographe.

Notre enseignant nous lit la légende d'Icare. Cette légende très connue provient des Grecs de l'Antiquité. Dans cette légende, Icare est prisonnier d'un labyrinthe avec son père, nommé Dédale. Ensemble, ils cherchent un moyen pour s'évader. Dédale, très ingénieux, décide de fabriquer des ailes. Icare et son père fixent alors les ailes à leurs épaules avec de la cire. Mais Icare, dans son enthousiasme, s'approche trop près du soleil. Plusieurs élèves tentent de deviner la fin. Bien sûr, les ailes se mettent à fondre et Icare plonge dans la mer.

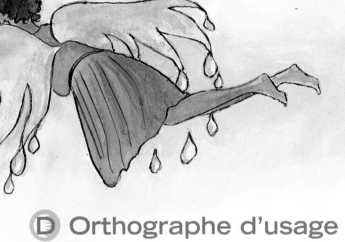

# D Orthographe d'usage

**1.** Tu as déjà appris à écrire les nombres qui s'écrivent en un seul mot comme « trois », « vingt », « cinquante ».

- Pour vérifier tes connaissances, écris les nombres suivants.

  2, 5, 7, 8, 10, 13, 14, 40

- Vérifie ensuite si tu les as bien orthographiés en utilisant une liste orthographique ou un dictionnaire.
- Trouve un moyen de mémoriser l'orthographe des nombres que tu as mal orthographiés.

**2.** Voici des nombres inférieurs à cent qui s'écrivent en deux, trois ou même quatre mots. Observe comment ils s'écrivent et formule une hypothèse sur la manière de les écrire.

Dix-huit, vingt et un, vingt-neuf, trente-deux, quarante et un, quarante-cinq, soixante et un, soixante-six, soixante et onze, soixante-dix-neuf, quatre-vingt-dix-sept

**3.** Ton hypothèse ressemble-t-elle à la règle qui suit?

Les nombres inférieurs à cent composés de plus d'un mot s'écrivent avec un trait d'union, sauf ceux dont les mots sont unis par « et ».

**4.** Pour t'assurer que tu as bien compris cette règle, écris les nombres suivants en lettres.

19, 22, 31, 35, 47, 51, 78, 81, 88, 99

**5.** Comment s'écrivent les mots dont la fin se prononce [èr]?

- Observe comment s'écrit le son [èr] dans les mots ci-dessous et classe ces mots dans un tableau selon l'orthographe de [èr].

- Que remarques-tu sur l'orthographe du son [èr]? Fais des comparaisons ou des groupements pour t'aider à retenir l'orthographe de ces mots.

| | | | |
|---|---|---|---|
| affaire | éclair | manière | première |
| air | entière | ménagère | prisonnière |
| aire | envers | misère | rivière |
| alimentaire | fermière | mystère | salaire |
| annuaire | guerre | ouvrière | secrétaire |
| barrière | hélicoptère | passagère | soccer |
| brigadière | hier | polaire | terre |
| caractère | laser | populaire | vétérinaire |
| contraire | légère | poussière | vocabulaire |

**6.** Classe les mots suivants dans le tableau que tu viens de faire.

| | | | |
|---|---|---|---|
| anniversaire | étrangère | ordinaire | propriétaire |
| arrière | infirmière | pierre | scolaire |
| cimetière | matière | prière | super |

Mémorise l'orthographe des mots de ton tableau.

**7.** Les mots des séries suivantes se ressemblent par leur prononciation, mais ils ne s'écrivent pas de la même façon.

- Avec un ou une camarade, composez une phrase avec chacun de ces mots.

- Consultez un dictionnaire, au besoin.

maire – mer – mère

paire – père

ver – verre – vers – vert

# Rêve et réalité

**R**êver, quel plaisir ! Sauf, bien sûr, lorsqu'on fait un cauchemar. Dans ce cas-là, c'est plutôt la catastrophe !

Au cours de ce dossier, tu vas apprendre ce qui se passe dans ton cerveau lorsque tu rêves et à quoi les animaux rêvent. À moins que tu ne préfères connaître des personnes qui ont réalisé leur rêve en dépit, parfois, de grandes difficultés. Tu pourrais aussi décider de suivre un personnage à la conquête de son rêve.

Bon voyage au pays des rêves !

**Dans ce dossier, tu vas :**

- explorer les différents sens de certains mots ;
- mieux connaître tes besoins ;
- sélectionner des informations dans un texte ;
- apprécier un récit ;
- résoudre des problèmes ;
- préciser tes idées ;
- employer un vocabulaire précis ;
- soigner ton langage ;
- faire preuve de créativité ;
- exprimer clairement tes idées ;
- comprendre le sens des mots dans un texte ;
- faire des liens entre les phrases ;
- reconnaître le groupe complément de phrase ;
- employer la virgule ;
- reconnaître et accorder des verbes dans une phrase ;
- reconnaître les verbes au participe présent ;
- trouver des mots dans un dictionnaire.

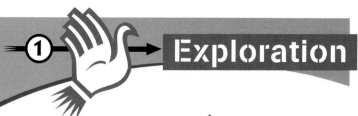
# Rêver ou rêver ?

**TU VAS :**

Explorer les différents
sens de certains mots

**1.** Que veut dire le verbe « rêver » ?

- Y a-t-il une différence entre rêvasser et faire un joli rêve ?
- Souvent, dans les contes, un personnage fait un songe. Est-ce que cela signifie qu'il rêve ?
- Est-ce que « poursuivre un rêve » et « poursuivre quelqu'un en rêve » veulent dire la même chose ?

**2.** Est-ce bon de rêver ? Discute de ton opinion avec tes camarades.

**3.** Certaines personnes interprètent les rêves. Ces interprétations sont-elles sérieuses ? À toi d'en juger en faisant ce petit jeu.

- Forme une équipe.
- Ensemble, trouvez une interprétation aux rêves suivants.

   **Ex.:** Quand on rêve d'oiseaux, cela signifie **qu'on va entendre des choses agréables.**

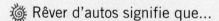

> ☀ Rêver d'autos signifie que...
>
> ☀ Quand on rêve de chevaux, cela veut dire que...
>
> ☀ Rêver de cow-boys est un signe que...
>
> ☀ Si tu vois des chats en rêve, tu...
>
> ☀ Rêver de pommes signifie que...
>
> ☀ Si tu rêves d'un œil énorme, c'est que...
>
> ☀ Si tu vois une route sans fin dans ton rêve, c'est le signe que...

**4.** Discutez de vos réponses en classe.

- Est-ce que vous avez donné des interprétations semblables ? Si oui, dans quels cas ?

- Est-ce qu'on peut se fier à ces interprétations ? Explique ton opinion.

- Que penses-tu des interprétations qu'on trouve dans les livres ou les magazines ? Est-ce qu'on peut s'y fier pour guider sa vie ?

**5.** Qu'est-ce que tu aimerais savoir sur le rêve ? Note tes questions dans ton journal de bord. Tu trouveras peut-être des réponses à tes questions en cours de route.

**6.** À la fin du dossier, les membres de ton équipe et toi allez animer un kiosque d'information auquel vous convierez des élèves d'une autre classe.

*a)* Choisissez un sujet parmi les suivants.

- Le rêve chez les humains ou chez les animaux.

- La vie d'une personne qui a poursuivi et réalisé son rêve :
  - Christine Janin, qui a consacré sa vie à redonner espoir à des enfants malades ;
  - Stephen Hawking, qui est devenu un grand scientifique malgré un grave handicap.

- L'histoire d'un personnage inventé qui poursuit son rêve.

*b)* Voici les étapes à suivre pour préparer le kiosque.

- Lire un texte informatif ou narratif.

- Prendre des notes tout au long de la lecture.

- En équipe, préparer de façon minutieuse l'animation du kiosque.

- Toujours en équipe, participer à la rédaction d'un aide-mémoire afin que les visiteurs gardent un souvenir de la présentation.

**7.** Quel sera ton sujet ? Note-le dans ton journal de bord.

**8.** Avec tes camarades, choisissez la classe que vous allez inviter.

**9.** Lis ton contrat et décide des engagements que tu veux prendre. Signe ton contrat.

# Du rêve... à la réalité

- Si tu as choisi de communiquer des informations sur le rêve chez les humains ou chez les animaux ou encore de présenter une personne qui a poursuivi et réalisé son rêve, suis la **démarche A**.

- Si tu as choisi de raconter l'histoire d'un personnage inventé qui poursuit un rêve, suis la **démarche B**.

**TU VAS :**

Mieux connaître
tes besoins

Sélectionner
des informations dans
un texte

Apprécier un récit

## Lecture

| Démarche A | Démarche B |
| --- | --- |

### 1.

Dans le recueil, trouvez le texte qui porte sur votre sujet.

- Consultez la table des matières à la page 243.
- Lisez les titres des textes pour trouver le texte qui vous permettra de réaliser votre projet.

**2.** Que sais-tu sur le sujet ?

- Réponds aux questions de la partie A de ta fiche de lecture.
- Reviens en équipe. Ensemble, formulez des questions auxquelles vous aimeriez trouver des réponses.

**2.** Fais des prédictions sur l'histoire que tu vas lire.

- Observe le titre et les illustrations, puis lis les deux premiers paragraphes du texte.
- Réponds aux questions de la partie A de ta fiche de lecture.
- Reviens en équipe. Ensemble, comparez vos prédictions et modifiez-les, au besoin.

# 3.

Lis le texte une première fois.

- Si tu as de la difficulté à comprendre certains passages, trouve la raison de cette difficulté.
- Cherche la stratégie qui peut te dépanner.
- Au besoin, demande de l'aide à un ou une camarade.

# 4.

Fais une lecture approfondie du texte.

- Observe comment le texte est structuré. Cela t'aidera à trouver où sont les informations dont tu as besoin. Remplis le schéma de la partie B de ta fiche.
- Prends des notes en répondant aux questions de la partie C de ta fiche.
- Remplis la partie D de ta fiche.

- Prends des notes sur l'histoire en répondant aux questions de la partie B de ta fiche.
- Exprime tes réactions au texte en remplissant la partie C de ta fiche à mesure que tu lis.

# 5.

Discute du texte avec les membres de ton équipe.

- Comparez vos réponses aux différentes questions de la fiche.
- Trouvez les réponses les plus claires et les plus complètes possible.

- Vérifiez si vous avez trouvé des réponses à vos questions personnelles.

- Déterminez quels sont les passages les plus importants du texte que vous avez lu.

# Communication orale et écriture

Lorsqu'ils visiteront le kiosque de ton équipe, les visiteurs :

- écouteront les informations que vous leur communiquerez ou l'histoire que vous leur raconterez ;

- repartiront avec un aide-mémoire. Celui-ci leur permettra de se rappeler ce qu'ils auront entendu.

| Démarche A | Démarche B |
|---|---|

## 1.

Comment sera votre kiosque ? Prépare une proposition que tu soumettras aux membres de ton équipe. Aide-toi des questions suivantes.

| | |
|---|---|
| • Quelles informations trouves-tu importantes de présenter ? | • Qu'est-ce que tu suggères : <br> – lire l'histoire en vous partageant les rôles ? <br> – raconter l'histoire dans vos mots ? <br> – as-tu d'autres idées pour faire connaître le récit que vous avez lu ? |
| • Comment pourriez-vous communiquer ces informations au moment de la présentation orale ? | |
| • Quel genre d'aide-mémoire devriez-vous fournir ? | • Quel genre de texte allez-vous remettre aux visiteurs de votre kiosque ? |

## 2.

Reviens en équipe. Mettez vos propositions en commun.

- Assurez-vous :
    - de nommer un animateur ou une animatrice ainsi qu'un ou une secrétaire qui notera les décisions de l'équipe ;
    - de vous concentrer sur le but de votre discussion : organiser un kiosque que des élèves d'une autre classe visiteront ;
    - d'écouter les idées des autres en les respectant.

- Décidez de la formule de votre kiosque :
    - comment ferez-vous votre présentation orale ?
    - quel genre d'aide-mémoire fournirez-vous ?
    - auriez-vous d'autres éléments à ajouter ?

# Communication orale

| Démarche A | Démarche B |
|---|---|

## 1.

En équipe, préparez votre présentation orale.

**Démarche A**

- Relisez vos notes de lecture et choisissez les informations que vous voulez communiquer.

- Expliquez pourquoi, selon vous, ces informations sont importantes.

- Notez ces informations à l'aide de mots clés. N'oubliez pas de prendre en note les mots précis que vous aurez à utiliser.

- Décidez du rôle de chaque membre de l'équipe au moment de la présentation orale.

**Démarche B**

- Notez les éléments importants de votre histoire :
  - la source : le nom de l'auteur ou de l'auteure (ou le pays d'origine, s'il s'agit d'une légende) et la maison d'édition ;
  - le nom des personnages ;
  - les événements importants de l'histoire ;
  - l'atmosphère à faire ressortir au moment des événements importants.

- Déterminez le travail à faire selon la formule choisie pour votre présentation orale.

- Décidez du rôle de chaque membre de l'équipe au moment de la présentation orale.

## 2.

Exercez-vous à faire votre présentation.

- Lisez vos notes pour vous rappeler ce que vous avez à dire.

- Lorsque vient ton tour de prendre la parole :
  - surveille ta prononciation ;
  - soigne ton vocabulaire ;
  - trouve des gestes appropriés pour appuyer tes propos.

- Lorsque tes camarades prennent la parole :
  - écoute leurs propos ;
  - fais-leur des suggestions pour améliorer leur présentation.

**3.**

Que pensez-vous de votre préparation ?

- Quelles informations vont intéresser le plus les visiteurs de votre kiosque ?
- Est-ce que chaque membre de l'équipe a bien joué son rôle ?
- Y aurait-il des modifications à apporter à votre présentation pour qu'elle soit plus intéressante ? Si oui, lesquelles ?

- Dans votre histoire, qu'est-ce qui va le plus intéresser les visiteurs de votre kiosque ?
- Avez-vous bien fait ressortir ces éléments ?
- Est-ce que chaque membre de l'équipe a bien joué son rôle ?
- Y aurait-il des modifications à apporter à votre présentation pour qu'elle soit plus intéressante ? Si oui, lesquelles ?

**TU VAS :**
Faire preuve de créativité

## Écriture

**Démarche A** > **Démarche B**

**1.**

Reviens en équipe.
- Rappelez-vous les décisions prises concernant votre aide-mémoire.
- Trouvez une façon originale de présenter vos idées.
- Décidez de ce que vous allez écrire.
- Faites un schéma de votre texte.
- Répartissez-vous les tâches.

**2.**

Rédige la partie du texte dont tu es responsable.
- Laisse de l'espace entre les lignes pour pouvoir modifier ton texte, au besoin.
- Si tu as des doutes sur l'orthographe ou la syntaxe, note-les à mesure que tu écris.

**3.**

Présente ton texte aux membres de ton équipe. Ensemble, relisez chaque texte en vous posant les questions suivantes.

- Les informations sont-elles pertinentes ?
- Sont-elles compréhensibles pour quelqu'un qui ne connaît pas le sujet ?
- Y a-t-il des phrases qui pourraient être améliorées ?
- En regroupant les textes, obtenez-vous un aide-mémoire clair, bien structuré et original ?

- Raconte-t-il clairement un épisode de l'histoire ?
- Est-ce qu'il sera compris par des élèves qui n'ont pas lu l'histoire ?
- Y a-t-il des phrases qui pourraient être améliorées ?
- En regroupant les textes, obtenez-vous un aperçu clair, bien structuré et original de l'histoire ?

# 4.

Fais les modifications suggérées par les membres de ton équipe, s'il y a lieu.

# 5.

Révise ton texte, une phrase à la fois, en répondant aux questions suivantes.

- La phrase est-elle claire et bien structurée? Contient-elle un groupe sujet et un groupe du verbe?
- Est-elle bien ponctuée? Pense à la majuscule du début, au point à la fin et aux virgules, s'il y a lieu.
- Les accords dans les groupes du nom sont-ils bien faits?
- Le ou les verbes sont-ils bien accordés?
- Les mots sont-ils orthographiés correctement? Au besoin, vérifie leur orthographe dans ta liste orthographique ou dans un dictionnaire.

# 6.

Présente ton texte une dernière fois à un ou une camarade de ton équipe.

- Assurez-vous que vos textes sont bien corrigés.
- Au besoin, aidez votre camarade à éliminer les erreurs qui restent.
- Décidez comment vous allez présenter et transcrire votre aide-mémoire pour qu'il soit attirant.

# 7.

Transcris ton texte en respectant les décisions prises en équipe.

# 8.

Évaluez votre travail d'équipe.

- Que pensez-vous de votre aide-mémoire?
  - Est-il clair?
  - La présentation est-elle agréable? originale?
  - Est-ce que les idées que vous voulez communiquer ressortent bien?
- Quels problèmes avez-vous éprouvés au cours de votre travail?
  - Quelles solutions avez-vous trouvées?
  - Est-ce que ces solutions étaient satisfaisantes?

# Que deviennent nos rêves ?

**TU VAS :**

Exprimer clairement
tes idées
Soigner ton langage

**1.** En équipe, mettez la dernière main à votre présentation.
Votre présentation orale et votre aide-mémoire sont-ils prêts ?

**2.** Préparez votre kiosque : décorez-le et annoncez votre sujet.

**3.** Que la tournée des kiosques commence !

- Exprime tes idées clairement et correctement.
- Écoute les questions des visiteurs et donne des réponses claires.
- N'oublie pas de distribuer l'aide-mémoire de ton équipe.

**4.** Fais le bilan du dossier avec ta classe.

- Est-ce que ce dossier t'a permis de mieux connaître le monde
  des rêves ? As-tu trouvé des réponses aux questions que tu te posais ?
- Finalement, est-ce une bonne chose de rêver ?
- Y a-t-il des questions que tu aimerais approfondir ?
  Si oui, quand et comment comptes-tu le faire ?
- Quels apprentissages as-tu faits au cours de ce dossier ?
  Lesquels te seront les plus utiles ?

**5.** Fais ton bilan personnel.

- Dans ton journal de bord, note ce que tu retiens du dossier.
- Note aussi les réponses que tu as trouvées aux questions que
  tu te posais.
- Relis ton contrat et évalue si tu l'as respecté.
- Discute de ton contrat et de ton évaluation avec ton enseignante
  ou ton enseignant.

**6.** Dans ton portfolio, dépose :

- ton contrat ;
- ta fiche de lecture ;
- le texte que ton équipe a rédigé ;
- ton journal de bord.

# À l'entraînement !

# Connaissances et stratégies

## (A) Lecture guidée

**TU VAS :**

Comprendre le sens des mots dans un texte

**1.** Fais ce travail avec un ou une camarade. Ensemble :
- lisez les courts textes suivants ;
- répondez aux questions ;
- communiquez le résultat de votre discussion à la classe.

**A** Pour comprendre ce qui se passe dans le cerveau pendant le sommeil, les scientifiques utilisent un électroencéphalogramme. C'est un appareil qui capte les ondes émises par le cerveau et qui permet d'observer leur activité.

- Que veut dire ce texte ?
- Quel est le sens du mot « électroencéphalogramme » ? Comment l'avez-vous trouvé ?
- Dans quel genre de texte trouve-t-on ce mot ?

**B** Oron en avait assez de se heurter en permanence à son rival, Ātii, qui le surpassait parfois à la nage ou à la course et menaçait de lui enlever le cœur de la fille du chef.

- Redites cette phrase dans vos mots.
- Que veut dire l'expression « enlever le cœur de… » ? Comment avez-vous trouvé le sens de cette expression ?
- Dans quel genre de texte trouve-t-on une expression semblable ?

**C** Plusieurs jeunes se passionnent pour les biographies. Ils découvrent, en les lisant, les rêves et le parcours parfois difficile de personnes connues. Celles-ci ont souvent vécu des expériences malheureuses et ont dû surmonter des obstacles redoutables avant de réaliser leurs rêves.

- Que veut dire le mot « biographie » ? Comment avez-vous trouvé son sens ?
- Aimez-vous lire des biographies ? Expliquez votre réponse.

**D** Dans la lumière bleuâtre de la nuit, cet arbre, à l'allure fantomatique, épouvanta les enfants qui revenaient à la maison.

- Quel est le sens des mots « bleuâtre » et « fantomatique » ? Comment avez-vous trouvé le sens de ces mots ?
- Connaissez-vous des objets bleuâtres ? Lesquels ?
- Qu'est-ce qui peut avoir une allure fantomatique ?

**2.** Lorsqu'il y a un mot dont tu ne connais pas le sens, que peux-tu faire ? Voici une stratégie qui peut t'aider à résoudre ce problème.

### Pour comprendre des mots nouveaux dans un texte

- Je décompose le mot : je cherche s'il contient un autre mot ou une partie d'un mot qui m'aiderait à trouver son sens.

  Par exemple, le mot « bleuâtre » contient l'adjectif « bleu » ; il signifie « qui tire sur le bleu, qui n'est pas tout à fait bleu ».

  Le suffixe « âtre » s'ajoute à plusieurs adjectifs désignant la couleur comme « rougeâtre », « verdâtre », « jaunâtre », etc.

- Je cherche une explication dans le contexte :
  - dans la même phrase ou dans une autre phrase ;
    - cette explication peut commencer par « c'est », « c'est-à-dire », « autrement dit », « en d'autres mots », « par exemple », etc. ;
    - parfois aussi, je dois déduire le sens du mot à l'aide des autres mots qui l'entourent.
  - dans une note entre parenthèses ou au bas de la page.

- Je peux aussi consulter un dictionnaire.

**3.** Quels moyens as-tu employés au cours de l'activité 1 ? Quels mots as-tu réussi à comprendre grâce à ces moyens ?

## B Syntaxe

**TU VAS :**

Faire des liens entre les phrases

**1.** Lorsque tu écris, tu dois t'assurer que les phrases de ton texte s'enchaînent bien. C'est ce qui permet aux lecteurs de comprendre les idées. Ce sont aussi les liens entre les phrases qui t'aident à suivre le fil des idées quand tu lis un texte.

Avec un ou une camarade, exerce-toi à saisir les liens entre les phrases.

- Placez les phrases suivantes en ordre de manière à former un texte. La première phrase du texte est la phrase A et la dernière est la phrase F.
- Utilisez la fiche qu'on vous remettra pour pouvoir découper les phrases.
- Expliquez quels indices vous utilisez pour réussir à placer les phrases dans l'ordre.

### L'histoire de Wilma Rudolph

**A** Aux Jeux de Rome, en 1960, une athlète de vingt ans triomphe !

**B** C'est une maladie qui atteint la moelle épinière et entraîne une paralysie de certaines parties du corps.

**C** Après quatre années de rééducation, Wilma peut entrer à l'école.

**D** Par la suite, Wilma Rudolph remporte une médaille d'or au 100 mètres, puis une autre au 200 mètres.

**E** Les jambes de Wilma sont paralysées et les médecins pensent qu'elle ne pourra plus marcher.

**F** Elle arrive ainsi à se qualifier pour les Jeux olympiques de Melbourne en 1956 et pour ceux de Rome en 1960.

**G** De plus, comme si ces deux victoires ne la contentaient pas, elle gagne une troisième médaille au 4 x 100 mètres avec son équipe de relais.

**H** Elle gagne toutes les compétitions de son école et de sa ville.

**I** En effet, à l'âge de quatre ans, Wilma est victime de la poliomyélite.

**J** Sauf une ! Une compétition qui réunit les meilleurs athlètes du sud des États-Unis, en Alabama.

**K** Elle décide alors de s'entraîner avec un spécialiste de la course à pied.

**L** Ce triomphe, Wilma Rudolph le doit à sa lutte acharnée contre la maladie.

**M** Aussitôt, la fillette se met à réapprendre à marcher et reprend confiance en elle grâce à l'affection et au soutien de ses parents et de ses dix-huit frères et sœurs.

**N** Elle a alors huit ans.

**O** C'est là qu'elle connaît sa première déception sportive : elle ne se qualifie pas.

**P** Déjà, elle est passionnée par les sports, entre autres, le basket-ball et la course à pied.

**2.** Joignez-vous à une autre équipe. Lisez le texte que vous avez reconstitué et expliquez comment vous avez fait.

**3.** Voici différents moyens que l'on peut utiliser pour faire des liens entre les phrases d'un texte.

### Pour que les lecteurs puissent suivre le fil de mes idées

- Je regroupe dans un même paragraphe les idées qui vont ensemble :
  - dans un récit : les événements et les descriptions d'une même péripétie ;
  - dans un texte informatif : les idées qui décrivent un même aspect, une même étape, une même cause, une même solution, etc.

- J'emploie des mots qui indiquent le lien que je fais entre les phrases d'un même paragraphe. Ce sont des marqueurs de relation.

  **Ex.:** Ce triomphe, l'athlète le doit à sa lutte acharnée contre la maladie. **En effet**, à l'âge de quatre ans, Wilma est victime de la poliomyélite.

- Lorsque j'emploie un pronom, je m'assure d'avoir déjà mentionné, dans les phrases précédentes, de qui ou de quoi je parle.

  **Ex.:** Après quatre années de rééducation, **Wilma** peut entrer à l'école. **Elle** a alors huit ans.

*Écriture*

**4.** Lorsque tu lis, tu dois faire des liens entre les phrases pour bien comprendre le texte. Voici des moyens qui peuvent t'aider.

### Pour comprendre les liens entre les phrases

- J'observe les marqueurs de relation comme « ce jour-là », « ensuite », « puisque », « mais », « de plus », « en effet », etc.

  Tu dois comprendre le sens de ces marqueurs.

- J'observe les pronoms et les mots de substitution.

  Les mots de substitution sont des synonymes ou des mots qui ont un sens voisin des mots qu'ils remplacent.

  Tu dois chercher quels mots les pronoms et les mots de substitution remplacent.

  **Ex.:** Aussitôt, **la fillette** se met à réapprendre à marcher...

  Le groupe du nom « la fillette » remplace **Wilma Rudolph** dont on parle dans le texte.

- Je déduis les liens qu'il y a entre deux phrases qui se suivent.

*Lecture*

**5.** En équipe, décomposez les phrases ci-dessous en suivant le schéma de la phrase de base.

Expliquez comment vous avez fait pour reconnaître le groupe complément de phrase.

| Groupe sujet | + | Groupe du verbe | + | Groupe complément de phrase |

**A** Dans un bureau rempli d'ordinateurs, Stephen Hawking est concentré sur sa tâche.

**B** Au moment de choisir son métier, Christine Janin hésite entre professeure de gymnastique et médecin.

**C** Lorsqu'elle peut enfin aller à l'école, à l'âge de huit ans, Wilma est plus intéressée par les sports que par les mathématiques et la conjugaison.

**6.** Comparez vos moyens à ceux qui suivent.

- On peut enlever le complément de phrase, il est **effaçable.** Si on enlève le complément de phrase, les deux groupes qui restent forment une phrase.

  **Ex.:** ~~Dans un bureau rempli d'ordinateurs~~, Stephen Hawking est concentré sur sa tâche.

- On peut placer le complément de phrase à différents endroits dans la phrase : il est **déplaçable**.

  **Ex.:** Dans un bureau rempli d'ordinateurs, Stephen Hawking est concentré sur sa tâche.

  Stephen Hawking est concentré sur sa tâche dans un bureau rempli d'ordinateurs.

  Stephen Hawking, dans un bureau rempli d'ordinateurs, est concentré sur sa tâche.

- On peut ajouter « et cela se passe » ou « et cela » devant le complément de phrase.

  **Ex.:** Stephen Hawking est concentré sur sa tâche et cela se passe dans un bureau rempli d'ordinateurs.

**7.** Fais le travail suivant avec un ou une camarade.

- Décomposez les phrases ci-dessous en suivant le schéma de la phrase de base.
- Expliquez quels moyens vous avez utilisés pour reconnaître le complément de phrase.

**A** Pour participer à la compétition, Pamela décida de faire de la course à pied.

**B** Arthur, à six ans, faisait d'horribles cauchemars.

**C** Pendant leur sommeil, certaines personnes sont somnambules.

**8.** Le complément de phrase peut être formé de différentes façons. Observe les phrases suivantes.

| Groupe sujet | + Groupe du verbe | + | Groupe complément de phrase |
|---|---|---|---|
| **A** Noah | participera au championnat | | la semaine prochaine.<br>GN |
| **B** Maggy | terminera son roman | | dans quelques jours.<br>GN<br>précédé d'une préposition |
| **C** Noah | s'entraînera avec nous | | demain.<br>adverbe |
| **D** Maggy | sera dessinatrice | | quand elle sera grande.<br>subordonnée |

Dans ce dernier exemple, le complément de phrase est formé d'une autre phrase qu'on appelle une « subordonnée ». Le complément de phrase commence par le marqueur de relation « quand » et contient le groupe sujet « elle » et le groupe du verbe « sera grande ».

**Remarque.** La subordonnée est une sorte de phrase qui ne peut pas exister seule. Elle est toujours comprise à l'intérieur d'une autre phrase. Elle commence toujours par une marqueur de relation.

| Marqueur de relation | + Groupe sujet | + Groupe du verbe |
|---|---|---|
| quand | elle | sera grande |

**9.** Décompose les phrases ci-dessous en suivant le schéma de la phrase de base. Explique à ton ou ta partenaire :

- comment tu as repéré le complément de phrase ;
- de quoi est composé chaque complément de phrase.

**A** Parce qu'elle adorait les défis, Christine Janin a participé à plusieurs expéditions.

**B** L'être humain, lorsqu'il dort, se remémore les événements de la journée.

**C** Les scientifiques découvriront peut-être la signification des rêves un jour.

**10.** Attention à la virgule !

- Lorsque le complément de phrase est placé au début de la phrase, il est suivi d'une virgule.

   **Ex.: Lorsqu'il sera grand**, Zacharie élèvera des chevaux.

- Lorsque le complément de phrase est placé au milieu de la phrase, il est encadré par deux virgules.

   **Ex.:** Zacharie, **lorsqu'il sera grand**, élèvera des chevaux.

- Lorsque le complément de phrase est placé à la fin de la phrase, il n'est pas séparé par une virgule.

   **Ex.:** Zacharie élèvera des chevaux **lorsqu'il sera grand**.

**11.** Réécris les phrases suivantes de deux manières différentes en déplaçant le complément de phrase. Fais attention à la virgule !

   **A** Karima travaillera dans un laboratoire quand elle aura terminé ses études.

   **B** Wilma Rudolph, grâce à l'affection de sa famille, a pu se remettre de sa paralysie.

**12.** Lorsque tu écris, tes connaissances sur la phrase peuvent t'aider :

- à vérifier si tes phrases sont bien construites ;

   **Ex.:** Alice explorera l'est du Québec et les provinces atlantiques. Parce que son équipe de chercheurs étudie les fonds marins.

   La deuxième phrase ne peut pas exister seule. En fait, elle est le complément de phrase de la première. Il faudrait plutôt écrire :

   Alice explorera l'est du Québec et les provinces atlantiques parce que son équipe de chercheurs étudie les fonds marins.

- à améliorer une phrase : tu peux préciser ton idée en ajoutant un complément de phrase.

   **Ex.:** J'aimerais connaître davantage les réalisations de Christine Janin.

   J'aimerais connaître davantage les réalisations de Christine Janin parce que j'admire son courage et son amour des enfants.

**13.** Tes connaissances sur la phrase peuvent aussi t'aider à comprendre des phrases longues.

### Pour comprendre une phrase longue qui contient un complément de phrase

- Je mets le ou les compléments de phrase entre parenthèses dans ma tête.

  **Ex. :** (Quand il eut entendu Orou exprimer son projet), le vieux magicien resta ébahi.

- Il reste le groupe sujet et le groupe du verbe : j'essaie de comprendre ces deux groupes.

  **Ex. :** Le vieux magicien resta ébahi.

- Je cherche à comprendre le ou les compléments de phrase :
  - en cherchant le sens des marqueurs de relation ;
  - en me demandant quelle précision le complément de phrase ajoute à la phrase.

  Dans l'exemple, le complément de phrase « Quand il eut entendu Orou exprimer son projet » vient préciser **quand** le vieux magicien resta ébahi.

- Je relis la phrase au complet pour comprendre tout son sens.

**14.** Retrouve ton ou ta camarade. Expliquez les phrases suivantes en utilisant la même stratégie.

**A** Après avoir grimpé pendant des jours et des jours, les membres de l'expédition atteignirent finalement le sommet de l'Everest.

**B** Lorsqu'elle contemple le paysage à 8000 mètres d'altitude, Christine Janin se rend compte qu'elle est pleinement heureuse sur les sommets.

# Ⓖ Orthographe grammaticale

**1.** Tu as vu déjà que le complément de phrase peut être formé d'une phrase qu'on appelle une « subordonnée ».

**Ex. :** Lorsque la belle saison arrive, les enfants rêvent d'aventures.

| Groupe sujet | Groupe du verbe | ⌐ Groupe complément de phrase ⌐ |
|---|---|---|
| Les enfants | rêvent d'aventures | lorsque la belle saison arrive. |
| | | subordonnée |

Dans ce cas, la phrase contient deux verbes :

– le verbe « rêvent », qui s'accorde avec « enfants » ;

– le verbe « arrive », qui s'accorde avec « saison ».

Quand tu révises une phrase, tu dois :

• analyser la phrase pour voir combien de verbes elle contient ;

• trouver le groupe sujet qui commande l'accord de chaque verbe ;

• accorder chaque verbe.

**2.** Forme une équipe avec un ou une camarade. Ensemble :

• décomposez les phrases ci-dessous en suivant le schéma de la phrase de base ;

• soulignez tous les verbes ;

• trouvez le groupe sujet qui commande l'accord de chaque verbe ;

• expliquez votre démarche pour faire ce travail.

**A**  Depuis que Noémie fait des allergies, les chats dorment seuls.

**B**  Pablo joue du piano pendant que ses amis s'amusent dehors.

**C**  Lorsque la tempête se déchaîne, les grimpeurs doivent se mettre à l'abri.

**3.** Transcris les phrases suivantes : choisis le bon verbe parmi ceux qui sont entre parenthèses.

**A**  Quand mon petit frère (dort, dors) à poings fermés, mes parents en (profite, profitent) pour se reposer.

**B**  Josuah se (réveille, réveillent) toutes les nuits parce que d'horribles animaux (vienne, viennent) le visiter dans ses rêves !

**C**  Nous (viendrons, viendront) t'encourager avec plaisir lorsque tu (participera, participeras) aux tournois de volley-ball dans notre ville.

# D Conjugaison

**1.** Un complément de phrase contient parfois un verbe au participe présent comme dans les exemples ci-dessous.

**Ex.:** Mathias s'est souvenu de son rêve insolite tout de suite en s'**éveillant**.

En **vieillissant**, Sabrina entretient son rêve d'enfance: devenir monitrice de ski.

**2.** Le participe présent est un temps de verbe. À ce temps, le verbe ne se conjugue pas et il est invariable.

Cherche le participe présent des verbes suivants dans un tableau de conjugaison:

rêver – finir – avoir – être – aller – faire – dire – prendre – pouvoir – vouloir – savoir

**Remarque.** Il ne faut pas confondre le participe présent avec certains adjectifs qui se terminent par « ant » et qui s'accordent, comme agaçant – agaçante, amusant – amusante, important – importante, intéressant – intéressante, etc.

Un adjectif accompagne un nom alors que le verbe au participe présent est souvent précédé de la préposition « en ».

**3.** Fais le travail suivant avec un ou une camarade. Ensemble, composez trois phrases contenant chacune un verbe au participe présent.

# E Orthographe d'usage

**1.** Comme « rêve » et « rêver », d'autres mots prennent un accent circonflexe sur le « e ». Observe ces mots, particulièrement l'accent circonflexe, et mémorise leur orthographe.

arrêt – arrêter

bête – bêtise

crêpe

empêcher

fenêtre

gêne – gêné – gênée

pêche – pêcher

poêle

prêt – prête

prêter

quêter

rêve – rêver

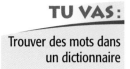

**2.** Est-ce qu'il t'est déjà arrivé de ne pas trouver un mot dans le dictionnaire ?
Tu n'avais probablement pas cherché au bon endroit. Ainsi, lorsque
le début du mot peut s'écrire de différentes façons, tu dois formuler
des hypothèses sur les premières lettres du mot avant de chercher
dans le dictionnaire.

**Ex. :** Tu cherches le mot « karaté » : tu peux regarder
sous « ca- », « ka- » ou « qua- ».

**3.** Te rappelles-tu comment chercher un mot dans le dictionnaire ?
Voici une stratégie qui peut t'aider.

**Pour trouver un mot dans un dictionnaire**

- J'ouvre le dictionnaire à la section qui correspond à la première
  lettre du mot.

| au début | vers le milieu | vers la fin |
|---|---|---|
| a, b, c, d, e | f, g, h, i, j, k, l, m, n, o | p, q, r, s, t, u, v, w, x, y, z |

- J'observe les mots repères écrits dans le haut des pages :

  à **gauche,** il y a le **premier mot**   à **droite,** il y a le **dernier mot**
  de la page de gauche ;   de la page de droite.

- J'observe la deuxième et la troisième lettre des mots repères.

  Je me demande si le mot que je cherche peut être compris entre
  ces deux mots.

  **Si oui,** je cherche le mot dans ces deux pages.

  **Sinon,** je continue de tourner les pages.

- Je lis la définition du mot pour m'assurer que c'est le mot
  que je cherche.

  J'observe son orthographe.

*Écriture*
*Lecture*

**4.** Exerce-toi à chercher dans un dictionnaire. Trouve les mots que
ton enseignante ou ton enseignant te dictera.

- Explique comment tu les as trouvés.
- Mémorise leur orthographe.

**5.** Sais-tu pourquoi le son [on] s'écrit « on » dans la première syllabe et « om »
dans la deuxième syllabe du mot « concombre » ?

Les sons [an], [in] et [on] s'écrivent « am », « em », « im » et « om » devant
les lettres « b » et « p ».

Observe les mots suivants et mémorise leur orthographe.

composer – composition

dompter

embrasser

emplir – remplir

empêcher

membre

pompe

tromper – se tromper

**6.** Compare les mots des deux colonnes. Quelle différence observes-tu ?

| | |
|---|---|
| abandonner | électronique |
| additionner | magnétophone |
| bûcheronne | microphone |
| camionneur – camionneuse | supersonique |
| dictionnaire | téléphone |
| fonctionner | |
| pardonner | |
| randonnée | |
| sonner | |
| tonne | |

**7.** La plupart des mots en « -al » au singulier se terminent par « -aux » au pluriel.
Observe les mots suivants au singulier et au pluriel, puis mémorise
leur orthographe.

animal – animaux

bocal – bocaux

canal – canaux

cheval – chevaux

général – généraux

hôpital – hôpitaux

journal – journaux

local – locaux

mal – maux

normal – normaux

original – originaux

orignal – orignaux

# Recueil de textes

# Table des matières

# Dossier ①

## Le passé sous enquête

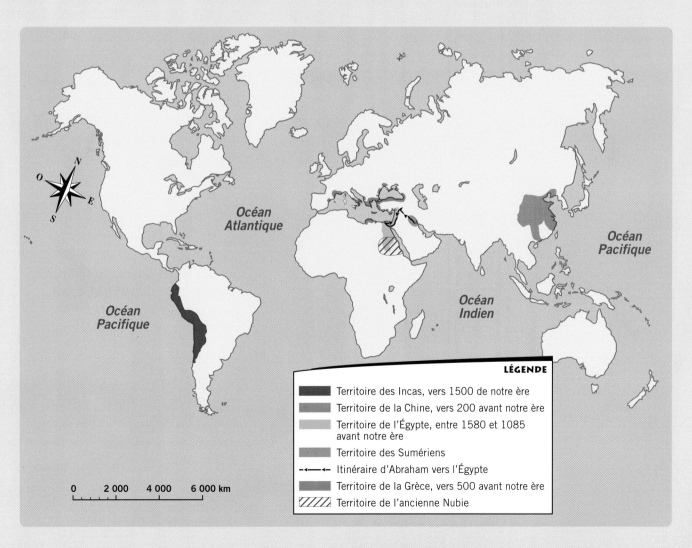

Océan Atlantique

Océan Pacifique

Océan Pacifique

Océan Indien

**LÉGENDE**

Territoire des Incas, vers 1500 de notre ère

Territoire de la Chine, vers 200 avant notre ère

Territoire de l'Égypte, entre 1580 et 1085 avant notre ère

Territoire des Sumériens

Itinéraire d'Abraham vers l'Égypte

Territoire de la Grèce, vers 500 avant notre ère

Territoire de l'ancienne Nubie

0    2 000    4 000    6 000 km

# LES INCAS :
## des architectes hors du commun

À l'origine, les Incas étaient une petite tribu guerrière du Pérou, en Amérique du Sud. En quelques centaines d'années, ce peuple amérindien a donné naissance à d'extra-ordinaires organisateurs, architectes et conquérants. Il est parvenu à créer le plus vaste empire d'Amérique. Au moment de sa chute, l'Empire inca comptait six millions d'habitants.

## La terre des Incas

L'histoire des Incas a débuté vers l'an 1100 de notre ère et a pris fin brutalement en 1532, lorsque les conquérants espagnols ont envahi leur territoire. Celui-ci couvrait cinq pays actuels de l'Amérique du Sud : la Bolivie, l'Équateur, le Pérou, le nord du Chili et de l'Argentine.

Dans leur langue, le quechua, les Incas appelaient leur pays *Tawantinsuyu* (les quatre parties du monde). Ce territoire, qui s'étendait sur 4000 km de long, avait des reliefs et des climats très variés. Le chaud désert de l'ouest était traversé de rivières s'écoulant des montagnes. Les vallées de la cordillère des Andes et les montagnes de la forêt tropicale avaient un climat tempéré, favorable à l'agriculture. Il faisait très froid dans les hautes montagnes de la cordillère des Andes, où les Incas cultivaient des pommes de terre et élevaient des lamas et des alpagas[1].

## La vie des Incas

### Le fils du Soleil

Le chef des Incas, appelé « l'Inca », était considéré comme le fils du Soleil. Il était vénéré comme un dieu et il possédait d'immenses pouvoirs. Ses sujets devaient garder les yeux baissés en sa présence, comme s'ils étaient éblouis par la lumière du Soleil.

On transportait l'Inca pour qu'il ne touche jamais la terre, car les Incas croyaient que cela provoquerait des catastrophes. Au cours de ses déplacements importants, il était précédé de gens qui nettoyaient la route devant lui, d'autres qui chantaient et dansaient en son honneur, puis de nobles et de soldats. L'Inca suivait le cortège sur son siège à porteurs orné d'or et d'argent.

**Le territoire des Incas, vers 1500**

Golfe du Mexique

Mer des Antilles

Océan Atlantique

N
O — E
S

ÉQUATEUR

Amazone

PÉROU

Océan Pacifique

Cuzco

BOLIVIE

CHILI

ARGENTINE

**LÉGENDE**
Territoire des Incas
▲ ▲ ▲ Cordillère des Andes

0    1 000    2 000    3 000 km

---

1. L'alpaga est un mammifère voisin du lama et reconnu pour sa laine fine.

L'Inca Yupanqui et son épouse sont transportés dans ce qu'on appelle une «litière». Cette illustration est tirée d'un livre qui date du début du 17e siècle. Elle fut dessinée par Poma de Ayala, lui-même descendant inca.

Chez les Incas, l'or n'était pas utilisé comme monnaie d'échange. C'était un métal sacré qui servait de parure aux dirigeants et d'offrande aux dieux.

Les Incas croyaient que les dieux communiquaient avec eux de différentes façons. Au cours des cérémonies religieuses, on faisait des confessions publiques et on consultait des oracles, c'est-à-dire qu'on interprétait les messages que l'on croyait transmis par les dieux. Ces cérémonies avaient lieu au temple du Soleil.

### L'agriculture en terrasses

Comme leurs terres étaient difficiles à cultiver, les Incas pratiquaient la culture en terrasses sur les flancs des montagnes. Pour arroser leurs champs, ils ont conçu des systèmes de canaux et d'aqueducs très perfectionnés. De plus, ils ont développé des techniques de déshydratation qui permettaient de conserver les pommes de terre pendant plusieurs années.

Les Incas cultivaient le quinoa, une céréale très nutritive, le maïs, la vanille, les avocats, les haricots, les courges, les tomates, les cacahuètes, les bananes, les piments, etc. Ils élevaient des lamas et des alpagas pour leur viande et leur laine. La viande des animaux comme les chiens, les dindes, les cochons d'Inde et les canards était aussi très appréciée.

Les paysans vivaient dans des maisons en pierre ou en brique faite de boue séchée. Ces maisons ne comptaient qu'une pièce, meublée très simplement.

Dessin de Poma de Ayala. Une femme enclenche le système d'irrigation dans des champs de maïs.

## Le travail au jour le jour

Chez les Incas, les tâches étaient attribuées en fonction des groupes d'âge. Cette répartition, qui concernait principalement les hommes, incluait même les enfants !

| Âge | Tâches |
| --- | --- |
| 5 à 9 ans | Aider les parents dans les travaux simples |
| 9 à 16 ans | S'occuper des troupeaux de lamas et d'alpagas |
| 16 à 25 ans | S'occuper des troupeaux, aller porter des messages dans d'autres villes, accompagner les soldats à la guerre |
| 25 à 50 ans | Se marier, participer à la guerre, faire des travaux variés (agriculture, construction, etc.) |
| 50 à 60 ans | Selon leur santé, servir de domestiques ou de porteurs, aider au labourage des terres et au transport des grains, etc. |
| 60 ans et plus | Selon leur santé, fabriquer des cordes, garder les maisons, soigner les animaux, etc. |

Les femmes s'occupaient des enfants et des personnes âgées, faisaient la cuisine, filaient et tissaient pour fabriquer des vêtements, et elles aidaient aux travaux des champs.

Figurine de lama en or. Les femmes utilisaient la laine de cet animal pour confectionner des vêtements.

## Une grande civilisation

C'est dans le domaine de l'architecture que les Incas ont déployé tout leur génie. Aucune civilisation n'est parvenue à assembler avec autant de perfection des pierres taillées sans les lier par du mortier. Les pyramides, les temples, les palais et les forteresses incas ont résisté au temps à cause de leur grande solidité.

La forteresse de Sacsayhuaman protégeait la ville de Cuzco. À remarquer : l'assemblage de pierres.

La cité de Cuzco, (*cuzco* signifie « le nombril de la Terre »), avec ses 60 000 habitants, était le cœur de l'Empire inca. Cette ville avait la forme d'un puma, qui symbolisait la puissance. C'est à Cuzco qu'on comptait le plus grand nombre de palais et de temples. Coricancha, le temple du Soleil de Cuzco, était le plus important.

Avant l'arrivée des conquérants espagnols, les Incas possédaient la plus grande armée d'Amérique. Grâce à leur extraordinaire sens de l'organisation et de la discipline, ils ont gagné des guerres et soumis de nombreux peuples, augmentant ainsi l'étendue et la population de leur empire. Ils ont transmis les merveilles de leur civilisation à ces peuples et ont aussi profité des découvertes de ces derniers.

Les Incas ne connaissaient pas l'écriture. Ils utilisaient des cordes aux couleurs variées, les quipous, pour communiquer des ordres, compter la population et faire l'inventaire des richesses. Comme les quipous ne permettaient pas de tout exprimer, les Incas transmettaient de vive voix leurs récits, leurs légendes et leurs poèmes.

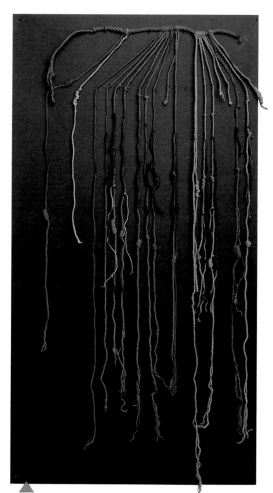

Les quipous étaient des cordes attachées les unes aux autres.

En étudiant les mouvements du Soleil et de la Lune dans leurs observatoires, les Incas ont créé un calendrier de 12 mois, comme le nôtre. Ils utilisaient ce calendrier pour planifier leurs travaux agricoles et leurs cérémonies religieuses.

Les prêtres incas pratiquaient la médecine. Dans certains domaines, ils étaient plus savants que les médecins d'Europe à la même époque. Ils savaient guérir les ulcères, les maux de dents et certains troubles des yeux en utilisant des plantes. Ils ont même inventé la transfusion sanguine 500 ans avant qu'elle soit découverte ailleurs dans le monde.

Les Incas ont construit de longues routes pavées qui servaient à la circulation des gens et des marchandises, mais aussi à faire parvenir l'information. Des messagers se relayaient pour transmettre les nouvelles d'un bout à l'autre de l'empire. Les Incas ont aussi fabriqué des ponts de corde suspendus, dont certains dépassaient 100 mètres de long!

De nos jours, la plupart des descendants des Incas vivent en Bolivie et au Pérou, où ils ont conservé le mode d'organisation des villages de leurs ancêtres, basé sur l'entraide. De plus, certains de ces descendants font revivre des coutumes anciennes. Ils célèbrent encore, par exemple, la fête de l'Inti Raymi (solstice d'hiver) qui se déroule à Cuzco le 24 juin de chaque année.

# LES CHINOIS :
## des inventeurs extraordinaires

La Chine, un vaste pays aux plaines et aux vallées bordées de déserts, de montagnes et d'océans, a donné naissance à une civilisation étonnante. Elle a engendré des écrivains, des penseurs, des artistes, des bâtisseurs et des inventeurs remarquables. C'est ce qui a fait de ce pays l'un des plus fascinants du monde !

## Autour du fleuve Jaune

Les premiers Chinois ont commencé à pratiquer l'agriculture il y a environ 5000 ans, sur les rives du Huang He, le fleuve Jaune. Ce cours d'eau traverse la Chine d'est en ouest sur 5464 kilomètres. Le sol fertile de la vallée du Huang He a d'abord nourri les petits villages des Chinois, puis leurs immenses cités.

Des chefs, qui étaient à la fois prêtres et soldats, dirigeaient les villageois. Les premiers rois de Chine, soit les empereurs, sont les descendants de ces chefs.

## La civilisation chinoise

### Des dynasties de constructeurs

La Chine ancienne était un ensemble de royaumes souvent rivaux. Elle a été dirigée par une succession d'empereurs d'une même famille, que l'on appelle les dynasties. Les empereurs chinois ont fait partie des rois les plus puissants de l'histoire du monde.

Qin Shi Huangdi est considéré comme le premier empereur de Chine. C'est en effet lui qui, en 221 avant notre ère, a réuni les différents royaumes du pays. C'est sous son règne qu'a débuté la construction de la Grande Muraille de Chine. Cette forteresse a été conçue pour bloquer la route aux envahisseurs qui venaient du Nord. La première section de cette construction unique au monde a nécessité le travail de 300 000 paysans, esclaves et anciens soldats. Ceux-ci ont dû déployer d'énormes efforts pour transporter des blocs de pierre massifs à travers de très hautes montagnes.

Les Chinois ont bâti des villes gigantesques pour l'époque. Celles-ci étaient entourées d'un large fossé et de hauts murs de terre. On y entrait par de grandes portes qu'on fermait le soir pour protéger les habitants. Au lever du jour, une cloche sonnait pour signaler l'ouverture des portes. Les rues des villes chinoises grouillaient de marchands, d'artisans, de serviteurs, de mendiants, de paysans et d'animaux.

**Le territoire de la Chine, vers 200 ans avant notre ère**

Grande Muraille de Chine

Fleuve Jaune (Huang He)

Mer Jaune

CHINE

Fleuve Bleu (Chang Jiang)

Mer de Chine

LÉGENDE
Territoire de la Chine
Grande Muraille de Chine

0    200    400    600 km

La construction de la Grande Muraille, qui a aujourd'hui 3500 kilomètres de long, s'est étalée sur 2000 ans !

Pour préserver leur intimité, les riches dissimulaient leurs demeures derrière des murs élevés. Leurs jardins constituaient des merveilles de paix et de beauté où les feuilles de bambou étaient agitées par le vent, les poissons ondulaient dans des bassins, les roses et les pivoines embaumaient l'air...

## Religion et philosophie

Les Chinois vénéraient leurs empereurs comme des dieux. Ils croyaient que ceux-ci étaient les « fils du ciel ». Ils vouaient aussi un culte particulier à leurs ancêtres ainsi qu'aux esprits de la maison et de la nature.

Pour préserver l'équilibre de leur société, les Chinois vivaient en harmonie avec la nature. Selon eux, les montagnes, les fleuves, la pluie et le vent étaient habités par des esprits auxquels ils devaient plaire. Cette croyance influençait tous les aspects de leur vie quotidienne : choix de la nourriture, heure des activités, mode de construction des édifices...

D'élégantes pagodes et de somptueux temples ont été érigés par les Chinois en l'honneur de leurs dieux. Ainsi, ils ont sculpté d'énormes statues de Bouddha, le fondateur

de la religion chinoise la plus répandue aujourd'hui, le bouddhisme. Le grand bouddha de pierre qui domine la ville de Leshan mesure 70 mètres de haut, et il a fallu 90 ans pour le terminer !

Le pied du bouddha de Leshan, avec ses huit mètres de large, peut supporter une centaine de personnes.

### Des paysans et des cuisiniers de grand talent

La fertilité des terres le long du fleuve Jaune et du fleuve Bleu, le Chang Jiang, permettait aux paysans de cultiver le blé, le millet, le chanvre, les poires, les oranges, le thé et le riz. Ceux-ci élevaient aussi des cochons, des canards, des poules et des oies. Ils utilisaient des bœufs et des buffles pour labourer les terres.

▲ Peinture sur soie tirée de l'ouvrage de Xu Fu sur les travaux des champs.

Les cuisiniers chinois sont parmi les meilleurs au monde. Ils préparaient au temps de la Chine ancienne des plats de canard, d'agneau et de poisson apprêtés avec des champignons, des pousses de bambou, de l'ail et du gingembre. Les Chinois se régalaient aussi de singe, de tortue, de chien et d'ours !

Tout comme aujourd'hui, la famille et le village étaient au centre de la vie des Chinois. Dans les villages, tout le monde participait aux tâches quotidiennes.

Alors que les enfants des familles riches apprenaient la mathématique, la lecture et l'écriture, ceux des paysans étaient initiés au transport des produits au marché, à la plantation des graines et au pilage du riz.

## Des inventions prodigieuses

Les habitants de la Chine ancienne étaient de grands inventeurs. Grâce à leur ingéniosité et à leur habileté, ils ont fait souffler un vent de nouveauté sur le monde.

Il y a 5000 ans, les astronomes chinois ont gravé dans la pierre une carte précise du ciel. Ils ont aussi été les premiers à observer les comètes et les taches solaires.

Le grand savant Chang Heng a mis au point le sismoscope, qui servait à indiquer la direction des tremblements de terre. Il a aussi créé un système de quadrillage pour dessiner des cartes géographiques.

Les Chinois étaient aussi de grands guerriers. Ils utilisaient des armes terrifiantes : rideaux de fumée, lance-flammes et poudre à canon. La poudre à canon a d'abord été utilisée pour fendre des rochers et fabriquer des feux d'artifice, une autre création chinoise.

▲ Sismoscope. Une petite bille de bronze tombe de la gueule du dragon dans celle d'une grenouille.

Le papier est l'une des découvertes les plus importantes des Chinois, qui ont aussi inventé l'imprimerie. De plus, ce peuple a été le premier à utiliser du papier-monnaie.

Deux mille ans avant notre ère, les Chinois ont créé un système d'écriture composé de symboles représentant des sons et des mots, qu'ils peignaient sur du papier. La peinture de ces harmonieux symboles, la calligraphie, était réservée aux gens instruits. L'écriture chinoise est restée sensiblement la même.

Les médecins chinois pratiquaient l'acupuncture, un traitement qui consiste à soigner en utilisant de fines aiguilles.

La fabrication de la soie, le parapluie, le cerf-volant, la boussole, la serrure, la clé et la porcelaine fine proviennent également des Chinois, un peuple aux mille trouvailles !

L'histoire de la Chine des empereurs a pris fin à l'aube du 20e siècle. La Chine d'aujourd'hui, un pays moderne, compte plus d'un milliard d'habitants issus d'une des plus vieilles civilisations au monde.

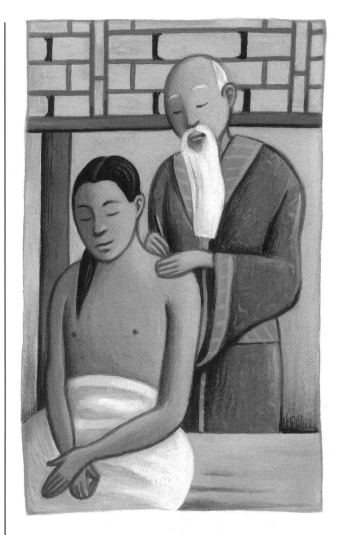

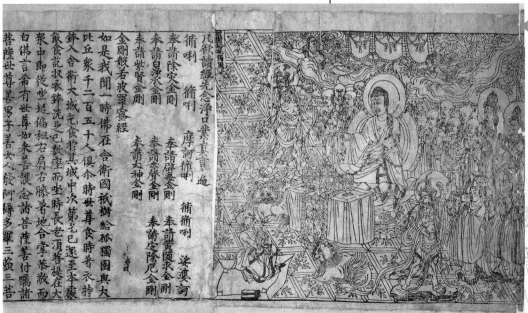

Première page du *Soutra du Diamant,* imprimé en Chine en 868 par Wang Jie ; il s'agirait du premier imprimeur connu.

# LES ÉGYPTIENS :
## un monde de pharaons et de pyramides

L'Égypte a donné naissance à une civilisation grandiose. L'histoire de cette civilisation, à la fois mystérieuse et captivante, raconte ses dignes pharaons, son peuple ingénieux, ses croyances uniques, ses richesses architecturales et ses inventions prodigieuses.

## Une immense oasis

La civilisation égyptienne est née il y a plus de 5000 ans. Cette civilisation s'est développée autour du Nil, un des plus longs fleuves du monde. Ce fleuve, qui est large de 15 kilomètres et long de 6500 kilomètres, crée une gigantesque oasis de fraîcheur et de vie dans le désert du Sahara.

## Les Égyptiens

### Leurs pharaons

Le roi des Égyptiens, le pharaon, était considéré comme un dieu et il était adoré par le peuple. Lorsqu'il mourait, on lui rendait hommage. On construisait alors à sa mémoire de majestueux temples et de hautes pyramides.

Les pyramides, ces chefs-d'œuvre des ingénieurs égyptiens, étaient donc des monuments funéraires. La pyramide du pharaon Khéops est la plus grande du site de Gizeh. Elle a 137 mètres de hauteur, l'équivalent d'un immeuble de 45 étages ! Elle est constituée d'environ deux millions de blocs de pierre calcaire, dont certains pèsent 15 tonnes. Plus de 20 000 ouvriers ont participé à sa construction, qui a duré 20 ans. Deux autres pyramides ont été érigées à Gizeh : Khéphren (136 mètres) et Mykérinos (66 mètres). Quant au Sphinx, une gigantesque statue formée d'un corps de lion et d'une tête humaine, il monte la garde.

**Le territoire de l'Égypte entre 1580 et 1085 avant notre ère**

Euphrate

Tigre

Mer Méditerranée

Gizeh
Memphis

Nil

N
O    E
S

Thèbes

ÉGYPTE

Mer Rouge

Abou Simbel

0    250    500    750 km

**LÉGENDE**
Territoire de l'Égypte

Le Sphinx de Gizeh avec, à l'arrière-plan, la pyramide de Khéops.

En 1922, l'Anglais Howard Carter a fait la découverte archéologique la plus importante du 20e siècle : le tombeau du pharaon Toutânkhamon. C'est le seul trésor funéraire de l'ancienne Égypte resté intact ; toutes les autres tombes ont été pillées par des voleurs.

Masque en or du pharaon Toutânkhamon.

Ce tombeau contenait un véritable trésor : un sarcophage et un masque en or ainsi que plus de 3000 objets précieux !

### Leur religion

Chaque ville avait son dieu chez les Égyptiens. Ptah était le dieu de Memphis, Amon, celui de Thèbes. Le plus important de tous était cependant Râ, le dieu du Soleil.

Dans l'ancienne Égypte, on avait une étonnante manière de représenter les dieux : la majorité d'entre eux avaient une tête d'animal sur un corps humain. Les Égyptiens supposaient que leurs dieux pouvaient s'incarner dans des animaux, qu'ils considéraient comme leurs protecteurs. Anubis, le dieu des embaumeurs, avait une tête de chacal ou de chien, et Horus, le dieu du ciel, une tête de faucon. Par contre, Isis, la reine de toutes les divinités, avait un visage humain.

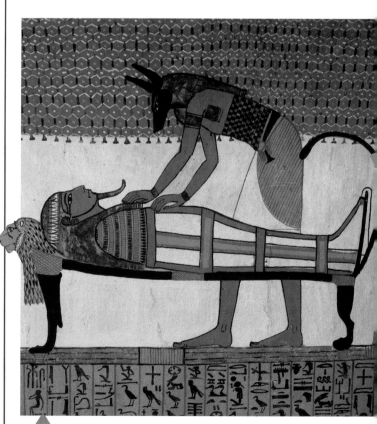

Peinture murale illustrant le dieu embaumeur Anubis qui prépare le corps de l'artisan Sennedjem.

### Leurs métiers

Le gens du peuple pratiquaient divers métiers. Ils étaient tisserands, cordonniers, menuisiers, maçons, forgerons, potiers, parfumeurs, peintres, sculpteurs, soldats ou paysans.

Toutefois, la majorité était composée de paysans. Ceux-ci fournissaient à la population du blé, de l'orge, de la viande, du lin et du papyrus, une plante qui servait à fabriquer du papier. À l'époque, pour confectionner le papier, on découpait les tiges de papyrus en bandes qu'on collait ensemble.

Les femmes tenaient la maison, travaillaient aux champs, participaient à la fabrication de toutes sortes d'objets et au brassage de la bière. Chez les paysans, filles et garçons aidaient aux travaux des champs.

Les Égyptiennes avaient plus de droits que les femmes d'autres sociétés de la même époque. Elles pouvaient recevoir un salaire pour leur travail, posséder des terres, voyager seules, divorcer et garder leurs enfants, puis se remarier. Quelques femmes ont même été pharaons, dont la reine Hatchepsout.

La reine Hatchepsout a fait triompher la paix pendant son règne.

Toutes les maisons, même la majestueuse demeure du pharaon, étaient construites en brique faite de boue séchée et de paille hachée. Seuls les tombeaux et les temples étaient en pierre.

Les écrivains, ou scribes, fréquentaient l'école pendant de longues années. Leurs cahiers d'exercice étaient des pierres ou des tablettes de bois recouvertes de plâtre. Lorsqu'ils voulaient effacer leurs erreurs, ils devaient laver leur cahier ou le recouvrir d'une nouvelle couche de plâtre ! Les scribes étaient chargés de noter des mesures, de compter le bétail, d'évaluer les récoltes, de calculer le coût des travaux, etc.

## Des inventions ingénieuses

Les Égyptiens ont inventé un système d'écriture composé de symboles, les hiéroglyphes. Ceux-ci avaient souvent la forme d'un animal ou d'un objet. Chacun de ces hiéroglyphes correspondait à un mot, à une idée ou à un son. Personne n'avait jamais pu déchiffrer les hiéroglyphes avant que l'on découvre la pierre de Rosette, en 1799. Sur cette pierre, des hiéroglyphes étaient traduits

Les hiéroglyphes étaient gravés dans la pierre.

en grec et en démotique, une écriture égyptienne en lettres cursives. En 1822, un égyptologue français, Jean-François Champollion, a réussi à traduire ces hiéroglyphes.

La momification a aussi été inventée par les Égyptiens. Il s'agit d'une technique qui prévient la décomposition du corps après la mort. Les embaumeurs retiraient du corps les poumons, les reins, etc., sauf le cœur, et ils enlevaient le cerveau en passant par

les narines. Ils recouvraient le corps de sel, de résine, d'huile et d'épices pour conserver l'élasticité des tissus. Ils le bourraient ensuite d'étoffes de lin parfumées et l'enveloppaient dans des bandelettes serrées. Un masque funéraire était posé sur le visage du défunt ou de la défunte, qu'on plaçait dans un sarcophage, c'est-à-dire un cercueil fait de pierre sculptée. Le sarcophage était rempli de nourriture, d'habits, de peintures et de bijoux, afin que le mort ait une vie agréable dans l'au-delà.

Le déchiffrage de la pierre de Rosette et les fouilles archéologiques nous ont permis de connaître la passionnante histoire des anciens Égyptiens et de contempler leurs fabuleux trésors dans les musées et sur les sites archéologiques. D'ailleurs, les archéologues poursuivent toujours leurs recherches pour découvrir d'autres merveilles de l'ancienne Égypte...

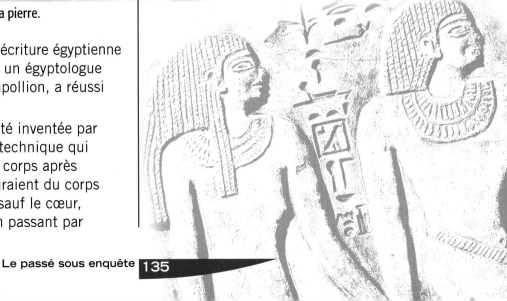

# LES SUMÉRIENS :
## une des plus anciennes civilisations

Au milieu du 19$^e$ siècle, des explorateurs ont effectué des fouilles dans le désert de la Mésopotamie. Ils voulaient percer le secret d'étranges monticules qui s'y trouvaient. Ils ont découvert de fabuleux palais et de vastes temples ensevelis sous le sable. Ceux-ci constituent des traces de la plus ancienne civilisation connue, celle des Sumériens. Ce peuple a été le premier sur Terre à construire des villes, à observer les astres, à écrire des textes, à utiliser des véhicules munis de roues et à faire des calculs.

### Des petits villages aux grandes cités

Les Sumériens, qui étaient à l'origine un peuple de chasseurs et de cueilleurs, sont arrivés en Mésopotamie il y a plus de 5000 ans. Situé entre deux fleuves, soit le Tigre et l'Euphrate, le territoire de la Mésopotamie ancienne couvrait la majeure partie de l'Irak actuel.

Dans ce pays d'étés torrides et d'hivers pluvieux, les Sumériens ont commencé à cultiver la terre et à bâtir des villages. Vers l'an 3500 avant notre ère, plusieurs centaines de ces petits villages sont progressivement devenus d'immenses cités qui ont formé le pays de Sumer.

Dans ces cités palpitantes de vie, les Sumériens ont accompli leurs plus grandes œuvres dans les domaines de l'architecture, de l'art, de la religion et de la littérature. En fouillant des tombes royales dans la ville d'Our, les archéologues ont découvert de nombreux objets en or, en argent et en lapis-lazuli[1]. Ces objets témoignent de l'existence d'une civilisation extraordinaire.

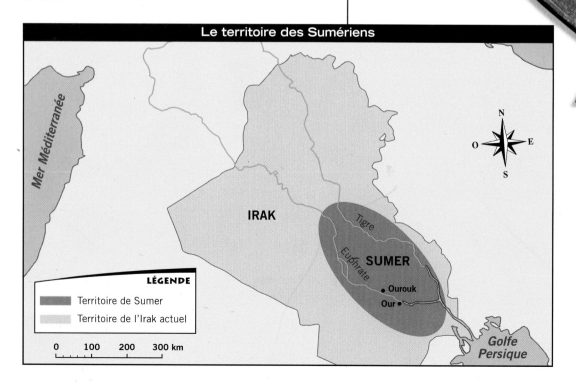

Cet aigle à tête de lion, en or et en lapis-lazuli, est un des plus beaux joyaux de Sumer.

**Le territoire des Sumériens**

Mer Méditerranée

IRAK

Tigre

Euphrate

**SUMER**

• Ourouk

Our •

N
O — E
S

Golfe Persique

LÉGENDE

Territoire de Sumer

Territoire de l'Irak actuel

0    100    200    300 km

1. Le lapis-lazuli est une pierre de couleur bleu azur.

# Les Sumériens

### Des rois guerriers

Vers l'an 3000 avant notre ère, les Sumériens ont élu leurs premiers rois. Ces rois, qui vivaient dans un grand luxe, devaient veiller à la construction des temples, assurer la justice, faire entretenir les canaux qui irriguaient les terres et diriger les armées.

L'arrivée des rois a entraîné une suite interminable de guerres entre les différentes cités et contre des peuples ennemis. Vers l'an 2000 avant notre ère, la prise de la ville d'Our par un autre peuple, les Élamites, a entraîné le déclin de la civilisation sumérienne.

### Des dieux protecteurs

Chez les Sumériens, chaque cité avait son dieu protecteur. Les principaux dieux étaient Enlil, dieu de l'air, An, dieu du ciel, et Enki, dieu de l'eau. Les Sumériens vénéraient également des déesses et des dieux secondaires. Ceux-ci étaient censés intervenir auprès des dieux principaux pour leur obtenir des faveurs.

Le temple consacré à un dieu ou à une déesse était l'âme de chaque cité. Les ziggourats, des temples en forme de pyramides, constituaient des lieux sacrés où les Sumériens pratiquaient le culte des dieux en tout temps, la nuit comme le jour. Ces temples élevés étaient les « gratte-ciel » des Sumériens : ils croyaient que leurs dieux et leurs déesses utilisaient les temples pour descendre sur Terre afin de féconder le sol et d'exaucer leurs vœux.

### Des paysans et des commerçants

Les paysans sumériens cultivaient des terres riches, mais brûlées par le soleil après les crues[2] du printemps. Ils ont construit des digues[3], des canaux et des réservoirs pour contrôler les inondations et irriguer leurs champs en été. Ils y faisaient pousser du blé, de l'orge, des dattes, des pois, des navets et des haricots. Les terres fournissaient d'excellents pâturages pour les ânes, les chèvres et les moutons. Les paysans utilisaient des bœufs pour tirer leurs charrettes et tannaient leurs peaux pour en faire du cuir.

La ziggourat de la ville d'Our a été construite en l'an 2100 avant notre ère en l'honneur du dieu de la Lune, Nanna.

2. Les crues sont des élévations du niveau de l'eau, qui déborde sur les rives.

3. Les digues sont des constructions qui retiennent les eaux.

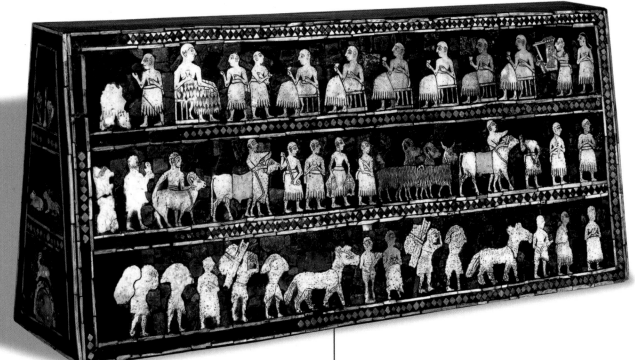

L'Étendard d'Our est fait de panneaux de bois travaillé avec soin et incrusté de pierres précieuses. Sur cette face de l'Étendard, des rois font un banquet et des paysans offrent des bêtes et des produits de leur récolte.

Ces produits agricoles ont permis le développement du commerce. Les marchands sumériens conduisaient des caravanes ou des bateaux remplis d'aliments et de textiles vers d'autres pays. Ils échangeaient ces biens contre du bois de construction, des métaux et de la pierre.

## Les premières inventions

Les inventions les plus importantes de ce peuple sont la roue et l'écriture cunéiforme, qui signifie « en forme de coin ». Plus de 3500 ans avant notre ère, les Sumériens ont conçu cette écriture qui constituait le premier pas vers un alphabet fait de signes, comme le nôtre. Ces signes ressemblaient à des bâtons. Ils étaient tracés sur des tablettes d'argile à l'aide de tiges de roseaux, que l'on appelle « calames ». Les scribes[4] sumériens ont écrit les premiers nombres, les premiers calendriers, les premiers manuels d'agriculture, les premiers récits littéraires, les premières lois, les premières recettes, les premiers plans et les premières... blagues ! La plus grande œuvre littéraire sumérienne connue, *L'épopée de Gilgamesh*, célèbre les exploits de ce roi de la ville d'Ourouk.

---

4. Les scribes étaient des hommes dont le métier était l'écriture.

Les Sumériens utilisaient des boules d'argile, appelées *calculi,* pour compter les objets et le bétail, pour noter les livraisons et les échanges commerciaux, etc. Ils transcrivaient ensuite les nombres obtenus sur des tablettes d'argile.

On sait aussi que les Sumériens examinaient les étoiles, car on a trouvé des tables de jeux ornées de constellations. De plus, les astronomes sumériens se sont basés sur leurs observations pour diviser les heures en 60 minutes.

Les Sumériens étaient d'excellents tailleurs de pierre, artisans et architectes. Les tailleurs de pierre fabriquaient des pilons, des mortiers, des lames de faucilles, des haches et des fuseaux. Les artisans confectionnaient des bols et des tasses en pierre calcaire polie, des aiguilles en os, des statuettes en argile, des colliers, des bracelets, des bagues et des pendentifs en pierre, en os et en argile. Les architectes sumériens ont édifié de hautes ziggourats en brique de boue séchée.

Avec les palais et les murs qui entouraient les villes, ces temples étaient les constructions les plus impressionnantes de l'architecture sumérienne.

Les Sumériens ont aussi inventé le tour à poterie, la fusion du cuivre et de l'étain pour obtenir le bronze, et... le premier système de taxes et d'impôts !

Plus tard, d'autres peuples de la Mésopotamie, comme les Babyloniens et les Assyriens, ont adopté et perfectionné les trouvailles des Sumériens.

L'écriture cunéiforme était faite de signes qui ressemblaient à des petits clous.

Les Sumériens ont joué un rôle capital dans l'histoire des civilisations. Ils ont non seulement été des pionniers de l'architecture, des arts, de la métallurgie et du commerce, mais ils ont atteint une grande maîtrise dans ces domaines. C'est grâce à leur ingéniosité que la Mésopotamie a été surnommée « le berceau de la civilisation »...

Près de 4000 ans avant notre ère, les Sumériens ont inventé la roue.

# LES HÉBREUX :
## un peuple en quête d'un pays

Les Hébreux ont franchi des déserts arides, des montagnes élevées, des fleuves profonds et des plaines immenses pour trouver un pays où ils pourraient s'établir. Leurs croyances religieuses leur ont donné le courage d'affronter les obstacles qui se sont dressés sur leur route et de poursuivre leur quête. La vie de ce peuple ancien est racontée dans une œuvre exceptionnelle : la Bible.

### À la recherche d'un pays

L'histoire du peuple hébreu a commencé il y a environ 4000 ans. Les premiers Hébreux, des bergers nomades, vivaient à Our, en Mésopotamie. Selon les textes de la Bible, Abraham, un chef de clan[1], a reçu un message de Yahvé (Dieu, en hébreu) lui demandant de partir vers la « Terre promise ». Les Hébreux ont alors entrepris un long voyage avec leurs troupeaux à travers la Mésopotamie et la Syrie. Certains groupes se sont arrêtés au pays de Canaan (ce pays deviendra plus tard la Palestine). D'autres groupes ont poursuivi leur route jusqu'en Égypte.

La plupart des Hébreux installés en Égypte ont travaillé sur les chantiers de construction des pharaons. Malheureusement, les Égyptiens en ont fait des esclaves. Puis, toujours selon la Bible, ce fut au tour de Moïse de recevoir un message de Yahvé : il devait faire sortir les Hébreux d'Égypte pour les mener vers la « Terre promise » : Canaan.

Pendant le long voyage, qui a duré 40 ans, Moïse a transmis aux Hébreux les lois[2] qui lui avaient été dictées par Yahvé.

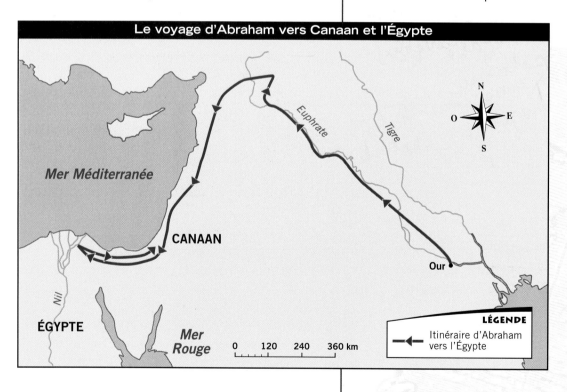

**Le voyage d'Abraham vers Canaan et l'Égypte**

Euphrate

Tigre

N
O    E
S

Mer Méditerranée

CANAAN

Our

ÉGYPTE

Mer
Rouge

Nil

0    120    240    360 km

**LÉGENDE**
Itinéraire d'Abraham
vers l'Égypte

---

1. Un clan est un petit groupe de personnes qui ont des idées et des goûts communs.
2. Ces lois sont les dix commandements, qui constituent la base de la religion chrétienne.

Représentation de Moïse qui transmet les Tables de la Loi.

## Les Hébreux

### Des rois et des envahisseurs

Tout au long de leur histoire, les Hébreux ont envahi des terres occupées par d'autres peuples et ils ont aussi subi les attaques de peuples ennemis. Par exemple, ils se sont battus contre les redoutables Philistins. Le roi des Hébreux, David, aurait même réussi à vaincre le géant philistin Goliath et à s'emparer de la ville de Jérusalem, qui est devenue la capitale du premier État hébreu. Le règne de cet État a duré de 1200 à 922 avant notre ère.

Avant de mourir, David a désigné son fils Salomon comme nouveau roi des Hébreux. Célèbre pour sa grande sagesse, Salomon a fait construire de majestueux édifices, dont le temple de Jérusalem, qui est devenu le plus important édifice religieux des Hébreux.

Sculpture de Bernini. Le visage tendu par l'effort, David s'apprête à lancer sa fronde contre Goliath.

En 922 avant notre ère, les clans du nord et ceux du sud du pays étant en conflit, le territoire de la Palestine a été divisé en deux royaumes : Israël et Juda. Le royaume d'Israël a été envahi par les Assyriens en 721 avant notre ère. Un peu plus de 100 ans plus tard, ce sont les Babyloniens qui se sont emparés du royaume de Juda et qui ont incendié le temple de Jérusalem. De nouveau, les Hébreux se sont retrouvés sans royaume !

Malgré la perte de leur temple et l'obligation de quitter la Palestine, les Hébreux ont gardé leur foi en Yahvé et ils ont continué de se consacrer à leurs pratiques religieuses. Cinquante ans après le départ des Hébreux, le roi des Perses, à son tour, a envahi la Palestine. Il a cependant permis aux Hébreux de revenir s'installer sur le territoire et de reconstruire leur temple.

Après avoir affronté les Philistins, les Assyriens et les Babyloniens, les Hébreux ont tour à tour été soumis ou chassés de Palestine par les Grecs, les Macchabées et les Romains. En l'an 66 de notre ère, les Hébreux se sont révoltés contre les Romains, mais ils ont perdu le combat. L'histoire de l'ancienne Palestine a pris fin avec la destruction du temple de Jérusalem par l'empereur romain Titus, en l'an 70 de notre ère.

## Des villes fortifiées

Les premières villes des Hébreux datent de 3000 ans avant notre ère. Ces villes étaient entourées de remparts constitués d'un large fossé, d'un mur de pierre en pente et de fondations profondes. Dans certaines villes, on protégeait aussi le palais royal par des remparts.

Les villes des Hébreux étaient construites en forme de cercle. Au centre, sur la place publique, le peuple pouvait acheter des produits au marché ou assister aux assemblées politiques et aux audiences des tribunaux.

Les Hébreux utilisaient parfois du marbre pour construire des palais, mais leurs maisons étaient faites de brique ronde ou de pierre. Ces maisons avaient des toits en bois recouverts de branchages et des fenêtres protégées du soleil par des volets. Les Hébreux bâtissaient leurs

Maquette de Jérusalem du temps du deuxième temple.

maisons autour d'une cour intérieure où se trouvait un puits ou un bain. Elles avaient une terrasse sur laquelle il faisait bon dormir pendant les chaudes nuits d'été !

Chez les Hébreux, les villes comptaient environ 3000 habitants. Cependant, la population des capitales, comme Jérusalem, pouvait atteindre 20 000 personnes.

### Un peuple de paysans

Lorsqu'ils se sont établis en Palestine, les Hébreux ont commencé à pratiquer l'agriculture. Ils cultivaient le blé, l'orge, la vigne, l'olivier, le lin et certains arbres fruitiers. Pour conserver les céréales, ils utilisaient une ingénieuse technique : le creusage de silos[3] dans le sol. Les paysans élevaient aussi des moutons et des chèvres pour leur lait, leur viande et leur laine.

---

3. Un silo est un réservoir, situé dans le sol ou au-dessus du sol, dans lequel on entrepose des produits agricoles.

## Des écrits précieux

Les Hébreux ont été le premier peuple à croire en un seul dieu. On peut donc dire des Hébreux qu'ils étaient monothéistes. Leur vie quotidienne était d'ailleurs étroitement liée à leurs pratiques religieuses.

Les plus anciens manuscrits connus des textes de la Bible ont été découverts en 1947, dans des vases cachés au fond de grottes creusées dans des falaises. La Bible comporte plusieurs livres qui renferment des récits racontés par différents groupes d'Hébreux au fil du temps.

Un des vases découverts en 1947 contenant les anciens manuscrits de la Bible.

La Bible, traduite en 2000 langues, est le livre le plus populaire et le plus connu du monde. Chaque année, sur la Terre, on en vend plus de dix millions d'exemplaires !

De nos jours, certains descendants des Hébreux vivent en Israël, alors que d'autres se sont établis aux quatre coins du monde. Les descendants des Hébreux sont les Juifs. Ils entretiennent soigneusement le souvenir de leur passé et ils conservent leurs traditions bien vivantes.

# LES GRECS :
## des penseurs et des créateurs

Les Grecs anciens font partie des peuples les plus créatifs que le monde ait connus. Ce peuple a construit une civilisation composée de guerriers, de philosophes, de scientifiques, d'architectes et d'athlètes exceptionnels. Les Grecs ont dirigé de puissantes armées qui ont conquis de vastes territoires. Ils ont édifié des temples et des théâtres magnifiques. De plus, c'est la Grèce qui a donné naissance à la démocratie[1], à la philosophie[2], à l'histoire, au théâtre et aux Jeux olympiques.

## Un territoire en expansion

Les premiers Grecs sont arrivés par la mer Méditerranée vers 1900 avant notre ère, il y a près de 4000 ans. Ils ont d'abord occupé le territoire de la Grèce. Mais, en 750 avant notre ère, ils ont commencé à manquer d'espace et de terres cultivables. Ils ont donc fondé des colonies dans d'autres régions. De nos jours, ces régions font partie de la Turquie, de la Bulgarie, de l'Égypte, de l'Italie, de la France et des îles de la mer Égée.

La Grèce antique était constituée d'États séparés par des montagnes ou la mer. Chaque État, qui était à peu près de la grandeur d'une ville, avait ses propres lois et son armée. Sparte et Athènes constituaient les plus grandes cités-États du monde grec. Sparte était une cité guerrière, et Athènes, la ville des arts et de la philosophie.

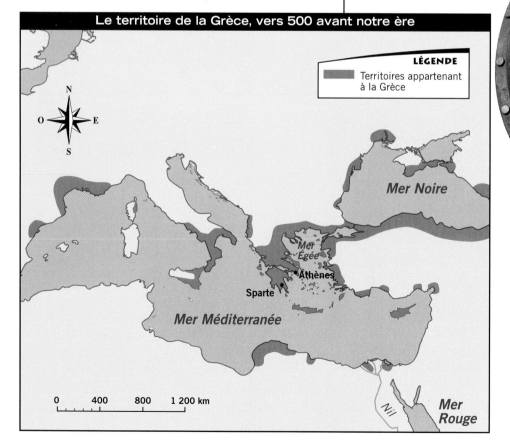

Le territoire de la Grèce, vers 500 avant notre ère

**LÉGENDE**
Territoires appartenant à la Grèce

Mer Noire

Mer Égée

Athènes

Sparte

Mer Méditerranée

0    400    800    1 200 km

Nil

Mer Rouge

**Soldat de Sparte.**

1. La démocratie est un système politique dans lequel le peuple a le droit de participer aux grandes décisions. Au Canada, nous vivons dans une démocratie.

2. La philosophie est une science qui étudie les grands problèmes de l'être humain.

Les soldats de Sparte avaient une grande discipline et un courage à toute épreuve. Ils passaient leur vie à s'entraîner et à faire la guerre, car ils demeuraient soldats même en temps de paix.

Les guerres étaient fréquentes chez les Grecs. La plus célèbre est la guerre de Troie, qui a eu lieu vers 1200 avant notre ère. Cette guerre est racontée dans *L'Iliade* et *L'Odyssée*, deux récits écrits 400 ans après cette guerre par Homère, un célèbre poète grec. *L'Iliade* raconte comment les Grecs ont vaincu les Troyens en utilisant la ruse. Ils ont en effet abandonné un gigantesque cheval de bois près de la ville de Troie, puis ils ont fait semblant de repartir en bateau. Les Troyens, qui croyaient que leurs ennemis étaient partis, ont fait entrer le cheval dans la ville. Mais des guerriers grecs étaient cachés à l'intérieur du cheval. La nuit venue, ces guerriers ont ouvert les portes de la ville, fait entrer leurs compagnons d'armes, puis se sont emparés de Troie.

▲ Réplique en bois du cheval de Troie.

## La population de la Grèce

### Des marins et des paysans ingénieux

Les Grecs qui vivaient à proximité de la mer étaient de bons marins et ils construisaient de solides bateaux. Ils utilisaient ces navires pour demeurer en contact avec leurs voisins, pêcher, faire du commerce et fonder des colonies.

Les paysans, quant à eux, élevaient des poules, des moutons, des chèvres et des porcs. Ils fabriquaient du fromage et cultivaient des céréales, des figues, des olives, de l'ail, du raisin, etc. Pour cueillir les olives, ils étendaient des toiles sous les oliviers. À coups de perche, ils faisaient tomber les fruits mûrs, une technique beaucoup plus rapide que la cueillette à la main !

Les gens des villes faisaient leurs achats à l'agora, un marché en plein air où les paysans venaient vendre leurs produits. Peu de gens consommaient de la viande, car elle était très chère. Lorsqu'il y en avait à table, ils mangeaient tous les morceaux, y compris la cervelle, les poumons et les intestins.

Le peuple grec habitait la campagne ou les parties basses des villes, dans des maisons faites de briques d'argile soutenues par des structures en bois. Les maisons des riches et les édifices publics étaient situés dans les parties hautes des villes.

### L'éducation des jeunes

Platon, un grand philosophe grec, affirmait que les femmes devaient recevoir la même éducation que les hommes. Mais peu de femmes étaient instruites dans la Grèce ancienne. Les jeunes filles des familles riches apprenaient parfois à lire et à écrire à la maison, mais elles ne fréquentaient pas l'école. Les mères enseignaient à leurs filles comment filer la laine et la tisser pour fabriquer des couvertures, des tapis et des vêtements.

Les garçons allaient à l'école, que l'on appelait le gymnase, dès qu'ils avaient sept ans. Ils y étudiaient la lecture, l'écriture, la mathématique, la géométrie, l'athlétisme, la musique, la danse ainsi que l'art de faire des discours et de réciter des poèmes.

### Les dieux de l'Olympe

Les Grecs ont construit de somptueux temples dédiés à leurs dieux et sculpté des milliers de statues de marbre pour les représenter. De plus, les poètes grecs ont écrit de nombreuses histoires portant sur leurs dieux. Ces histoires sont des « mythes », et l'on appelle l'ensemble de ces mythes la « mythologie ».

Athéna, déesse de la raison mais aussi de la guerre.

Dans la mythologie grecque, le roi des dieux était Zeus, qui trônait au sommet du mont Olympe, la montagne la plus haute de Grèce. Parmi les autres dieux, il y avait Athéna, déesse de l'intelligence, Poséidon, dieu de la mer, Apollon, dieu du Soleil, et Aphrodite, déesse de l'amour.

Les Grecs croyaient que les déesses de la nature, les dryades, vivaient dans les montagnes, les fleuves, la mer et les forêts. Ils écoutaient le bruit du vent sur l'eau ou dans les feuilles des arbres pour connaître les réponses des dryades à leurs prières.

## Des découvertes et des réalisations remarquables

L'occupation principale des philosophes grecs était de réfléchir aux grands problèmes humains et d'en discuter. Ces penseurs ont écrit ou transmis oralement les idées les plus anciennes sur la guerre, l'amour, la politique et la science. Les philosophes grecs les plus célèbres sont Socrate, Platon et Aristote.

Quant au Grec Hérodote, il a rédigé la première histoire complète de l'Égypte, ce qui lui a valu le surnom de « père de l'histoire ». Il est aussi l'auteur d'écrits historiques sur d'autres pays.

Les Grecs ont érigé des théâtres immenses, qui pouvaient recevoir jusqu'à 17 000 spectateurs ! On les construisait en forme de demi-cercle ; de cette façon, même les spectateurs assis aux derniers rangs pouvaient entendre les acteurs.

Les pièces de théâtre étaient jouées uniquement par des hommes. Ceux-ci portaient des masques pour interpréter tous leurs personnages, y compris les personnages féminins !

L'héritage de la civilisation grecque est très présent dans le monde. Plusieurs langues utilisent des mots qui viennent du grec : le mot « démocratie », par exemple, vient du mot grec *demokratia*. La philosophie et l'histoire sont toujours étudiées dans nos écoles. Les pièces de théâtre des Grecs anciens sont encore jouées de nos jours. Et, bien sûr, les Jeux olympiques continuent de nous passionner.

▲ Théâtre de Dyonisos à Épidaure. L'architecture en demi-cercle permet une vue et une acoustique exceptionnelles.

La science était aussi très importante dans la Grèce antique. Ainsi, Parménide, philosophe et poète, a fait une importante découverte. En observant une éclipse de Lune, il s'est rendu compte que la Terre projetait une ombre en forme de courbe sur la Lune. Il en a donc conclu que la Terre était ronde ! Archimède, mathématicien, ingénieur et physicien, a, quant à lui, trouvé dans son bain la réponse à ses questions sur la réaction d'un liquide dans lequel on plonge un objet. Il s'est écrié *Eurêka !* (J'ai trouvé !) et il est sorti tout nu dans la rue pour annoncer la bonne nouvelle.

C'est aussi aux Grecs que l'on doit les premiers Jeux olympiques. Les Olympiades ont eu lieu environ huit siècles avant notre ère. Ces jeux, qui se tenaient à Olympie, attiraient des foules énormes. Les athlètes pratiquaient la course à pied, la lutte, la boxe, la course de chars, le saut en longueur et le pancrace, un mélange de lutte et de boxe. Les vainqueurs recevaient des récompenses et étaient couronnés de feuilles d'olivier.

▲ Statue en bronze d'Apollon à Pompéi.

# LES NUBIENS :
## de grands commerçants

Il y a 8000 ans, dans la région du Sahara, il y avait de nombreuses régions fertiles aux rivières poissonneuses et aux forêts grouillantes d'animaux sauvages. Avec le temps, ces régions ont commencé à se dessécher. Cela a forcé certains peuples africains à s'exiler vers des terres plus accueillantes. L'un de ces peuples s'est établi au sud de l'Égypte et y a fondé la Nubie. Ce pays, le plus ancien et le plus grand de l'intérieur de l'Afrique, abritait une civilisation fascinante.

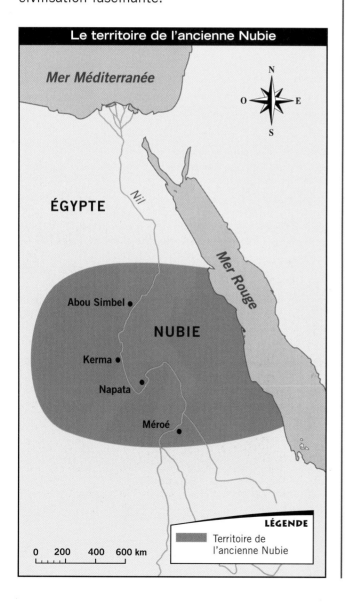

**Le territoire de l'ancienne Nubie**

Mer Méditerranée

*ÉGYPTE*

*Nil*

*Mer Rouge*

Abou Simbel ●

**NUBIE**

Kerma ●

Napata ●

Méroé ●

N
O    E
S

LÉGENDE

Territoire de l'ancienne Nubie

0    200    400    600 km

### Des royaumes puissants

À l'origine, les Nubiens étaient de petites tribus qui vivaient de chasse, de pêche et de cueillette. Lorsqu'ils se sont établis dans la vallée du Nil, ils ont commencé à pratiquer l'élevage et à construire des villages. Certains de ces villages sont devenus d'immenses cités-royaumes.

Ainsi, Kerma, le premier grand royaume nubien, est apparu vers l'an 2500 avant notre ère. C'est dans ce royaume que la culture nubienne s'est développée. La cité de Kerma, considérée comme la plus ancienne ville d'Afrique, possédait une immense réserve de matières premières, de bétail et de main-d'œuvre. Elle contrôlait tout le commerce nubien.

Très tôt, les marchands nubiens ont établi des échanges commerciaux avec d'autres pays, dont l'Égypte. Vers l'an 1500 avant notre ère, l'Égypte, qui rêvait de posséder les richesses des Nubiens, s'est emparée de la Nubie. La longue domination de ce pays a laissé sa marque sur le peuple nubien. Celui-ci a conservé certaines croyances religieuses et le système de gouvernement des Égyptiens.

Vers l'an 730 avant notre ère, les Nubiens avaient acquis assez de puissance pour conquérir à leur tour l'Égypte. Les Nubiens ont d'ailleurs régné sur l'Égypte pendant plus de 60 ans. C'est ce qu'on a appelé « la période des pharaons noirs ».

Taharqa, l'un des pharaons noirs qui a dominé l'Égypte. ▶

Le grand temple d'Abou Simbel fut construit par Ramsès II, 1250 ans avant notre ère. Les quatre colosses à l'entrée personnifient le pharaon.

En l'an 668 avant notre ère, les Assyriens ont, à leur tour, chassé les Nubiens. Ceux-ci se sont alors réfugiés à Napata, qui est devenue leur nouvelle capitale.

Vers l'an 300 avant notre ère, les Nubiens ont transféré leur capitale de Napata à Méroé. Ils en ont fait une grande ville industrielle et un important centre religieux. Peu à peu, ils ont délaissé la culture égyptienne pour revenir à leur langue et à leurs traditions. Des temples, des palais et des pyramides reflétant une civilisation originale ont surgi dans le royaume de Méroé. C'est également là qu'est apparue l'écriture nubienne, l'une des premières à utiliser un alphabet.

Le déclin de l'ancienne civilisation nubienne a commencé vers l'an 200 de notre ère, lorsque des peuples nomades ont bloqué les voies de communication entre la Nubie et les pays voisins. La puissance commerciale du royaume de Méroé a alors été réduite à néant.

## Les Nubiens

### Des villes fortifiées

Afin de protéger leurs comptoirs commerciaux, les Nubiens ont construit des forteresses autour de leurs principales villes.

L'architecture nubienne a atteint un sommet dans la ville fortifiée d'Iken. Située sur une élévation rocheuse, cette cité était protégée par un fossé et un double mur. On ne pouvait y entrer que par une énorme porte munie d'une herse[1]. Les ennemis qui réussissaient à y pénétrer étaient la cible des habiles archers nubiens ou se retrouvaient coincés dans des ruelles sans issue. Un passage de cette ville menait au Nil pour assurer le ravitaillement de ses habitants en eau.

Statuettes qui représentent des archers nubiens.

1. Une herse est une grille munie de pointes qu'on élève pour fermer l'accès à une ville ou à un fort.

## Des dieux, des rois, et une reine

Les grands rois nubiens étaient vénérés comme des dieux. Lorsqu'ils mouraient, les Nubiens les étendaient sur un lit, puis les enterraient dans des pyramides de pierre. Le peuple nubien vouait un culte à de nombreux dieux égyptiens, tels Râ, le dieu du Soleil, et Ammon, le dieu de l'air. Mais il adorait aussi des dieux nubiens. Il a même élevé certains animaux à un important rang religieux, l'éléphant par exemple, qu'il utilisait pendant la guerre et les cérémonies royales.

Vers l'an 1400 avant notre ère, Tiy, une princesse nubienne, est devenue reine de la ville égyptienne de Kemet. Pendant son règne de près de 50 ans, elle a amélioré le commerce de cette ville et elle a veillé à la protection de ses frontières.

## Des paysans et des commerçants

Les Nubiens élevaient des bœufs, des moutons et des chèvres. Ils pratiquaient probablement aussi l'agriculture, mais les archéologues n'ont pas trouvé de traces de cultures sur les sites de la Nubie ancienne.

Les familles des paysans vivaient dans des villages constitués de huttes circulaires dont les murs étaient faits de terre battue et les toits de paille. Ces huttes étaient entourées de fosses qui servaient à entreposer les aliments.

Les hommes pratiquaient aussi la chasse, et ils travaillaient la pierre pour confectionner des outils. Les femmes s'occupaient des enfants, gardaient les troupeaux et cueillaient les produits nécessaires à la préparation des repas. Elles confectionnaient aussi des paniers, des vases, des bijoux et d'autres objets du quotidien. Dans les villages nubiens, même les enfants participaient aux tâches ménagères !

Les Nubiens étaient de grands commerçants. Ils importaient des produits alimentaires (blé, vin, huile, etc.) et des tissus des pays voisins. En retour, ils leur fournissaient du fer, de l'argent, de l'or, du cuivre, de l'ivoire, de l'ébène, de la poterie, des peaux de félins, des œufs et des plumes d'autruches, de l'encens, des huiles parfumées et... des esclaves. Pour leurs échanges commerciaux, ils naviguaient sur le Nil ou empruntaient les pistes du désert, où ils avaient établi des postes de ravitaillement.

Représentation d'un esclave agenouillé. ▶

## Une réalisation : le travail des métaux

La Nubie abritait de riches gisements de métaux, tels l'or, l'argent, le cuivre et le fer. Le mot *Nubie* signifie d'ailleurs « or », en langue égyptienne. Les Nubiens étaient des experts dans le travail des métaux, particulièrement dans la confection de bijoux en or.

En 1960, une grande partie des sites nubiens découverts au début du 20e siècle a été inondée par les eaux du lac Nasser, lors de la construction du barrage d'Assouan, au sud de l'Égypte. Cependant, les archéologues, qui ont ensuite remonté le Nil, ont découvert des cités et des monuments fascinants, souvent ensevelis sous le sable. D'autres vestiges attendent encore d'être mis au jour pour nous révéler toutes les splendeurs d'une des plus brillantes civilisations anciennes de cette partie de l'Afrique : celle des Nubiens.

# Dossier ②

# Des histoires pour tous les goûts

# Le parc aux sortilèges

Ça s'est mis à aller de travers dès qu'on est sortis de la Maison des miroirs.

— Maxime! m'a dit Pouce. Tes parents, où sont-ils?

Je me posais la même question, bien sûr. Maman et papa avaient promis de nous attendre à côté du guichet, et ça faisait à peine cinq minutes qu'on les avait laissés.

— C'est quoi l'idée de nous abandonner? s'est indignée Jo.

Pouce est très grand et très costaud. Jo est toute petite et toute mignonne. La seule chose qu'ils ont en commun, c'est qu'ils sont mes meilleurs amis.

Devant nous, la foule circulait, lente et compacte comme le trafic à l'heure de pointe. J'avais beau essayer de voir mes parents parmi tout ce beau monde, ils restaient invisibles.

Au-dessus des têtes, les lumières multicolores me faisaient presque cligner des yeux. Pas très loin, le grondement des montagnes russes rappelait celui de bêtes affamées.

— Ils ont dû s'éloigner quelques minutes, ai-je dit en faisant semblant de ne pas me tracasser.

Ma mère s'appelle Prune, et mon père, Hugo. C'étaient eux qui avaient insisté pour que l'on vienne tous les cinq au parc d'attractions.

J'adorais le visiter lorsque j'étais plus jeune. Cette année pourtant, ça ne m'avait pas tenté plus que ça. On avait fini par capituler, mes amis et moi, dans le seul but de faire plaisir à mes parents.

Aussitôt qu'on a franchi les tourniquets, au début de l'après-midi, Hugo nous a rebattu les oreilles de sa nostalgie :

— Les fêtes foraines ont tellement changé depuis ma jeunesse ! La magie et le merveilleux ont disparu ! Les manèges d'aujourd'hui sont trop sophistiqués, et les jeux d'adresse ne trompent plus personne !

Du haut de ses quarante ans, il a même ajouté que les *pogos* et la barbe à papa n'avaient plus le même goût.

— Ce que je déplore le plus, moi, a dit Prune, c'est la disparition des « phénomènes de foire » !

Là, j'avais besoin d'explications. Mon père, qui se prend pour une encyclopédie, s'est porté à ma rescousse :

— Tu n'as jamais entendu parler de ces « erreurs de la nature » qu'on exhibait jadis sous une tente ? Les hommes-troncs, les frères siamois, les têtes-sans-corps... ?

Je n'ai pas écouté sa conférence jusqu'au bout. Les hommes-troncs et les frères siamois ! Franchement ! Je me suis demandé si les mots « effets spéciaux », ça leur disait quelque chose, à mes parents.

En fin de compte, on s'était tous bien amusés. Pendant que Prune et Hugo se rafraîchissaient la mémoire entre vieux, nous, on montait dans les manèges. Les montagnes russes, la grande roue, les autos tamponneuses, l'Himalaya ! On n'a pris que les meilleurs, naturellement.

Et tous les cinq, on s'empiffrait de pop-corn au caramel, de pommes de tire, de beignes, de hot-dogs... !

En soirée, gavés comme des oies, on avait décidé de rentrer. Puis, tandis que l'on se dirigeait vers la sortie du parc, la Maison des miroirs s'était dressée sur notre route.

C'était un bâtiment magnifique, une sorte de château translucide pareil à une gigantesque pierre précieuse ! Sur la façade, une grande affiche disait :

« VENEZ VOUS PERDRE DANS LA MAISON DES MIROIRS ! IL EST FACILE D'Y ENTRER, MAIS COMBIEN DIFFICILE D'EN SORTIR ! L'EXPÉRIENCE LA PLUS DÉROUTANTE DE VOTRE VIE ! »

Jo, Pouce et moi, on n'avait tout simplement pas pu résister à la tentation.

À l'intérieur, la déception la plus totale nous attendait. « L'expérience la plus déroutante de votre vie » était ennuyeuse à mourir ! Les centaines de miroirs qui auraient dû nous égarer étaient aussi excitants que des miroirs de poche.

C'est en sortant de ce supposé labyrinthe que l'on a constaté la disparition de mes parents.

On les a attendus une quinzaine de minutes, sagement, sans trop déblatérer contre le monde adulte.

— Il commence à faire noir, a dit Pouce.

— Ah ? Il commence seulement ? Pour moi, il fait noir tout court ! Bigrement noir, à part ça !

Malgré sa mauvaise humeur, Jo avait raison. On se serait crus au milieu de la nuit. Je n'y avais pas fait attention, mais à bien y penser, c'était très bizarre. Car lorsqu'on avait acheté nos billets, moins d'une demi-heure plus tôt, le soleil n'était pas encore couché.

Intrigué, j'ai consulté ma montre et je me suis aperçu qu'elle avait cessé de fonctionner. Le cadran n'affichait plus que les chiffres 12:00, comme si la pile était à plat.

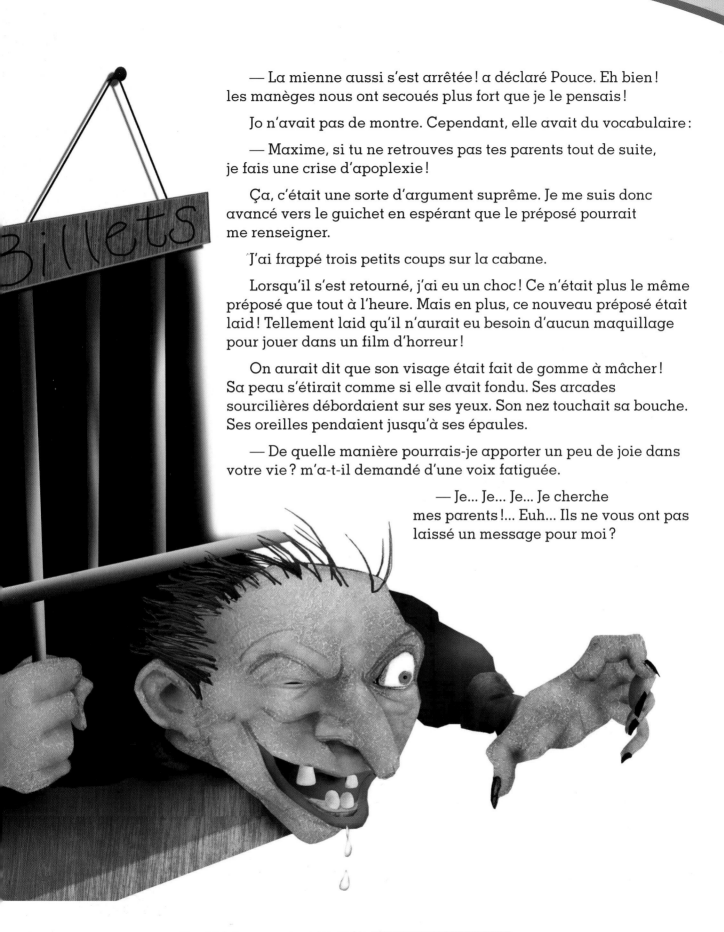

— La mienne aussi s'est arrêtée ! a déclaré Pouce. Eh bien ! les manèges nous ont secoués plus fort que je le pensais !

Jo n'avait pas de montre. Cependant, elle avait du vocabulaire :

— Maxime, si tu ne retrouves pas tes parents tout de suite, je fais une crise d'apoplexie !

Ça, c'était une sorte d'argument suprême. Je me suis donc avancé vers le guichet en espérant que le préposé pourrait me renseigner.

J'ai frappé trois petits coups sur la cabane.

Lorsqu'il s'est retourné, j'ai eu un choc ! Ce n'était plus le même préposé que tout à l'heure. Mais en plus, ce nouveau préposé était laid ! Tellement laid qu'il n'aurait eu besoin d'aucun maquillage pour jouer dans un film d'horreur !

On aurait dit que son visage était fait de gomme à mâcher ! Sa peau s'étirait comme si elle avait fondu. Ses arcades sourcilières débordaient sur ses yeux. Son nez touchait sa bouche. Ses oreilles pendaient jusqu'à ses épaules.

— De quelle manière pourrais-je apporter un peu de joie dans votre vie ? m'a-t-il demandé d'une voix fatiguée.

— Je... Je... Je... Je cherche mes parents !... Euh... Ils ne vous ont pas laissé un message pour moi ?

— Hum... Quel genre de message?

— Je ne sais pas... Ils auraient pu me demander d'aller les rejoindre quelque part...

Les yeux du préposé se sont agrandis.

— Quelque part? Très intéressant... Et ce « quelque part », où cela pourrait-il être, selon vous?

Sans me laisser le temps de répondre, il s'est penché aussi bas que les barreaux du guichet le lui permettaient. Et il a souri! Et les coins de sa bouche se sont tellement étirés qu'ils atteignaient presque les murs de la cabane!

— Où pensez-vous être en ce moment, mon cher Maxime?

En m'apercevant qu'il connaissait mon nom, j'ai foncé sur mes amis à toute vitesse.

— Qu'est-ce qui t'arrive? m'a questionné Jo.

— Éloignons-nous d'ici!

— Comment ça? Et tes parents?

— On va essayer de les retrouver. Mais il se passe des choses pas normales dans ce parc d'attractions!

Tiré de Denis CÔTÉ, *Le parc aux sortilèges*, Montréal, Les éditions de la courte échelle, 2001.

# Silence de mort

Le tonnerre est étourdissant. Les éclairs se succèdent avec une telle rapidité qu'on se croirait en plein après-midi. Pourtant, il fait nuit depuis plus d'une heure.

La pluie tombe dru et forme un épais rideau qui masque la forêt toute proche. Le bruit qu'elle fait en s'écrasant sur le toit est si fort qu'il couvre le vacarme infernal des insectes et des animaux de la forêt.

Depuis quelques jours, nous sommes en Guyane française avec mes parents. Je m'appelle Thibault. Ma sœur Laureline, ainsi que Morgane et Jean-Baptiste, mes meilleurs amis, sont avec nous.

Le trajet a été compliqué : Montréal, Fort-de-France, puis Cayenne. Nous nous y sommes reposés un peu avant de remonter un petit fleuve, la Comté, en pirogue à moteur. Nous voici maintenant installés en pleine forêt, dans un carbet.

Aujourd'hui, mes parents faisaient l'aller-retour sur Cayenne pour régler des problèmes administratifs. Pensant revenir le soir même, ils nous ont laissés sous la responsabilité de Laureline, qui a deux ans de plus que nous. Elle est ravie, elle qui adore jouer au chef !

Mais avec cette pluie, je suis sûr qu'ils ne pourront pas remonter la rivière ce soir. Nous dormirons seuls...

Installés sur la terrasse, nous regardons la pluie tomber. Il n'y a rien d'autre à faire. Affalés, le dos contre le mur de planches du carbet, nous bâillons à nous en décrocher la mâchoire.

— Le carbet est une habitation en bois montée sur pilotis, typique de la forêt guyanaise, nous a expliqué ma mère tandis que nous remontions la rivière.

— Sur pilotis ? s'est exclamée Morgane. La maison est construite sur l'eau ?

Non, la maison – la cabane, plutôt – n'est pas construite sur l'eau. Elle se trouve à une vingtaine de mètres de la rivière, sur une élévation de terrain qui la protège des inondations. Mais les pilotis ne servent pas tant à l'isoler de l'eau que des animaux.

La forêt est infestée d'insectes et de serpents tous plus venimeux les uns que les autres, et il faut absolument prendre des précautions. Les pilotis sont d'ailleurs insuffisants, et on nous a bien recommandé d'examiner nos bottes chaque matin et de les secouer à l'extérieur, pour en faire tomber les mygales ou les scorpions qui auraient pu s'y introduire pendant la nuit.

Cette forêt, noire et impénétrable, dans laquelle nous subissons notre premier orage tropical, est l'ultime avancée vers la mer de l'immense forêt vierge de l'Amérique du Sud.

— Tu parles d'une nature ! fait Jean-Baptiste en soupirant. Il pleut tout le temps et il ne se passe rien. J'imaginais un peu plus d'aventures.

— Des attaques d'Indiens, par exemple ? je lui réponds d'un ton narquois.

— Ne dis pas n'importe quoi ! Je pensais au moins trouver des animaux. C'est la jungle ici, non ?

— Parce que tu trouves qu'il n'y en a pas assez, des animaux ! rétorque Morgane. Entre les araignées, les moustiques et les crapauds qui font tout ce boucan à longueur de nuit !...

— Et puis, si jamais tu te retrouves face à face avec un jaguar ou un caïman, tu ne seras peut-être plus du même avis, ajoute Laureline.

— Vous ne comprenez rien ! Je n'ai pas dit que je voulais me battre contre des fauves, mais j'aimerais bien voir des perroquets, des singes... Des animaux présentables, quoi !

— Pour ça, il faudrait entrer dans la forêt, dis-je. Mais c'est risqué.

— Et interdit, précise Laureline. Vous restez dans la clairière, près de la rivière : ordre des parents.

— Dis donc, on n'est plus des gamins, tout de même ! Veux-tu qu'on aille se coucher maintenant, pendant que tu y es ! Hé ! On dirait que la pluie se calme.

En effet. Le déluge s'est atténué. Derrière la vapeur qui s'élève de la terre détrempée, la lisière de la forêt se dessine à quelques centaines de pas, comme une muraille plus noire que la nuit.

Le temps change extrêmement vite sous les tropiques. Le vent a tôt fait de nettoyer le ciel et de dévoiler la lune et les étoiles. La chaleur étouffante, un instant dissipée par la pluie, retombe bientôt sur la clairière comme une chape de plomb.

Le crépitement de la pluie est aussitôt remplacé par les stridulations assourdissantes des insectes, les cris des singes hurleurs et les coassements des crapauds-buffles. La forêt vierge a repris son concert infernal.

Nous transpirons abondamment. Je soupire et me laisse aller à mes rêveries. C'est vrai que je n'imaginais pas la jungle comme un inextricable fouillis rempli d'êtres invisibles mais plus tapageurs que mille élèves dans une cour de récréation. Moi aussi, je suis déçu...

Soudain, un hurlement strident me tire de mon hébétude. Un cri d'angoisse, aigu, prolongé, empreint à la fois d'une indicible tristesse et d'une profonde terreur. Quand le gémissement s'éteint enfin, un silence de mort règne sur la forêt.

— Qu'est-ce que c'était ? fait Morgane en se redressant brusquement.

— Je... je ne sais pas, je lui réponds. Peut-être un singe hurleur...

— Les singes hurleurs, on les entend tout le temps, murmure Laureline. On ne fait même plus attention à eux. C'était autre chose. Et puis ce silence, d'un seul coup, vous l'entendez ?

L'expression est bizarre, mais juste. Ce silence total, après l'incessant vacarme de la jungle, paraît presque palpable. Le seul bruit qu'on entend est celui des gouttes qui s'écoulent du toit et s'écrasent sur les feuilles. Mais pourquoi la forêt s'est-elle tue subitement ?

Laureline et moi, nous nous levons pour scruter les ténèbres. L'air est chaud et poisseux, saturé d'humidité. Il est si épais qu'on ne voit pas au travers.

— Il y a peut-être un jaguar dans les environs, dit Jean-Baptiste. C'est un singe qui a donné l'alerte.

— Les insectes aussi se sont tus, fait remarquer Laureline, et ils n'ont aucune raison d'avoir peur des jaguars.

— On dirait que la forêt entière a peur, ajoute Morgane. Ce... ce n'est pas très rassurant.

La forêt est si dense que les rayons du soleil n'atteignent jamais le sol. L'atmosphère sinistre qui en émane a envahi la clairière et pèse lourdement sur nous. Habitués que nous sommes aux immenses espaces des plaines canadiennes, cette infime éclaircie a plutôt l'air d'un misérable trou noir. Et on est au fond !

— Vous croyez que c'est vrai, les histoires que le vieux nous a racontées l'autre soir ? demande Jean-Baptiste après un long silence.

— Arrête avec ça, Jean-Baptiste ! coupe Morgane. Ce n'est pas le moment. Ce ne sont que des histoires, et...

Morgane n'a pas le temps de finir sa phrase. De nouveau, un horrible gémissement s'élève de la forêt, une plainte aiguë et lancinante, remplie d'effroi et de douleur, qui monte en vrille sous les arbres et s'évanouit bientôt dans un silence mortel.

Tiré de Laurent CHABIN, *Silence de mort*, Saint-Lambert, Éditions Dominique et compagnie, 1998.

# Opération violoncelle

Nous passons d'abord prendre Simon. Quand ce dernier pénètre dans la fourgonnette, tante Hermine (que j'appelle affectueusement Minouche) s'écrie en riant :

— Tu sens donc bien la patate frite, toi !

— C'est à cause de mon père.

— Quoi, ton père ?

— Ah ! laissez faire !

Nous respectons le silence de Simon. Nous savons bien que tout ne va pas comme sur des roulettes dans sa vie. Son père est alcoolique et sa mère a quitté la maison. Alors, il lui arrive parfois d'être « marabout ». On le serait à moins.

Pour alléger l'atmosphère, tante Hermine n'arrête pas de jacasser. Elle gesticule en parlant et conduit très mal. Curieusement, je n'ai pas peur. Au contraire. J'ai la nette impression qu'Hermine est invincible. Après tout, elle a déjà tué quatre maris et elle est toujours vivante...

Je dis « tué », je devrais dire « achevé ». La vérité vraie, c'est qu'elle a usé ses maris jusqu'à la corde. Il faut dire qu'elle les choisit pas mal vieux, alors...

L'énergie débordante d'Hermine provient sans doute de ce qu'elle se nourrit de celle des autres. Une vraie sangsue ! Quarante ans, quatre fois mariée, quatre fois veuve. Faut le faire !

Hermine, c'est une invention, rien de moins !

— Pas étonnant qu'elle attire les hommes, celle-là, dit souvent Simon, du haut de ses treize ans.

— Pas étonnant non plus qu'elle les fasse mourir, ajoute mon père en riant. Ils ne tiennent pas le coup, les pauvres !

Ma mère elle-même, qui est pourtant un vrai maringouin électrique, soupire d'aise quand sa sœur plie bagage.

On dirait que Minouche aspire tout l'oxygène ambiant. Elle aurait les poumons deux fois plus grands que la normale que cela ne m'étonnerait pas. Conséquemment, ceux qui la côtoient trop longtemps finissent tous, un jour ou l'autre, par manquer d'air.

Le ministère de la Santé devrait d'ailleurs exiger d'elle qu'elle affiche les mêmes avertissements que ceux que l'on trouve sur les paquets de cigarettes.

Il ne faudrait surtout pas dire une chose semblable devant elle. Ce serait comme jeter de l'acide sur une plaie vive, car ce n'est pas un hasard si Hermine collectionne les maris. Flo m'a raconté qu'Hermine n'avait eu véritablement qu'un seul amour, François, un violoncelliste promis à une brillante carrière. Comble de malheur, ce dernier est mort d'un cancer quelques mois seulement avant leur mariage. Il paraît que, depuis, Hermine a fermé son cœur à l'amour. Elle épouse des hommes âgés et gentils, mais elle ne les aime pas vraiment.

Pauvre tantine.

[...]

La Châtellenie est en vue. C'est ainsi qu'Hermine a baptisé le wagon de train désaffecté qu'elle a acheté à un encan et qui lui sert maintenant de résidence.

[...]

Pour notre séjour au domaine, Simon et moi avons bourré notre baluchon de provisions de bouche : nous savons tous les deux qu'un repas à la Châtellenie tient davantage de l'aventure culinaire que de l'alimentation.

La famille de ma mère entretient avec la nourriture des rapports carrément houleux. C'est un fait incontesté. Flo est incapable de cuisiner comme du monde ; grand-maman Lulu fait systématiquement tout brûler et Hermine ne sert que de l'inconnu et de l'exotique.

[...]

Pendant qu'elle s'affaire à concocter ce qui devrait nous servir de souper, Simon et moi tentons de maîtriser le jeu vidéo qu'elle a loué pour nous.

Des bruits de portes qui s'ouvrent et se ferment en claquant viennent soudainement brouiller ma concentration. Mon héros se fait attaquer par une grosse « bibitte » mauve fluo et je perds une vie précieuse. Simon se tape sur les cuisses en riant. Crotte et recrotte !

— Simon, Zabi, venez vite ! C'est affreux !

Hermine est affolée. Nous abandonnons notre jeu et volons à son secours.

— Qu'est-ce qui t'arrive ?

— Aidez-moi à le trouver, je vous en supplie...

— Trouver quoi, Minouche ?

— Mon violoncelle, c't'affaire !

— Hein ?

J'ai oublié de dire que tante Hermine est aussi musicienne. Elle joue du violoncelle, paraît-il, « pour son plaisir et pour sa thérapie d'âme », sans doute en mémoire de François, son seul grand amour.

— Un violoncelle ne s'envole pas comme ça, voyons, Minouche. Es-tu bien certaine de l'avoir rangé ici ? Il ne serait pas chez un de tes amis musiciens, par hasard ?

— Impossible. J'en ai joué hier après-midi et l'ai laissé ici même, dans le salon de musique.

Salon de musique… Salon de musique… Un bien grand mot pour une si petite pièce ! Sur un tapis tressé, qui fait à peine un mètre de diamètre, trônent une chaise minuscule et un petit lutrin.

Simon, qui avait déjà commencé à effectuer des fouilles, nous interpelle brusquement.

— Venez voir ! s'écrie-t-il, en montrant du doigt les trois empreintes bleues qui tachent le cadre de la porte d'entrée.

Tante Hermine s'approche. Elle écarquille les yeux et entrouvre les lèvres. Puis elle pâlit et porte les mains à sa bouche, comme pour retenir un cri.

— Appelle les policiers, lui dis-je aussitôt.

— NON ! rugit-elle en me fusillant du regard.

— Tu dois déclarer le vol, voyons. Les assurances…

— J'ai dit NON. C'est NON.

— Pourquoi ?

— Parce que…

Elle s'affaisse dans le fauteuil en rotin qui meuble la mini-serre. Les coudes sur les genoux, elle se prend la tête à deux mains. Sa chevelure abondante s'est rabattue sur son visage et s'étend comme un écran protecteur devant ses yeux.

— Seigneur Dieu, soupire-t-elle, la voix éteinte.

— Tu soupçonnes Chicot, c'est ça, hein ?

— Tais-toi, Zabi, je t'en supplie.

Chicot est le jeune délinquant que Minouche a pris sous son aile, à la demande de Paul, un ami travailleur social. Chicot a seize ans. Il vit dans une famille d'accueil (la douzième depuis sa naissance) et sa vie n'est pas des plus réjouissantes. Pour lui permettre de laisser sortir la « vapeur » de temps en temps, Paul a demandé à Hermine de s'en occuper, de le distraire et de l'ouvrir à un univers différent du sien.

— Ton originalité va lui plaire, avait-il déclaré.

Hermine s'est donc chargée de Chicot. Ce dernier, qui a déjà quelques vols à son actif, s'est retrouvé plusieurs fois devant le tribunal et le juge l'a prévenu : au prochain délit, la peine sera très sévère.

Comme il fallait s'y attendre, Hermine s'est laissé attendrir. Depuis, Chicot est devenu son protégé. Elle le reçoit souvent chez elle pendant les week-ends et elle le voit au moins deux fois par semaine. Elle l'invite au hockey et au cinéma. Pour lui, elle s'est même mise à fréquenter les arcades. « Vas-y mollo, ma belle, lui répète Paul à tout bout de champ. Il faut du temps pour apprivoiser un renard. Souviens-toi du *Petit Prince*. »

Mais ce soir, elle est inquiète. Chicot aurait-il trahi sa confiance? Aurait-il volé le violoncelle pour le revendre? Lui a-t-elle déjà dit que l'instrument valait au moins 10 000 $?

Ce qu'elle sait, par contre, c'est que Chicot possède une clef de la roulotte. Cette clef, elle la lui a donnée elle-même, en gage d'amitié. Le jeune homme avait d'ailleurs été très ému par ce geste de confiance.

— Chicot est trop intelligent pour laisser un indice aussi révélateur, voyons. S'il avait fait le coup, il se serait débrouillé pour éloigner de lui les soupçons et pour qu'on croie à une effraction, lui dis-je pour la rassurer. Et puis, je t'ai dit cent fois que tes serrures ne valaient rien. Une carte de crédit, un couteau et on entre ici comme dans un moulin.

— Vous oubliez les empreintes, murmure Hermine.

— Qu'est-ce qu'elles ont, les empreintes? demande Simon.

— Vous n'avez pas remarqué? On dirait des taches d'encre.

— Oui. Et après?

— La semaine dernière, bredouille Hermine, Chicot s'est trouvé un emploi à temps partiel…

— Qu'est-ce que ça change?

— Tout, justement. Il travaille chez un imprimeur… et il a les mains dans l'encre à cœur de jour…

— Oh!

Cette révélation n'est pas sans nous inquiéter. Nous ruminons tous trois des pensées moroses. La culpabilité de Chicot étant soudain devenue possible, le doute nous envahit.

— Essayons d'y voir clair, déclare Simon, qui a pris les choses en main. À quel moment, madame Hermine, as-tu vu ton violoncelle pour la dernière fois?

(Simon a accepté de tutoyer tante Hermine, mais il ne peut se résoudre à l'appeler Hermine, tout court, comme cette dernière le lui a demandé.)

— Hier après-midi, quand mes amis du quatuor à cordes de Saint-Joachim sont venus ici et qu'on s'est fait un concert maison. Après, j'ai rangé mon instrument à sa place habituelle. Nous sommes allés souper en ville et je suis rentrée vers minuit.

— Tu n'as rien remarqué d'anormal à ton retour?

— Non.

— Le vol a donc eu lieu entre 18 heures hier soir et 17 heures aujourd'hui, conclut Simon, avec son air de Sherlock Holmes en vacances. Les voleurs devaient être pressés car ils n'ont pas pris l'étui. C'est bizarre. L'important est de savoir où était Chicot pendant tout ce temps.

— Tu as raison, répond Hermine. S'il a un alibi solide et si on est sûrs de son innocence, on fera appel aux policiers. Dans le cas contraire, je vais essayer de lui tirer les vers du nez et le convaincre de...

Les sanglots l'empêchent de continuer et elle court se réfugier dans sa chambre.

Une demi-heure plus tard, elle reparaît devant nous.

— Vous ne m'en voudrez pas si je vous laisse vous débrouiller seuls une petite heure encore?

— Ne t'inquiète pas. Repose-toi.

Tiré de Micheline GAUVIN, *Opération violoncelle*, Hull, Éditions Vents d'Ouest, 2000.

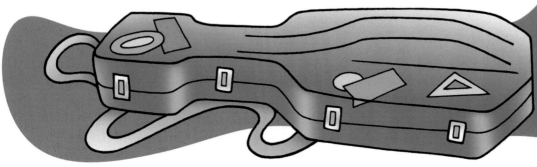

# Trafic chez les Hurons

## Avant-propos

Ahonque a grandi parmi les Iroquoiens du Saint-Laurent, avant l'arrivée des Français au Canada. À l'âge de onze ans, elle rencontre un cerf dans la forêt. L'animal lui remet ses vieux bois, qui sont tombés au début de l'hiver. Ceux-ci ont le pouvoir de guérir les enfants, et de les rajeunir d'un an.

La même année, soit en 1535, Ahonque (prononcer A-honne-qué) fait une autre rencontre, celle de Pierre Jalbert. Le garçon, âgé de douze ans, est né en Bretagne, une province de France. Il a traversé l'Atlantique avec Jacques Cartier.

Les deux enfants se lient d'amitié et ne se quittent plus. Chaque Noël, ils croisent les bois magiques, si bien qu'ils ne vieillissent jamais.

Au moment où commence ce récit, en 1614, ils ont toujours onze et douze ans. Ils vivent à Québec, fondée six ans plus tôt par Samuel de Champlain. Les Français font le commerce des fourrures avec les Montagnais, les Algonquins et les Hurons. Tous ensemble, ils s'allient contre les Iroquois[1].

Pierre et Ahonque sont entraînés, bien malgré eux, dans le trafic des fourrures et la guerre…

[…]

---

1. Les Iroquois vivent au sud du Québec et des Grands Lacs. Les Iroquoiens du Saint-Laurent, eux, ont disparu peu de temps après les voyages de Jacques Cartier.

# Chapitre II

# Le complot

Quatre grands canots d'écorce remontaient le fleuve. Ils évoluaient vite, propulsés par des coups d'aviron rapides et silencieux. Bientôt, ils accostèrent sur la berge, face à l'habitation fortifiée de Québec.

Ces canots étaient occupés par des Algonquins. Pierre s'appuya contre un arbre et les observa : certains hommes s'étaient peint le nez en bleu, les paupières, les sourcils et les joues en noir, et le reste du visage en rouge. D'autres s'étaient couvert toute la figure de rayures horizontales noires, rouges et bleues.

Les chiens sautèrent les premiers hors des embarcations. Les enfants les suivirent en poussant des cris joyeux. Les femmes partirent à la recherche de bois sec pour le feu. Les hommes déchargèrent les chaudrons remplis de viande, de poisson et de farine de maïs.

L'un d'entre eux enfonça une perche dans le sol. Il y suspendit un chaudron. Deux enfants qui se chamaillaient trébuchèrent et le renversèrent. L'homme le replaça sans protester. Pierre s'étonnait toujours de voir que les parents amérindiens ne punissaient jamais leurs enfants.

Il fut plus surpris encore par la présence d'un gros homme qui débarquait du dernier canot. Habillé en vêtements de peaux comme les Algonquins, il portait des bottes de cuir et une arquebuse dans son dos. Il s'agissait manifestement d'un Français.

Le gros homme étira ses membres, contempla le vol dense des tourtes et marcha vers le fort.

— Ah bien ça ! s'exclama Cadorette. Que j'aille en enfer si ce n'est pas cet ivrogne de Guy Morel !

Le soldat serra Morel dans ses bras.

— Qu'est-ce qui nous vaut cette belle visite ? demanda Cadorette. Il n'y a plus d'eau-de-vie à Tadoussac ?

— Justement, souffla Morel. J'ai un projet dont je veux te parler. Un projet qui nous permettra de faire fortune.

— Allons discuter à l'abri des oreilles indiscrètes.

Cadorette ordonna à Pierre de le remplacer sur le pont-levis. Suivi de Morel, il grimpa les escaliers jusqu'à la galerie et ouvrit une porte d'un coup de pied. Des joueurs disputaient une partie de dés autour d'une table, à la lueur d'une chandelle.

— Sortez d'ici ! tonna le soldat. Allez voir dehors si j'y suis !

Les joueurs ne se le firent pas dire deux fois. Ils prirent leurs dés et se dirigèrent vers un autre bâtiment.

Ahonque réparait ses mocassins dans la pièce voisine, un étroit réduit où elle dormait avec Pierre. La lumière pénétrait par une lucarne. Mais voilà, les milliers de tourtes obscurcissaient le ciel. Ahonque ne voyait presque rien. Après s'être piqué le doigt avec son aiguille, elle décida de reporter sa tâche au lendemain.

— Il n'y a personne dans la pièce d'à côté ? demanda Morel.

— Laisse-moi voir, répondit Cadorette. Ahonque eut tout juste le temps de se glisser derrière une armoire. L'ombre menaçante de Cadorette apparut sur le plancher. Le soldat jeta un rapide coup d'œil et claqua la porte.

— C'est bon, dit-il. Il n'y a personne. Tu veux boire ?

— Volontiers.

Cadorette versa de l'eau-de-vie dans des gobelets d'étain.

— Alors, raconte.

Intriguée, Ahonque sortit de sa cachette et se colla l'oreille au mur.

— Cette bande d'Algonquins, avec qui je voyage, est venue faire la traite cet été à Tadoussac… expliqua Morel.

— Pourquoi n'ont-ils pas vendu leurs peaux à Québec ? l'interrompit Cadorette. C'était pourtant sur leur chemin !

— Ils savent qu'ils obtiennent de meilleurs prix à Tadoussac :
il y a plus de marchands de fourrure là-bas. Les Indiens profitent de
la concurrence entre acheteurs.

— Ils sont rusés, ceux-là !

— Il y avait un truchement[2] qui comprenait leur langue, reprit Morel.
Il m'a confié que les Algonquins passeraient l'hiver chez les Hurons, loin
vers l'ouest. Je les ai convaincus de m'emmener. J'ai pensé que toi et moi,
on pourrait les accompagner et trafiquer directement en Huronie.

— Et pour quoi faire, Sacré Dieu ! Pourquoi se donner la peine de
voyager jusque chez eux, quand ils peuvent venir ici ?

— Tu ne comprends rien.

Morel se versa lui-même une rasade d'eau-de-vie.

— Alors, explique-moi, toi qui es si intelligent, grogna Cadorette.

— Nous serons les seuls trafiquants là-bas. Il n'y aura personne pour
nous faire concurrence. Nous fixerons les prix. Après avoir passé l'hiver
en Huronie, nous reviendrons, les canots chargés de centaines de belles
peaux de castor !

— Tu divagues…

— Nous serons les premiers à arriver aux comptoirs de traite de
Québec ou de Tadoussac, poursuivit Morel, gonflé d'enthousiasme.
Nous vendrons nous-mêmes les peaux aux marchands,
contre de belles pièces d'or ! Tu comprends maintenant ?

Cadorette souriait de toutes ses dents jaunes.

— Et qu'est-ce qu'on offrira aux Sauvages contre
leurs belles fourrures, hein mon ivrogne ? demanda-t-il.

2. Interprète.

Il frappa sur la table. Morel ouvrit la bouche, mais Cadorette ne lui laissa pas le temps de parler.

— Pas besoin de me répondre! aboya-t-il. Du tord-boyaux! la bonne eau-de-vie contre des lots de fourrure!

Le soldat envoya un coup de poing amical sur le menton du gros trafiquant.

— J'ai toujours su qu'on formerait une bonne équipe, toi et moi. Tu as l'intelligence, et moi la force!

— Tu peux te procurer de l'eau-de-vie? s'enquit Morel, qui avait l'esprit pratique.

— Facilement, répondit Cadorette. Un bateau nous en a livré des dizaines de tonneaux cet été. C'est Malherbe qui en a la garde. Mais il faudra des sous pour en acheter.

— J'en ai. J'ai calculé qu'avec un sou, on en gagnera plus de trente!

Cadorette siffla de contentement.

— Mais il y a un problème, poursuivit Morel. Je me méfie des Algonquins, et ils se méfient de moi. Je ne parle pas leur langue, seulement quelques mots. En Huronie, ce sera pire. Il nous faudrait un truchement qui leur inspirerait confiance.

— J'ai ce qu'il te faut! Tes désirs sont des ordres! Ton vieil ami Cadorette te donnera tout ce que tu voudras!

Ahonque était tellement abasourdie par ce qu'elle venait d'entendre qu'elle ne prit pas garde à un chaton qui était entré dans sa chambre par un carreau brisé. Blanc du bout des moustaches au bout de la queue, il se nommait Flocon. Il avait été le premier de son espèce à naître au Canada.

Pendant que sa mère chassait rats et souris, Flocon explorait les moindres recoins de l'habitation. Il avait été attiré ici par l'odeur délicieuse provenant d'une bassine en cuivre: celle de la tourte déplumée.

Flocon entreprit alors de grimper sur la table. Il se hissa dans le récipient et le fit basculer. Le chaton, la tourte et la bassine tombèrent dans un grand vacarme.

— Qu'est-ce que c'est que ce bruit? demanda Morel, en se dressant comme un pantin dans une boîte à musique.

De nouveau, Ahonque se cacha derrière l'armoire. Cadorette ouvrit la porte. Flocon s'enfuit en coup de vent.

— C'est juste un maudit chat! s'exclama le soldat. Pas de quoi avoir peur! Tiens! Regarde ce qu'il a fait tomber!

Il exhiba la tourte.

— Je vais la faire griller.

— Attends un peu, dit Morel. Tu connais donc un truchement qui pourrait venir avec nous?

— Pas un, deux! Une petite Sauvagesse et un jeune Breton. Ils parlent français et toutes les langues des Sauvages.

— D'où ils sortent, ces deux-là?

— Aucune idée! Ils sont arrivés au fort l'hiver dernier, affamés. Comme ils sont bien utiles pour traiter avec les Montagnais, on les garde avec nous. Allez, viens. J'ai une faim de loup.

Ahonque bouillonnait d'indignation. Ce vieil escroc de Cadorette voulait donc les emmener chez les Hurons, elle et Pierre, pour trafiquer de l'alcool! Le soldat pourrait les emmener de force. Il fallait s'enfuir au plus vite.

Elle se glissa dehors et rejoignit Pierre sur le pont-levis.

— Qu'y a-t-il? lui demanda le garçon. Tu as l'air tout effarée! Tu t'es fait attaquer par une autre tourte?

— Ce n'est pas le temps de rire, chuchota-t-elle.

Elle lui répéta la conversation qu'elle avait surprise.

— Partons d'ici, conclut-elle.

— Tu as raison, approuva Pierre. Il faut quitter Québec.

Il fit une pause. Un étrange silence régnait. Ahonque leva les yeux au ciel et comprit ce qui la troublait: les tourtes avaient disparu. Leur vol s'effilochait, bien au-delà du fleuve. Pierre semblait perdu dans ses pensées.

— Nous devons partir avec Cadorette, annonça-t-il. En chemin, nous percerons ses maudits tonneaux. Nous devons l'empêcher de voler et d'empoisonner les Hurons.

Ahonque regarda son ami. Même si elle le connaissait depuis des années, elle n'arrivait pas toujours à le comprendre. Souvent, Pierre s'installait dans la routine. Elle était alors incapable de le faire bouger. Il était têtu et refusait tout changement.

Puis, tout d'un coup, un déclic semblait s'opérer dans son cerveau. Il prenait des initiatives courageuses et fonçait dans l'action sans se soucier des conséquences. Les injustices le révoltaient. Il n'avait qu'une envie: se battre. Son impulsion était tellement forte que rien ne pouvait l'en détourner.

Cela exaspérait Ahonque. Mais cette soif de justice l'émouvait aussi. C'est pour cette raison qu'elle lui était si attachée.

Pourtant, elle n'avait aucun désir de voyager avec Cadorette et Morel. S'attaquer à eux était une entreprise dangereuse.

— Pourquoi ne pas percer les tonneaux ce soir et nous enfuir ensuite? suggéra-t-elle.

— Parce que c'est impossible, répondit Pierre, en indiquant du menton l'entrepôt de vivres, d'alcool et de marchandises.

L'entrepôt était barré et cadenassé. Malherbe montait la garde, l'arquebuse sur l'épaule.

— Très bien, se résigna Ahonque. Nous partirons avec Cadorette.

Tiré de André Noël, *Trafic chez les Hurons*, Montréal, Les éditions de la courte échelle, 2000.

# Prisonniers des Grrihs

## Note au lecteur

Voilà quelque deux cents ans, en l'an 2343 plus précisément, d'impitoyables Grrihs envahissent la colonie terrienne de Cristobal. Les humains sont forcés de fuir. Les rares rescapés du carnage, des scientifiques pour la plupart, s'échappent à bord du vaisseau spatial *La Dernière chance*, un transporteur expérimental. Leur destination? Halpa, la quatrième des quatorze planètes en orbite autour de l'étoile de Hattousa. Il s'agit d'un système solaire limitrophe, hors des routes cosmiques habituelles. Halpa est une planète au climat et au relief hostiles. Très hostiles.

Pourquoi avoir choisi une telle destination? Parce que, comme il est écrit dans le journal de bord de *La Dernière chance*, les humains connaissent deux choses des Grrihs, leurs ennemis depuis des années: leur cruauté et leur grande aversion pour le froid.

Quand les scientifiques mettent le pied sur Halpa, en 2344, et qu'un vent glacial les accueille, ils comprennent qu'ils ont fait le bon choix. Les survivants sont tous robustes et intelligents, mais ils n'auraient pu tenir longtemps sans les hénichs.

C'est Jem Tramin, une exobiologiste, qui s'allie la première à une hénich. Envoyée à la recherche d'un havre hospitalier où installer la colonie, elle se perd dans une tempête. Ayant marché jusqu'au bout de ses forces, elle s'effondre, au bord de la perte de conscience.

Tout à coup, elle se sent soulevée et perçoit distinctement une présence mentale, puis une voix télépathique:

— Insensée! C'est de la folie de s'aventurer ainsi en pleine tempête...

Trop faible pour se débattre, Jem se laisse porter par Laka, qui lui révèle être une hénich. Quand elles arrivent enfin dans une caverne, Jem peut voir les hénichs qui y habitent: ils tiennent à la fois de l'ours polaire et du chien de berger.

Deux cents ans plus tard, malgré l'évolution phénoménale des Halpans, ceux-ci continuent d'entretenir un lien vital avec les hénichs. Les partenaires hénichs et humains partagent une communion totale, dont la communication télépathique n'est que la manifestation la plus apparente. Leurs destins sont désormais inséparables.

## Chapitre 1

# Exploration

— Carll?

Le garçon se tourna vers son hénich.

— Oui, mon beau?

— Ulia dit que Sharah veut que tu la suives.

— Où ça? Dis-lui que j'irai plus tard.

Carll dévisagea la jeune fille, de l'autre côté de la pièce, et remarqua aussitôt son regard insistant.

Sharah, Mau, son père, ainsi qu'Ulia, sa hénich, étaient arrivés chez les Terrob une vingtaine de minutes plus tôt. Klara, la mère de Carll, avait aussitôt laissé son laboratoire pour venir les accueillir et elle les avait conduits au séjour.

Mau discutait avec Klara. Soudain, une phrase retint l'attention de Carll :

— On a enfin découvert la substance qui active la glande particulière des hénichs.

Tous poussèrent des exclamations de surprise.

— Il s'agit du marium, poursuivit-il quand le calme fut revenu, un élément radioactif craché par les volcans d'Halpa. Les scientifiques affirment que les hénichs l'absorbent instinctivement en mangeant de grandes quantités de neige.

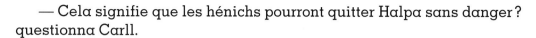

— Cela signifie que les hénichs pourront quitter Halpa sans danger ? questionna Carll.

— Sans doute. Dès qu'on aura réussi à synthétiser le marium ou dès qu'on aura trouvé le moyen de le stocker sans qu'il perde ses propriétés.

Tous s'en réjouirent. Carll, plus encore ! Cette découverte redonnait un nouveau souffle à son vieux rêve de faire un jour de l'exploration cosmique, car elle signifiait que les adoptés, comme Carll et Sharah, pourraient enfin visiter d'autres mondes avec leurs partenaires hénichs. Le garçon sentit un frisson de plaisir le parcourir.

— Je ne suis pas certain que ce soit souhaitable, toutefois..., ajouta Mau, songeur.

« Et pourquoi donc ? » se demanda Carll. En y réfléchissant bien, il se rappela que les habitants des autres planètes de l'Alliance avaient toujours envié la chance des Halpans adoptés par des hénichs. À maintes reprises, les plus puissants d'entre eux avaient envoyé des braconniers pour capturer des hénichs sauvages.

À ce sujet, l'histoire halpane avait enregistré un épisode particulièrement tragique. Jadis, de téméraires braconniers avaient réussi à emmener quelques hénichs sauvages hors planète, à bord de vedettes spatiales très rapides. Mais les kidnappés n'avaient jamais atteint leur destination. Ils étaient tous morts en route.

Carll comprenait que, si la nouvelle de la découverte du marium se répandait, les Alliants redoubleraient certainement d'efforts pour s'approprier des hénichs. Tous savaient à quelles bassesses s'étaient livrés certains personnages riches et puissants de l'Alliance, aidés parfois par des Halpans jaloux des adoptés. Carll en avait été témoin quand on avait enlevé Novy.

La conversation glissa vers l'Arche, la nouvelle invention de Klara, et les ennuis qu'elle rencontrait. L'Arche allait révolutionner la conception même du voyage spatial en permettant la téléportation instantanée des gens et des objets sur des distances phénoménales. Carll écoutait, fasciné, les explications de sa mère. Il n'avait pas l'autorisation d'entrer dans son laboratoire et entendait très rarement parler de ce qui s'y passait.

Klara faisait face à un problème de taille : l'Arche dématérialisait et expédiait bel et bien les objets à l'endroit prévu, mais refusait obstinément de les ramener.

— Carll ?

— Oui, mon beau ?

— Sharah s'impatiente.

La jeune fille se trémoussait dans son fauteuil, sourcils froncés.

— Où veut-elle que je la suive ?

— Tu le verras bien ! répondit enfin Novy, après avoir consulté Ulia.

« Comme Novy a grossi ces deux derniers mois ! » songea le garçon. Au moment de l'enlèvement dont il avait été victime, il n'était qu'une toute petite boule de poils blanche et soyeuse. Maintenant, il atteignait le nombril de Carll du bout de son museau humide. Dans peu de temps, il serait assez fort pour supporter le poids de Carll. Celui-ci imaginait déjà les excursions dans les paysages de neige et de glace d'Halpa. Partir, seul avec Novy, pour plusieurs jours... Le rêve !

Sharah se leva d'un bond, bouillant d'impatience. Carll soupira. Tant pis ! Il apprendrait une autre fois les merveilles que fabriquait sa mère dans son laboratoire.

Les deux jeunes quittèrent discrètement le séjour en compagnie des hénichs. Alors qu'ils atteignaient le couloir, Carll entendit Novy :

— Non, non.

— À qui parles-tu ? demanda-t-il.

— À ma mère. Elle nous recommandait de ne pas faire de bêtises.

Carll sourit. Les mères ! Toutes les mêmes ! Xéna, celle de Novy, avait adopté Klara avant même la naissance de Carll. On pouvait toujours compter sur Xéna. Elle avait grandement contribué au sauvetage d'Ulia et de Novy, se souvint Carll avec tendresse.

— Tu peux compter sur moi aussi, assura Novy.

— Bien sûr, mon beau ! Je le sais bien.

Sharah, à bout de patience, saisit Carll par le bras. Il se laissa entraîner, croyant qu'ils allaient dans sa chambre, comme d'habitude. Quand il comprit qu'elle l'entraînait dans le premier couloir sur la gauche, il résista un peu.

— Qu'est-ce que tu veux faire au sous-sol ? s'enquit-il. Tu t'intéresses aux bacs hydroponiques et aux pompes géothermiques, maintenant ?

Carll savait trop bien où Sharah voulait l'emmener, mais il voulait retarder l'échéance. Il était vraiment déchiré entre la curiosité et la crainte. La jeune fille lui décocha un sourire malicieux qui n'annonçait rien de bon.

— Viens. Allons voir ce téléporteur dont ta mère parlait.

Carll s'arrêta net. Plus moyen de jouer l'innocent. Il prit le ton le plus assuré qu'il pouvait, tout en murmurant pour ne pas alerter les adultes :

— On n'a pas le droit d'entrer là ! Tu le sais parfaitement !

Passé l'accès au sous-sol, le couloir se poursuivait pour aboutir au laboratoire de Klara. Ce n'était pas la première fois que Sharah tentait de l'entraîner au laboratoire. Il avait toujours résisté.

— Mauviette ! souffla Sharah.

— Qui traites-tu de mauviette, Sharah Rihn ? cracha Carll, insulté.

— Si ce n'est pas vrai, alors prouve-le ! Viens avec moi dans le labo de ta mère. Je t'ai bien montré celui de mon père...

— Pas question !

— Tant pis ! Puisque tu es trop froussard, j'irai toute seule.

Et la jeune fille déclencha l'ouverture de la porte coulissante. Ulia l'accompagna. Carll fut estomaqué par leur audace. Lui, jamais il n'aurait osé. Klara le savait. C'est pourquoi, d'ailleurs, elle n'avait jamais utilisé la serrure électronique dont était munie l'entrée du laboratoire.

Après quelques instants, le garçon se remit du choc. Après tout, il devait suivre la jeune fille – pour la tenir à l'œil.

— Je n'aime pas ça du tout, mon beau, confia-t-il à Novy. On va encore s'attirer des ennuis épouvantables, je le sens.

— Bof ! fit le hénich en trottinant. Un petit coup d'œil ne fera de mal à personne.

Carll ne put s'empêcher de glousser.

— Tu es encore plus curieux que Sharah !

— Pas du tout !

Carll sourit de plus belle ; le hénich n'avait pu masquer complètement une pointe d'excitation.

Le garçon se figea sur le seuil de la porte du laboratoire. Novy passa la tête entre ses jambes, pressé de voir à l'intérieur. Un comptoir, traversant presque toute la longueur de la pièce, se dressait sur la droite, devant un mur d'étagères dont Sharah examinait le contenu. Sur le comptoir, des appareils bizarres ronronnaient.

Carll fit quelques pas à l'intérieur, poussé dans la pièce par Novy, que l'impatience gagnait. Il tomba en arrêt devant une grande holographie de famille suspendue au mur.

— L'homme, sur l'holo, c'est ton père ?

Le garçon sursauta. Il n'avait pas entendu Sharah s'approcher. La gorge serrée, il répondit par l'affirmative.

— Il était bel homme, nota-t-elle. Et le petit garçon sur le dos de Xéna, c'est toi ?

— Oui, murmura-t-il, troublé.

Il n'avait pas revu cette image depuis la mort de Kris, son père.

— Vous semblez si heureux, souffla Sharah avec une trace d'envie qui étonna Carll.

— Nous l'étions. Mon père était formidable. Mais, tu sais, bien que ce soit différent, j'ai retrouvé le bonheur depuis l'arrivée de Novy.

— Je comprends. C'est la même chose pour moi avec Ulia.

Les deux jeunes lancèrent un regard attendri vers leurs hénichs.

Presque au fond du laboratoire, une curieuse structure, faisant environ deux mètres de hauteur sur un peu plus d'un mètre de largeur, paraissait intriguer Novy au plus haut point. L'appareil rappelait à Carll l'intérieur d'une profonde baignoire sans ses robinets. Sur le côté de la structure, un panneau de contrôle pendait par une couette de fils.

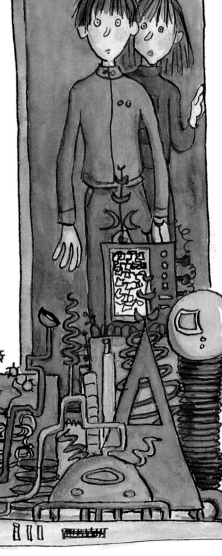

— Ne touche à rien, mon beau, recommanda le garçon.

Novy poursuivit son investigation sans lui prêter attention. Carll se détourna. Il voyait bien que ses amis s'amusaient. Peut-être aurait-il aussi trouvé l'exploration du laboratoire excitante s'il n'avait été sous l'emprise d'un malaise de plus en plus envahissant.

Soudain, il perçut l'étonnement de Novy. Il fit volte-face. La baignoire s'était mise à ronronner. Novy avait pénétré à l'intérieur et un halo bleuté l'entourait. Un éclair violent frappa le hénich, qui disparut instantanément.

— NON ! NOVY !!!

À quelques centaines d'années-lumière d'Halpa se trouvait une planète torride baptisée Base 9 par les Grrihs, du nom de la base secrète qu'ils y avaient installée. T'kklop, un humanoïde à la peau grise et rugueuse, s'interrogeait devant ses instruments de détection.

— N'gu, appela-t-il dans son langage composé de sifflements et de clappements de langue.

Un Grrih d'un certain âge tourna vers lui ses grands yeux noirs sans pupilles.

— Qu'y a-t-il, opérateur ?

Le jeune Grrih, un stagiaire, tâcha d'afficher une assurance qu'il ne ressentait nullement.

— Mes instruments ont détecté une étrange poussée d'énergie quintidimensionnelle, N'gu.

— Où ?

Tous les occupants de la vaste salle hémisphérique étaient maintenant tournés vers T'kklop. Jetant un regard de côté vers les appareils de détection et de surveillance, l'opérateur hésita, puis prononça lentement, n'y croyant pas lui-même :

— Sur la planète même, N'gu.

— Impossible ! Vérifiez vos instruments, opérateur !

— Mais...

— C'est un ordre !

— À vos ordres, N'gu.

Une fois de plus, le jeune T'kklop ravala sa rage et son humiliation. Il avait peur. Peur de ses pensées. De ses réactions. De plus en plus souvent, il surprenait des pensées sacrilèges dans son esprit. Des pensées trop honteuses pour les partager. Hier encore, il avait mis en doute le noble but de conquête de la Race. Dans la nuit, il avait rêvé qu'il se rebellait ouvertement contre le N'gu, qu'il désertait la base après avoir abattu celui-ci. Il en avait tellement honte...

Il avait peur, aussi. Tout jeune, il avait vu son père devenir fou et s'adonner à une forme d'art antimilitariste. La Milice était venue le chercher à la maison. Elle l'avait emmené dans un camp de travail. T'kklop ne l'avait jamais revu.

T'kklop se souvenait de la honte ressentie quand, sous les regards et les clameurs des voisins, sa famille avait été bannie du quartier qu'elle habitait pour être relogée dans un ghetto. T'kklop avait alors juré de tout faire pour que sa famille retrouvât un jour son honneur. Il s'était battu, avait enduré l'humiliation, s'était démarqué des autres par sa ténacité au travail. Il avait réussi. Du moins, en partie. Il était sorti du ghetto, même si sa famille s'y trouvait toujours. Il était même parvenu à décrocher ce stage sur Base 9 où, disait-on, l'honneur l'attendait.

Mais de plus en plus, T'kklop avait peur, terriblement peur de devenir comme son père : un fou, un hors-la-loi.

Tiré de Christian MARTIN, *Prisonniers des Grrihs*, Saint-Lambert, Éditions Dominique et compagnie, 1998.

# Jérôme et le silence des mots

Juste avant de dormir, je pousse les rideaux de la fenêtre de ma chambre pour regarder la lune. J'aime quand elle brille comme le soleil. Il m'arrive de me coucher sans la regarder, mais le plus souvent, je lui parle. Je lui raconte mes peines et surtout, je lui confie mes secrets. Oh… je n'en ai pas beaucoup, mais ce soir j'en ai un, et c'est le plus beau des secrets…

Si je me souviens bien, quand je suis arrivée dans ma nouvelle école, dans ma classe il y avait deux clans, les garçons et les filles évidemment. Seulement, quand on jouait au ballon, notre professeur nous obligeait à former des équipes composées de gars et de filles pour équilibrer les forces. Alors, on était bien forcés de se parler. C'est comme ça que j'ai parlé pour la première fois à Jérôme. En vérité, je l'avais déjà remarqué ; parfois, je riais même de ses blagues,

mais je me retournais vers la fenêtre pour ne pas qu'il me voie. D'ailleurs avant, je regardais toujours par la fenêtre. J'aime ça regarder les oiseaux. Il n'y en a pas beaucoup dans la cour de l'école, c'est vrai, mais quand un oiseau s'envole, je m'envole avec lui. Je pars dans le monde des rêves. Dans ma tête, j'ai plein de tiroirs, j'en ouvre un, puis un autre et un autre encore et c'est chaque fois plus beau. Mon professeur, lui, n'aimait pas que mes pensées s'en aillent là-bas dans un univers sans divisions ni règles de grammaire, sans devoirs ni leçons ; il préférait que mes pensées restent sagement dans la classe.

Alors, il m'a changée de place et m'a assise à côté du mur, au premier rang. Mais que je sois au premier ou au dernier rang, à côté du mur ou de la fenêtre, mes notes restent toujours les mêmes. Ni bonnes ni mauvaises, je suis dans la moyenne, enfin… à part en orthographe. Faire des fautes, c'est ma spécialité. Je mets un « r » ou bien deux « t », j'enlève un « s », rajoute un « e » et, quoi que je fasse, ce n'est jamais à la bonne place. Ma mère, ça ne l'inquiète pas, elle dit que si je m'applique un peu plus chaque jour, ça viendra. Les adultes disent souvent que les choses s'arrangent avec le temps. Alors, je mets deux « r », j'ajoute un « t », j'enlève un « s » et puis j'attends…

J'ai commencé à parler à Jérôme quand on jouait au ballon puisque nous étions dans la même équipe. Ensuite, à la récréation, on partageait nos fruits ou nos barres de chocolat. Ce que j'aime avec Jérôme, c'est qu'il a toujours un tas de choses à raconter. Au début de l'année, Jérôme disait qu'il voulait devenir explorateur, son rêve, c'était de découvrir de nouveaux pays. Mais ça, c'était avant, parce que les choses ont changé…

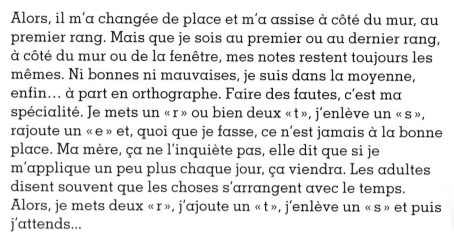

Oui… Un jour, Jérôme n'est pas venu à l'école, et quand j'ai téléphoné chez lui, sa mère m'a dit qu'il était malade, très malade. Comme j'avais peur qu'il ne revienne plus jamais à l'école, je lui ai demandé si Jérôme avait une maladie qui faisait mourir. Sa mère ne m'a pas répondu tout de suite. Il y a eu un grand silence, puis elle m'a dit :

— T'es gentille d'avoir appelé, Noémie. Je vais dire à Jérôme que tu as téléphoné, il va être content. Mais pour l'instant, il ne peut pas retourner à l'école, il ne peut voir personne…

Et elle a répété :

— Je vais lui dire que tu as téléphoné, d'accord ?

J'avais tellement de peine que je n'arrivais pas à parler. Et voilà que je me suis mise à pleurer; mes larmes coulaient toutes seules, elles coulaient dans le téléphone comme un ruisseau dans une grande rivière. Je pleurais parce que je ne voulais pas que Jérôme soit malade, je ne voulais pas...

Jérôme a été absent une semaine, puis deux. Et après un mois, sa place était toujours vide. C'est alors que j'ai décidé d'aller chez lui, car je me suis dit qu'il était trop malade pour venir à l'école, mais qu'il pouvait peut-être quand même jouer dehors... Jérôme n'habite pas loin de l'école, il lui suffit de tourner le coin et de traverser deux rues; traverser ces deux rues-là, c'est compliqué parce que les voitures vont dans tous les sens et elles tournent de chaque côté. Mais moi, je fais attention, je fais toujours attention quand je suis toute seule. En plus, il fallait que je me dépêche parce que je n'avais pas dit à ma mère que j'allais chez Jérôme. Si je ne l'ai pas dit, c'est parce que j'y ai pensé juste en sortant de l'école. Et comme je trouvais que c'était une bonne idée, alors j'y suis allée.

Quand je suis arrivée devant chez Jérôme, j'ai regardé partout mais je ne l'ai pas vu. Il n'y avait même pas de voiture devant sa maison... J'ai donc fait demi-tour.

En marchant, mes yeux se sont tout embués, comme les vitres de la salle de bains, mais je marchais quand même, il fallait bien rentrer.

En traversant la rue, une voiture est passée tout près de moi et quand elle a freiné, ça a fait tellement de bruit que j'ai sursauté. Puis un homme a sorti sa tête en dehors de la voiture et il s'est mis à crier. Il criait si fort qu'on voyait toutes ses dents et elles n'étaient pas belles :

— On traverse pas quand c'est rouge, tes parents t'ont pas appris ça ?

Pour être en colère, je peux dire qu'il était en colère… Il m'a fait tellement peur que mon cœur s'est mis à cogner. Après, je n'arrêtais pas de me répéter à chaque pas « Fais attention Noémie, fais attention » mais dans ma tête, je ne pensais pas aux voitures, non, parce que dans ma tête, il y avait Jérôme.

Tiré de Claudie STANKÉ, *Jérôme et le silence des mots*, Carignan, Les Éditions Alexandre Stanké, 2000.

# La métamorphose d'Helen Keller

Pour Helen, tout se passa d'abord au mieux. Elle fit des risettes, aima et se développa comme n'importe quel bébé. Elle commença par se déplacer à quatre pattes, puis marcha et apprit à parler. Chaque jour apportait sa moisson d'aventures.

Et puis tout se bloqua. La veille, Helen riait et jouait comme d'habitude. Le lendemain, elle était clouée au lit, visiblement très, très malade. On appela le médecin, mais il ne put pas faire grand-chose. Une fièvre étrange la consumait.

Helen avait probablement la scarlatine. De nos jours, il existe des médicaments qui auraient pu la guérir. Mais Helen est née il y a plus de cent ans, avant que ces médicaments ne soient inventés.

Aussi Helen s'affaiblit-elle de jour en jour. Le médecin ne laissait guère d'espoir à sa mère et à son père. Helen Keller n'avait que dix-huit mois, et le médecin était convaincu qu'elle ne dépasserait pas beaucoup cet âge.

Et soudain, la fièvre tomba brusquement. Helen sembla se rétablir. M. et M^me Keller poussèrent un soupir de soulagement.

— Maintenant, tout va rentrer dans l'ordre, dit le médecin.

Mais ce ne fut pas le cas. Helen dormit pendant des heures. Quand elle s'éveilla, c'était le matin. Le soleil entrait à flots par la fenêtre, et son lit était baigné de lumière.

M^me Keller se pencha sur son bébé. Elle sourit et agita sa main devant le visage d'Helen. Bien que ses yeux fussent grands ouverts, elle ne cilla même pas.

C'était bizarre. M^me Keller remua de nouveau la main, plus près des yeux de sa fille. Helen regardait droit devant elle.

Cette fois, M^me Keller alla chercher une lampe et en dirigea la vive lumière dans les yeux de l'enfant. Le regard d'Helen resta fixe.

Sa mère fondit en larmes.

— Helen est aveugle. Elle ne voit rien. Mon bébé est aveugle !

Un matin, quelques jours plus tard, M^me Keller habilla Helen et l'assit par terre au milieu de la chambre. À ce moment-là, une cloche se mit à carillonner dans la cour. Chez les Keller, cette cloche annonçait les repas. Helen adorait manger. Chaque fois qu'elle entendait tinter la cloche, elle trottinait au plus vite vers la salle à manger. Mais ce matin-là, elle ne fit pas un geste. Elle n'eut aucune réaction.

M^me Keller était en train de faire le lit de sa fille.

— Helen ? appela-t-elle. Helen ?

Mais Helen ne bougea pas.

M^me Keller ramassa un hochet parmi les jouets et le secoua vigoureusement contre l'oreille de sa fille qui ne tourna même pas la tête.

Alors sa mère comprit. Cette fois, elle ne pleura pas. Simplement, elle se baissa et prit Helen dans ses bras.

— Mon bébé est également sourd, murmura-t-elle.

Tiré de Margaret DAVIDSON, *La métamorphose d'Helen Keller*, Paris, Éditions Gallimard Jeunesse, 2001.

# Dossier ③

# En forme !

# EN FORME?

Auparavant, beaucoup de gens mouraient à cause des virus et des bactéries. Aujourd'hui, nous avons un autre ennemi : nos mauvaises habitudes de vie ! Dans les pays riches, par exemple, ce sont la mauvaise alimentation, le manque d'activité physique et la cigarette qui tuent le plus.

Même les jeunes subissent les effets de ces mauvaises habitudes. D'après des études récentes, les enfants seraient en mauvaise forme de plus en plus jeunes.

## Un excès de poids !

En 1999, le ministère de la Santé et des Services sociaux du Québec a réalisé une enquête importante sur la santé des jeunes de 9 à 16 ans. Cette enquête a démontré qu'un peu plus de 10 % des jeunes font de l'embonpoint, c'est-à-dire qu'ils ont un surplus de poids par rapport à leur taille. Cette même enquête a révélé qu'environ 4 % des jeunes de cet âge sont obèses, ce qui signifie que ce surplus de poids est élevé. Et ces pourcentages augmentent d'année en année.

L'obésité est maintenant une maladie reconnue. On la définit comme un excès de masse grasse qui nuit à la santé. Chez les adultes, l'excès de poids entraîne souvent d'autres maladies, comme le diabète ou les troubles cardiaques. Or, le risque d'être obèse une fois adulte est beaucoup plus élevé chez les enfants obèses que chez les autres enfants.

Comment devient-on obèse ? La plupart du temps, c'est en absorbant plus de kilojoules qu'on en dépense. Le kilojoule est l'unité qui permet de mesurer l'énergie contenue dans un aliment. Pour fonctionner, notre corps a besoin d'énergie. Lorsqu'il reçoit plus de kilojoules qu'il n'en consomme, le corps stocke le surplus sous la forme de graisse.

## La « malbouffe »

Pourquoi les jeunes souffrent-ils davantage d'obésité aujourd'hui ? Est-ce parce qu'ils mangent davantage que jadis ? Ce serait plutôt parce qu'ils se nourrissent plus mal ! C'est ce qu'on appelle la « malbouffe » : trop de mauvais gras (frites, croustilles, etc.), trop de sel, et pas assez de fruits et de légumes.

Une personne de 10 à 12 ans, en pleine croissance, doit absorber chaque jour environ de 9600 kilojoules (pour les filles) à 10 800 kilojoules (pour les garçons). Le problème, c'est qu'il nous arrive aussi d'ingérer des « kilojoules vides ». Ceux-ci contiennent de l'énergie, mais peu ou pas d'éléments nutritifs : les nutriments.

Les nutriments servent à construire les cellules du corps. Par exemple, les protéines qu'on trouve dans la viande sont des nutriments. Certains nutriments, comme les glucides, donnent de l'énergie aux muscles. Des glucides, il y en a dans le pain complet. D'autres, comme les vitamines, permettent d'accélérer les réactions chimiques et de prévenir les infections. Le défi d'une bonne alimentation est donc de choisir des aliments qui offrent le plus de nutriments pour leur valeur en kilojoules.

Au Canada, à la fin du primaire, environ 25 % des garçons mangent des croustilles chaque jour, contre 15 % des filles, selon une étude faite en 1998 par l'Organisation mondiale de la santé (OMS). Par contre, le quart des élèves ne mangent parfois aucun fruit ou légume dans une journée. Cette tendance a augmenté depuis 10 ans. Et au total, c'est la majorité des 6 à 12 ans qui ne consomment pas chaque jour les 7 portions recommandées de fruits et de légumes : 4 enfants sur 5 ! Inquiétant.

## Mieux manger

Pour bien s'alimenter, il faut de la variété : chaque repas doit contenir au moins un aliment de chacun des quatre groupes alimentaires : les produits céréaliers (pain de blé entier, pâtes alimentaires, etc.), les fruits et légumes, les produits laitiers (incluant le yogourt, le fromage, etc.) et les viandes et substituts (poulet, pois chiches, noix, etc.).

Manger moins gras est aussi très important. Pour cela, pas besoin de couper dans la viande, le lait ou le fromage : la majorité des gras se trouvent dans les huiles, le beurre, la margarine et les vinaigrettes ! Si on veut consommer moins de sucre, il suffit de boire moins de boissons gazeuses. Une boisson contient l'équivalent de six cuillerées à thé de sucre !

## Actif ou inactif ?

Si on est plus obèse qu'auparavant, c'est aussi parce qu'on bouge moins ! On dépense donc moins de kilojoules qu'on en absorbe.

Au Québec, 57 % des garçons et 71 % des filles de 13 ans ne sont pas assez actifs, selon l'enquête du ministère québécois de la Santé et des Services sociaux. Ce manque d'activité physique nuit à la croissance. En effet, à long terme, l'exercice aide à développer les os et les muscles. À court terme, l'exercice améliore la mémoire et permet de se détendre.

Que veut-on dire par « assez actif » ? Kino-Québec[1] recommande aux enfants et aux adolescents d'être physiquement actifs tous les jours ou presque, par le sport, les déplacements, les loisirs, les activités à la maison. De plus, cet organisme conseille

1. Kino-Québec est un organisme du gouvernement du Québec qui fait la promotion de l'activité physique auprès de la population.

de pratiquer des activités physiques d'intensité moyenne ou plus élevée pendant 20 minutes au moins 3 fois par semaine. Pour qu'une activité soit d'intensité moyenne, il faut qu'elle fasse transpirer ou respirer rapidement.

Bien sûr, plusieurs enfants font de l'exercice même s'ils ne sont pas de grands athlètes. Mais environ 20 % des jeunes de 5 à 17 ans sont sédentaires, c'est-à-dire qu'ils ne bougent pas beaucoup. Cela signifie qu'ils ne font pas plus d'une heure par semaine d'activité physique. Une personne sédentaire court presque deux fois plus de risques de souffrir, plus tard, d'une maladie cardiaque qu'une personne active, selon Kino-Québec. Or, le Québécois de 9 ans passe en moyenne 18 heures par semaine… devant la télévision et l'ordinateur.

## Des trucs pour bouger

Le *Guide d'activité physique canadien pour les jeunes* de Santé Canada donne un truc pour devenir plus actif. Pendant le premier mois, on fait chaque jour son activité normale et on ajoute 20 minutes d'exercices modérés (marche, bicyclette) et 10 minutes d'exercices vigoureux (soccer, course, etc.). Le mois suivant, on fait 30 minutes d'exercices modérés. Et, pour les exercices vigoureux, on passe de 10 à 15 minutes. Bref, chaque mois, on ajoute 10 minutes d'exercices modérés et 5 minutes d'exercices vigoureux. Au bout du cinquième mois, on fera quotidiennement au moins une heure d'exercices modérés et 30 minutes d'exercices vigoureux.

Des idées d'exercices modérés ? Se rendre à l'école à pied en marchant d'un bon pas ou à bicyclette, si c'est possible. On boude les ascenseurs. On prend plutôt les escaliers !

Avoir une bonne forme physique, ce n'est pas nécessairement une question de gros muscles. La recette, c'est de bien s'alimenter et de bouger. En fait, c'est une question de gros… bon sens !

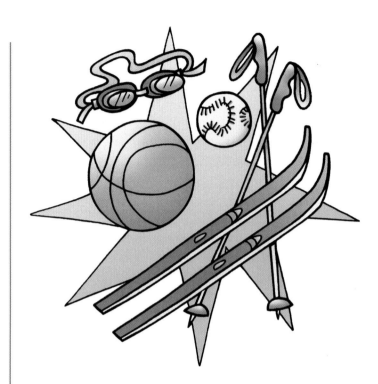

**TABLEAU 1** – Pourcentage des jeunes faisant 7 séances ou plus d'activité physique par semaine*

|  | 9 ans | 13 ans | 16 ans |
|---|---|---|---|
| **Garçons** | 54 % | 56 % | 53 % |
| **Filles** | 44 % | 47 % | 35 % |

▲ Il semble que l'activité physique soit moins populaire chez les filles que chez les garçons, et cela peu importe l'âge.

**TABLEAU 2** – Pourcentage des jeunes qui déjeunent tous les jours d'école*

|  | 9 ans | 13 ans | 16 ans |
|---|---|---|---|
| **Garçons** | 77 % | 69 % | 69 % |
| **Filles** | 82 % | 58 % | 64 % |

▲ De nombreux jeunes arrivent à l'école l'estomac vide. Résultat? Manque de concentration, fatigue, baisse des résultats scolaires.

\* Selon l'*Enquête sociale et de santé auprès des enfants et des adolescents québécois*, 1999.

# En forme… dans sa tête !

Quand on dit d'une personne qu'elle est en santé, on l'imagine capable de faire du vélo, de courir sans être trop essoufflée, etc. Mais être en santé, c'est aussi se sentir bien dans sa tête, dans sa peau… C'est être en santé mentale !

## Des périodes difficiles

Ainsi, pour être en santé mentale, il faut apprendre à vivre avec les changements et les problèmes qui surviennent au jour le jour. À ce titre, l'enfance et l'adolescence sont des moments difficiles, car le corps et la personnalité changent très rapidement ! De plus, c'est la période où l'on apprend à faire des choix importants dans la vie.

Ce n'est donc pas étonnant si tous les jeunes éprouvent des petits problèmes de santé mentale. On pense, par contre, qu'entre 10 % et 20 % des Québécois de 5 à 18 ans vivent des problèmes plus importants. Heureusement, presque 9 jeunes sur 10 arrivent à résoudre ces difficultés, avec l'aide des autres ou simplement avec le temps.

Il est donc courant d'avoir un problème de santé mentale. À preuve : selon l'Association canadienne pour la santé mentale, un Canadien sur six vivra une maladie mentale au cours de sa vie. Pourtant, on en parle très peu…

## L'estime de soi : une protection

Quand on regarde nos points forts et nos points faibles, nos qualités et nos défauts, on s'évalue. Cette évaluation, c'est ce qu'on appelle « l'estime de soi ».

Au Québec, 28 % des filles et 17 % des garçons de 13 ans ont une faible estime de soi. Cela signifie que ces jeunes ne se trouvent pas très intelligents ou pas très beaux ou pas très utiles, etc. On dit qu'ils ont une image négative d'eux-mêmes ; ils se dévalorisent.

Ceux-là sont plus à risque que les autres d'avoir des problèmes de santé mentale. Les enquêtes démontrent en effet que lorsqu'on a une bonne estime de soi, on est moins affecté par les changements et les conflits qui surviennent autour de nous. Par exemple, ceux et celles qui ont une bonne estime de soi s'adaptent au stress plus facilement.

**Tableau 1** – Pourcentage des jeunes ayant une faible estime de soi*

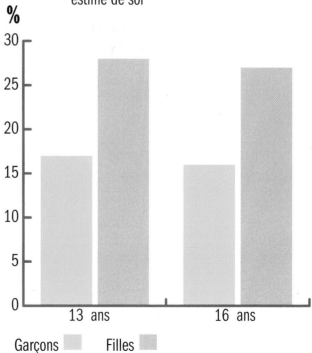

*Selon l'*Enquête sociale et de santé auprès des enfants et des adolescents québécois*, 1999.

L'idéal est donc d'arriver à s'apprécier tel que l'on est, avec ses défauts, mais surtout sans oublier ses qualités !

## Le stress : bon ou mauvais ?

On entend beaucoup parler de stress. Les gens disent « je suis trop stressé », « les examens, c'est stressant », etc. Pourtant, le stress n'est pas nécessairement mauvais. De façon normale, c'est ce qui nous permet de réagir à une situation : d'être plus attentif pendant un examen par exemple, ou encore de réagir adéquatement en cas de danger ! L'organisme se met en état d'alerte et emmagasine de l'énergie pour répondre au défi.

Par contre, il arrive que notre organisme demeure dans un état d'alerte constant. Le stress exige alors trop d'énergie. La personne se sent fatiguée physiquement et mentalement et elle peut tomber malade. Cette situation peut survenir si on vit trop d'inquiétude ou de problèmes, de la violence à l'école ou des conflits à la maison, par exemple.

### Des trucs pour vivre moins de stress

1. Classe les tâches à accomplir par ordre de priorité : ce qui est vraiment urgent et ce qui peut attendre.

2. Si tu es stressé à la pensée d'un travail à faire, découpe-le en étapes.

3. Fais de l'exercice : après 30 minutes d'exercice, l'anxiété diminue de beaucoup. À essayer avant un examen !

4. Pense à respirer profondément. Tu ris ? Observe-toi la prochaine fois que tu auras à faire une activité qui te stresse, comme une présentation orale !

**TABLEAU 2** – La violence à l'école*

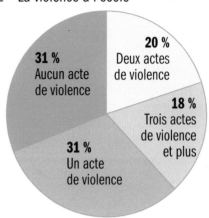

Lors d'une enquête menée en 1998, 69 % des jeunes de 9 ans ont déclaré avoir été victimes d'un acte de violence ou plus. Or, on sait que la violence à l'école est une source importante de stress.

*Selon l'*Enquête sociale et de santé auprès des enfants et des adolescents québécois*, 1999.

## Du régime aux troubles alimentaires

Les troubles alimentaires font aussi partie des problèmes de santé mentale chez les jeunes.

Beaucoup n'aiment pas leur corps. Ainsi, près de la moitié des jeunes de 9 ans essaient de perdre ou de gagner du poids. À 13 ans, c'est 60 %. Pourtant... la plupart d'entre eux ont un poids normal !

Dans 9 cas sur 10, le trouble alimentaire concerne les filles.

L'anorexie est un de ces troubles. De 1 % à 2 % des adolescentes en souffrent au Canada. Même si elles sont très maigres, certaines filles se voient encore grosses et elles sont obsédées par la peur de prendre du poids. Au point où elles arrivent à ne manger qu'une pomme par jour... Leur santé s'en ressent évidemment : leur cœur bat irrégulièrement, leurs menstruations cessent, etc. On dit qu'elles souffrent d'anorexie ! Dans certains cas, ce désordre alimentaire peut même causer la mort...

L'autre trouble relié à la nourriture est la boulimie. Celle-ci est plus difficile à détecter parce que les personnes boulimiques ne maigrissent pas nécessairement. Pourtant, ici aussi, la nourriture est une obsession. Pendant ses crises, la personne boulimique ingurgite n'importe quoi, des sucreries la plupart du temps, en quantité impressionnante et dans un court laps de temps. Ensuite, elle utilise des moyens pour éliminer les calories emmagasinées. Elle peut se faire vomir, prendre des laxatifs, faire de l'exercice de façon exagérée, etc.

## La dépression, plus qu'une déprime

Au Canada, près d'un élève de 6e année sur quatre dit être déprimé au moins une fois par semaine.

C'est normal de se sentir déprimé. Mais si on se sent tellement triste qu'on a l'impression d'être inutile, impuissant, désespéré, on doit soigner ce qu'on appelle alors une dépression.

La dépression survient souvent après un très grand stress : deuil, maladie grave, etc.

Des indices : la personne dépressive dort très mal ou beaucoup trop, elle manque d'appétit et a des maux de tête constants. Elle s'isole et croit que personne ne l'aime. Elle éclate en larmes pour rien et régulièrement. Elle pense souvent à la mort.

La dépression touche de plus en plus de jeunes, soit entre 2 % et 8 % des adolescents. Les deux tiers sont des filles.

La dépression, ça se soigne ; il faut donc consulter un médecin et surtout ne pas se dire que ça va passer.

## Le suicide et le comportement suicidaire

On estime que parce que les jeunes font plus de dépressions qu'avant, ils sont plus nombreux à se suicider. Au cours de l'année 2000, 94 garçons et 18 filles de moins de 18 ans se sont suicidés au Québec.

Plus inquiétant encore : pour chaque suicide complété, on estime qu'il y a entre 50 et 200 tentatives. À 13 ans, 2 % des garçons et 6 % des filles ont déjà fait un geste pour s'enlever la vie.

Malgré cela, les gens hésitent à en parler. Sentiment de honte, de culpabilité. Pourtant, des spécialistes peuvent intervenir pour aider à régler ces problèmes.

Il est triste de penser que moins de la moitié des jeunes qui souffrent de troubles mentaux reçoivent de l'aide. Le secret, pour prendre soin de sa santé mentale, c'est d'en parler à un ami, à un parent, à quelqu'un en qui on a confiance à l'école lorsqu'on a des pépins et de voir un médecin si l'on en a besoin. On va bien à la clinique quand on a un bras cassé ou un gros mal de ventre ! Pourquoi ne le ferait-on pas si on ne se sent pas bien dans sa tête ?

# Qu'est-ce que l'architecture ?

La jeune Alexia ne savait pas que l'architecture existait. Pourtant, le soir dans sa chambre, elle imaginait que le plafond disparaissait et qu'alors, elle voyait le ciel et les étoiles. L'été, quand elle jouait dans le sable, elle construisait des châteaux. Un jour, elle aurait une maison, avec de grandes fenêtres pour voir le soleil qui se couche et les oiseaux qui passent. Sans le savoir, Alexia rêvait d'architecture.

## Profession : architecte

Le mot « architecte » nous vient des Grecs, qui bâtissaient beaucoup. Sur un chantier de construction, le meilleur ouvrier s'appelait l'architecte, *tecton* voulant dire « ouvrier » en grec, et *archi-tecton*, l'ouvrier par excellence.

Aujourd'hui, l'architecte apprend son métier à l'université. C'est cette personne qui, avec des ingénieurs et des urbanistes, imagine des immeubles, les dessine, en fait les plans et en supervise la construction.

> C'est l'art de bâtir, c'est l'intelligence des formes. C'est la matière qui devient espace et l'espace qui devient lieu.

La plupart des gens ne s'arrêtent pas pour penser à l'architecture. Pourtant c'est un sujet vaste, qui nous touche beaucoup. Réfléchissons à tous ces immeubles où nous dormons, travaillons, allons à l'école, jouons…

## L'architecture : art et science

L'architecte est un artiste, et il façonne notre entourage. Par le choix des formes, des matières et des couleurs, il ou elle crée la coquille qui abrite nos vies quotidiennes. Son œuvre compte plus, pour chacun de nous, que l'œuvre de tout autre artiste. Quand un ou une peintre fait un mauvais tableau, on l'oublie vite, mais quand l'architecte conçoit un bâtiment disgracieux, on l'a sous les yeux longtemps !

L'architecte est aussi un scientifique. Pour construire un bâtiment, la première chose à savoir, c'est comment le faire tenir debout ! Il faut donc imaginer une structure solide, qui supporte un toit. L'architecte y arrive en obéissant aux lois de la nature et en observant le comportement des matériaux.

L'architecture est une science mais aussi un art. La science permet de maîtriser les règles de l'équilibre et les lois des proportions. L'art permet d'en déceler les beautés. Et c'est par le va-et-vient entre les deux que l'on invente des lieux de vie agréables et fonctionnels.

Voilà pourquoi ce métier est si important…

## Lignes verticales et horizontales

Pendant des milliers d'années, on a presque tout construit à partir d'une forme très simple : des verticales supportant des horizontales. C'est ainsi que l'on a construit aussi bien des cabanes que des temples. Les colonnes de marbre ont joué le même rôle que les poteaux de bois. Pourtant, il était dangereux de construire trop haut, car poutres et colonnes risquaient de plier ou de se rompre. Aujourd'hui, les structures sont en acier et en béton, ce qui permet de superposer des centaines de fois cet assemblage de verticales et d'horizontales, pour obtenir les plus hauts gratte-ciel.

## La révolution de l'arc

Il y a 5000 ans, en Égypte et en Asie Mineure, bien longtemps avant que l'on connaisse l'acier et le béton, les architectes ont appris à utiliser une structure courbe, en forme d'arc. Cette forme leur permettait de réaliser des bâtiments beaucoup plus hauts. Pourquoi ? Parce qu'une courbe peut supporter plus de poids qu'une ligne droite.

Les arènes de Nîmes, en France, bâties par les Romains il y a plus de 2000 ans. Sans les arcs, cette construction aurait été impossible.

Le secret de l'arc, est la clé de voûte : une pierre centrale placée au sommet de l'arc, et qui empêche les autres pierres de s'effondrer.

Ce sont les architectes de l'Empire romain, il y a environ 2000 ans, qui ont vraiment tiré parti de ce secret. Peu à peu, ils ont juxtaposé et superposé des arcs. Ils ont ainsi réalisé des constructions colossales et très complexes : des piscines qui accueillaient jusqu'à 1600 baigneurs, des amphithéâtres immenses ou encore d'énormes aqueducs qui acheminaient l'eau des campagnes vers les villes. En développant la maîtrise de l'arc, les architectes ont contribué à faire des Romains les maîtres du monde.

## La forme pyramidale

Des civilisations disparues depuis longtemps nous ont laissé d'étranges constructions en forme de pyramide. Ce sont de volumineux monuments dont la base est un quadrilatère et les quatre faces sont des triangles. Les plus célèbres de ces constructions sont les pyramides d'Égypte, où l'on enterrait les pharaons. Leurs constructeurs étaient d'excellents maçons. En effet, les énormes blocs de pierre qui constituent les monuments sont si bien ajustés qu'il est impossible d'insérer une lame de couteau entre 2 d'entre eux, même aujourd'hui, presque 5000 ans plus tard !

La forme pyramidale a aussi servi à construire des monuments au Mexique, dans des cités aujourd'hui désertées et parfois envahies par la jungle. Dans un lointain passé, ces énormes bâtiments ont servi de temples.

La forme pyramidale sert encore en architecture, et elle donne souvent une allure moderne aux bâtiments. Par exemple, en 1993, on a construit à Paris, devant l'entrée du musée du Louvre, une pyramide en verre qui contraste avec ce château, dont la construction a commencé il y a plus de 800 ans. Et les pyramides olympiques, construites à Montréal dans les années 1970, montrent encore une fois à quel point cette forme est élégante et moderne.

La pyramide de verre et d'acier constitue l'entrée principale du musée du Louvre.

## Des forteresses en polygones

Il n'y a pas que les humains qui construisent ! Certains animaux le font aussi, comme le castor qui se fabrique des huttes, des barrages, des canaux. Ou les oiseaux qui se font des nids. Mais c'est chez les insectes que l'on trouve les architectes les plus extraordinaires.

Ainsi, pour abriter leur miel, les abeilles se bâtissent de véritables cités, aussi closes que des forteresses. À l'intérieur de leurs ruches gardées par des soldats, les abeilles fabriquent des cellules en cire de forme hexagonale, c'est-à-dire qui ont six côtés et six angles. Ces insectes extrêmement disciplinés

La structure régulière des rayons de miel est remarquable. Ces constructions parfaites servent à stocker le miel et à loger les larves qui deviendront des abeilles.

ont choisi la forme la plus parfaite qui soit pour combler leurs besoins, car ainsi ils ne perdent pas d'espace ; chaque cellule offre à ses voisines six murs sur lesquels s'appuyer.

Si les abeilles ont opté pour une construction hexagonale, l'armée américaine, elle, a opté pour une construction pentagonale, c'est-à-dire un bâtiment à cinq côtés et à cinq angles, achevé en 1943 et situé à Washington. On l'appelle « Le Pentagone ».

Le Pentagone à Washington compte 28 kilomètres de corridors. Pourtant, grâce à la forme de l'immeuble, il suffit de sept minutes pour que deux personnes situées aux extrémités puissent se rencontrer.

Plus près de nous, à Québec, sur le Cap Diamant, on trouve un bâtiment militaire à plusieurs côtés. Cette belle forteresse ressemble à une étoile et s'appelle « La Citadelle ».

Enfin, il y a également la forme du triangle qui a inspiré à Moscou la construction d'une célèbre forteresse : le Kremlin, qui veut justement dire « citadelle » en russe et qui abrite le gouvernement.

## La sphère : une forme sportive

La forme sphérique est souvent utilisée dans la construction de stades. C'est le cas du Stade olympique de Montréal. Ce bâtiment spectaculaire, qui accueille 55 000 personnes assises, est fait de béton armé, un matériau aux multiples possibilités. Avant notre époque, aucun architecte n'aurait pu construire un tel vaisseau avec son grand mât, qui est la tour penchée la plus haute du monde !

## Architecture et civilisation

L'architecture est un témoin de la civilisation dans laquelle on vit. Ainsi, les belles églises et les beaux presbytères de nos campagnes nous racontent l'importance que la religion avait dans notre société.

Cependant, l'architecte veut d'abord et avant tout s'exprimer en bâtissant. Ainsi il peut aussi bien concevoir une maison de campagne qu'une polyvalente, une tour à bureaux qu'une salle de spectacles.

Quand on veut s'initier à l'architecture, on peut lire des livres ou suivre des cours, mais l'idéal, c'est de regarder autour de soi. En levant les yeux au ciel, on voit quelle sorte de toit couvre une maison… En baissant le regard, on découvre quel type de clôture ferme une cour… En regardant à l'intérieur d'un bâtiment, on remarque le style des fenêtres…  En observant une façade, on admire les proportions des formes…

Ou, comme Alexia, avant de s'endormir on rêve à la maison qu'on se construira plus tard, avec de grandes fenêtres pour voir le soleil qui se couche et les oiseaux qui passent !

Le Stade olympique avec sa forme aux allures de sphère, fait maintenant partie intégrante du paysage de Montréal.

# Qu'est-ce que le design ?

## Une discipline liée à l'industrie

La grande industrie a créé une nouvelle discipline : le design. Désormais, les objets sont fabriqués par des machines. Or, il faut quelqu'un pour passer les commandes à ces machines, quelqu'un pour les imaginer, ces objets. C'est le ou la designer. C'est cette personne qui décide de leur forme, détermine leur taille, choisit la couleur et la matière dont ils seront faits.

Qu'il s'agisse d'étiquettes, de sèche-cheveux ou de pâtes alimentaires, tout doit être décidé à l'avance, et très précisément. Une fois la machine partie, il vaut mieux ne pas l'arrêter.

## Profession : designer

Le concepteur est designer *graphique* quand il travaille sur papier ou à l'écran, et designer *industriel* quand il invente des objets de tous les jours.

Dans l'un et l'autre cas, cette personne fait des dessins et des maquettes, cherche des matériaux nouveaux et se documente sur les technologies. Elle connaît les comportements des gens. Elle se tient au courant des idées et des modes. Quand elle prend des décisions, elle tient compte des machines qui existent, de l'argent qui est disponible, des profits visés et des goûts du public.

C'est tout cela qui donne à un produit sa personnalité. Le produit raconte alors une histoire et c'est ce qui lui permet de prendre sa place sur le marché.

> C'est l'art et la technologie qui s'unissent pour fabriquer des objets en série.

## Un domaine rêvé pour le design : la voiture

Le 20e siècle a été le siècle des automobiles, et les designers ont donné à ces véhicules toutes sortes de formes : rondes et anguleuses, allongées et trapues, hautes et basses, avec marchepieds, ailerons, moustaches… Certains designers de carrosseries, qu'on appelle des carrossiers, ont été, au début du siècle dernier, aussi célèbres que les grands couturiers de la mode le sont aujourd'hui. Ils ont créé des produits qui ont su fasciner les gens. L'histoire de ces voitures se confond avec l'histoire de leur pays et du siècle qui les a vues naître.

**Aux États-Unis, la Cadillac.** Cadillac est le nom d'un jeune officier de l'armée française qui avait fondé la ville de Detroit, aux États-Unis. Deux cents ans plus tard, soit en 1902, on donne son nom à une voiture dont le châssis est surélevé. Cela en fait un véhicule particulièrement adapté au mauvais état des routes de l'époque. Le design de la Cadillac évolue et devient, dans les années 1950, le symbole du luxe « à l'américaine ». Ses concepteurs la munissent alors d'immenses ailerons arrière qui ressemblent au fuselage d'un avion ou à des torpilles.

Cadillac 1959. Après la Seconde Guerre mondiale, les designers américains s'inspirent des avions et des armes de guerre pour concevoir les modèles d'automobiles.

**En Allemagne, la Volkswagen.** S'il est un design de voiture qui a fait sa marque, c'est bien celui de la Volkswagen. La firme fut créée en 1936, à la suite d'une décision du dictateur Adolf Hitler. Celui-ci souhaitait que chaque citoyen allemand puisse posséder une voiture (Volkswagen signifie « voiture du peuple »). Le responsable du design était un certain Ferdinand Porsche, alors technicien chez Mercedes. Cette mini-voiture, toute ronde, a connu un succès gigantesque. De forme aérodynamique, elle était conçue pour bien avancer contre le vent : ses phares étaient intégrés dans les ailes, et son petit moteur était placé à l'arrière. Le coffre se trouvait à l'avant.

Triumph 1957. Une voiture sport grand public.

Volkswagen 1938. Le moteur est à l'arrière !

**En Grande-Bretagne, la Triumph.** L'originale et attachante petite Triumph était produite en Angleterre, mais conçue par un designer italien. La voiture était accessible à un large public, qui avait la joie de rouler dans une séduisante voiture sport. Dotée d'une bonne mécanique, elle avait des phares comme des yeux de grenouille surmontés de gros sourcils, et une belle grille avant, appelée « calandre », pour laisser respirer le moteur robuste... Autant de qualités pour ce chef-d'œuvre du design des années 1950 et 1960.

**En France, la 4 CV Renault.** Cette voiture fut conçue en secret au moment où l'armée allemande occupait la France, pendant la Seconde Guerre mondiale. Après la guerre, on a décidé d'en produire en quantités industrielles, pour le plus grand plaisir des Français et des Françaises. En 1947, la 4 CV se présentait avec une robe jaune sable, et on l'a vite baptisée « la petite motte de beurre ». Elle avait alors une calandre à six grilles, que l'on appelait des « moustaches »...

La 4 CV est la première automobile française à avoir été fabriquée à un million d'exemplaires.

## Le design de mode

La mode est un autre domaine où les designers ont beaucoup à faire, car chaque bouleversement de la société entraîne des changements dans le design des vêtements.

Dans les années 1920, les femmes ont exigé leur place dans la société. Devant cette poussée du pouvoir féminin, les designers de mode ont créé des robes courtes et des tailles basses, mettant en valeur les petites poitrines et le style « garçon ».

En Europe, pendant la Seconde Guerre, on manquait de tissu. Après la guerre, la prospérité est revenue et les designers de mode ont voulu faire plaisir à tout le monde : ils ont dessiné des vêtements longs, très longs, avec une abondance de plis et de surplis.

Dans les années 1960, à l'époque du *peace and love*, les jeunes recherchaient des valeurs de partage, et des milliers d'entre eux voulaient cultiver la terre. Les designers de cette époque ont donc dessiné de grosses chaussures robustes et des chemises amples fabriquées dans des tissus naturels.

Puis, dans les années 1980, bien des filles ont voulu revendiquer leur féminité et leur pouvoir d'attraction sexuelle. Les designers ont alors conçu des talons aiguilles, des tissus transparents, des accessoires délicats.

Ainsi, lorsqu'ils créent des vêtements, les designers précèdent ou suivent de près ce que les gens pensent.

## Deux conceptions du design

Nous entamons un nouveau siècle, et les designers d'aujourd'hui se trouvent devant deux façons d'aborder leur métier.

Soit qu'ils travaillent pour que les produits se vendent en grandes quantités. C'est ce qu'on appelle la production de masse. C'est le cas des designers d'appareils électroniques par exemple, qui veulent vendre le plus de lecteurs de disques ou de téléviseurs possible.

Soit qu'ils considèrent les produits conçus par eux comme des œuvres, au même titre qu'un tableau. C'est le cas de certains designers de mode, qu'on appelle aussi les grands couturiers. Ils ne produisent que quelques vêtements, les rassemblent en collections et les présentent au cours de défilés que les gens vont voir comme on va au musée. Les créations de ces designers inspirent l'ensemble du marché.

# Qu'est-ce que la sculpture ?

## Il était une fois...

Pour comprendre la sculpture, écoutons cette belle histoire racontée par le poète latin Ovide, au début de notre ère :

« Il y a très longtemps, dans une île grecque de la Méditerranée qui s'appelle Chypre, le roi Pygmalion sculptait avec une habileté merveilleuse dans de l'ivoire blanc comme la neige le corps d'une femme d'une rare beauté, tant et si bien qu'il devint amoureux de son œuvre.

« Le jour vint où Chypre tout entière célébra avec éclat la fête d'Aphrodite, déesse de l'amour. Alors, après avoir déposé son offrande, Pygmalion, debout devant l'autel, dit d'une voix timide : "Ô déesse, si vous pouvez tout accorder, donnez-moi pour épouse, je vous en supplie, une femme semblable à la vierge d'ivoire."

« De retour chez lui, l'artiste va vers la statue de la jeune fille ; il lui donne un baiser et croit sentir que ce corps est tiède. De nouveau il en approche sa bouche [...] ; à ce contact, l'ivoire s'attendrit [...]. La jeune fille prend vie et Pygmalion l'épouse. »

> C'est la passion de la forme. Et l'art des souvenirs collectifs.

Pygmalion sentait la vie dans l'ivoire blanc. De la même manière, les sculpteurs inuits regardent la pierre tendre, qu'on appelle « pierre à savon », et ils y voient un animal emprisonné. Ils cherchent alors à le libérer pour le montrer à tous. Les scènes qu'ils sculptent sont celles qu'ils ont l'habitude de vivre : chasse au phoque, combat contre l'ours, randonnée en kayak dans les eaux glacées...

À la différence d'une peinture ou d'un dessin, une sculpture peut être vue sous toutes ses faces. C'est ce qui incite les artistes à étudier le mouvement dans leurs œuvres, car les spectateurs tournent autour de la sculpture pour en apprécier les différentes facettes.

Œuvre de Cornelius Kuniluus. Les sculpteurs inuits travaillent la pierre, mais aussi les ossements de baleine, les bois de caribou et les cornes de bœuf musqué.

## L'art de la forme

La sculpture, c'est cela : un artiste crée une forme en trois dimensions, comme s'il était un dieu ou une déesse et qu'il avait le pouvoir de faire vivre la matière.

## À quoi servent les sculptures ?

Imaginons un instant un monde sans télévision, sans cinéma, sans radio, sans livres et sans presse écrite, comme ce fut le cas pendant des milliers d'années. Pour que les gens connaissent leurs rois et leurs reines, leurs dieux et leurs déesses, leurs héros et leurs héroïnes, on leur montrait ces personnages en sculptures. C'est pourquoi cette forme d'art a eu tant d'importance dans le passé et a donné lieu à tant de monuments et de chefs-d'œuvre.

Le mot « monument » vient du latin *moneo*, qui veut dire « avertir ». Le monument avertissait donc les passants de ce qu'ils devaient savoir : la reine est morte, l'empereur a gagné la bataille, le dieu de la mer est puissant, la déesse de l'amour a d'énormes pouvoirs… La sculpture jouait alors un rôle politique.

On trouvait également des sculptures sur des tombes. Elles servaient à honorer la mémoire des défunts, comme cela arrive encore de nos jours. La sculpture jouait alors un rôle funéraire.

Les fonctions de la sculpture ont changé avec la vie moderne. Pourtant, elle existe toujours et elle continue d'exercer son attrait en nous servant d'aide-mémoire.

## Des exemples québécois

Prenons trois exemples de sculptures réalisées par des artistes québécois. Trois sculptures très différentes, mais toutes trois en bronze et situées à Montréal.

La première, la plus ancienne, date du début du 20e siècle. Elle a été conçue par le grand artiste québécois Alfred Laliberté et se trouve devant le marché Maisonneuve. Il s'agit d'une fontaine. Cette sculpture, que l'on appelle *La Fermière,* ne représente ni un héros ni un dieu, et cela était nouveau au moment où l'artiste l'a réalisée. Elle personnifie une femme ordinaire, qui apporte au marché son panier de fruits. Avec son chapeau et sa grande jupe paysanne, la dame se tient au sommet d'une fontaine à trois paliers circulaires. Un peu plus bas, au deuxième palier, trois garçons arrivent

eux aussi au marché : l'un avec une chèvre, l'autre avec un énorme poisson et le troisième avec un gros dindon. Tout en bas, dans le bassin, six tortues géantes crachent de l'eau vers le haut, vers les garçons. Cette sculpture monumentale nous remémore que nous avons été des gens de la terre.

*La Fermière,* œuvre d'Alfred Laliberté, installée en 1916 devant le marché Maisonneuve à Montréal. L'artiste voulait représenter le lien entre les humains et la nature.

La deuxième sculpture est située tout près, sur la rue Viau et, contrairement à la précédente, elle symbolise un héros. Il s'agit du joueur de hockey Maurice Richard, qu'on appelait « le Rocket ». Cette sculpture joue un rôle commémoratif, c'est-à-dire qu'elle est là pour nous rappeler cet homme de notre histoire. Elle montre le sportif tel un géant perché sur ses patins, en train de marquer un but.

On peut admirer la sculpture de bronze faite par Jules Lasalle et Annick Bourgeau près de l'aréna Maurice-Richard à Montréal.

La troisième et dernière sculpture est aussi une fontaine. Il s'agit d'une œuvre de l'artiste le plus célèbre du Québec, Jean-Paul Riopelle. Celui-ci a voulu figer dans le bronze la représentation d'un jeu d'enfant : le jeu du drapeau. L'artiste aimait les sports, la nature et les Amérindiens. Il a donc donné à ses joueurs les traits d'un chef amérindien entouré d'animaux : un hibou, un ours, un poisson.

*La Joute* de Riopelle rappelle aux spectateurs d'ici leur enfance, leurs jeux et la présence des autochtones.

## Profession : sculpteur ou sculpteure

Spécialiste de la forme, le sculpteur ou la sculpteure façonne différents matériaux pour produire des objets. L'artiste peut réaliser des sculptures uniques ou des petites séries, des enseignes de magasins, des maquettes d'architecture, des prototypes qui serviront à fabriquer des objets en industrie, des décors pour le théâtre ou le cinéma, ou encore des éléments de design d'exposition pour les musées. Il peut aussi offrir sa production dans des salons des métiers d'art, des galeries et des boutiques, ou se spécialiser dans la restauration et la reproduction d'œuvres anciennes.

Les sculpteurs travaillent souvent en collaboration avec des architectes pour réaliser des objets destinés à la maison, au jardin ou aux places publiques. Les artistes peuvent également concevoir des décorations murales, gravées ou en relief, intégrées à l'architecture.

Au cours de sa formation, un sculpteur apprend à tailler directement la matière ou à mouler ses objets selon des procédés mécaniques. Il sait alors comment façonner la pierre, le marbre, l'ivoire, le métal, le bois, le bronze, la résine, l'argile. D'abord chercheur de formes, le sculpteur utilise n'importe quel matériau : depuis la céramique et le plastique jusqu'aux ballons soufflés et au chocolat, rien n'empêchera un sculpteur de sculpter !

# LA MAISON

## TEXTE 6

# Ma maison

Ma maison a si peur de la foudre
qu'elle en tremble encore,
chère maison.
Seule au milieu des trèfles
où il a tonné,
mais où le soleil brille enfin,
où des arches
font des chemins de couleur
dans le ciel,
où la petite serpe de la lune pâle
est une cosse pleine de fèves
pour les oiseaux de nuit,
où les rafales
sont des éternuements
de la Grande Ourse,
où les nuages en fuite
bêlent au loin
comme des agneaux de lait,
où les trains fument
entre les collines
pour le bonheur des vaches,
où les vents tombent,
où le temps s'éclaircit,
où deux voix que j'aime
recommenceront
à se parler demain.
Et je reste seul à ma fenêtre
pour regarder passer les orages
qui vont mourir là-bas,
laissant derrière eux,
dans les murs de ma maison,
le souvenir d'une colère,
une colère de grandes personnes.

Sylvain TRUDEL
Tiré de Henriette MAJOR,
*Avec des yeux d'enfant*, Montréal,
Éditions de L'Hexagone
et VLB éditeur, 2000.
© Sylvain Trudel

## TEXTE 7

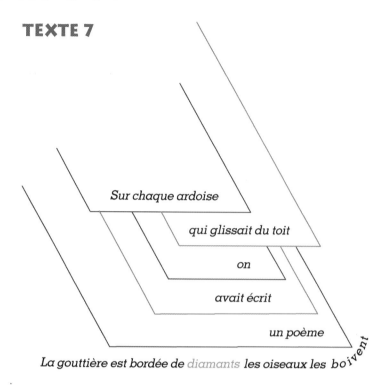

*Sur chaque ardoise*

*qui glissait du toit*

*on*

*avait écrit*

*un poème*

*La gouttière est bordée de diamants les oiseaux les boivent*

Pierre REVERDY
Tiré de Yves PINGUILLY et André BELLEGUIE, *Il était
une fois, les mots*, Éditions La Farandole, 1981.
© Flammarion, 1967

## TEXTE 8

# Maison de campagne

Aimer retrouver sa maison
À l'abri d'un coin de verdure
Et redécouvrir sa parure
Transformée à chaque saison,

Aimer retrouver sa maison,
S'asseoir devant la cheminée
Et laisser courir ses pensées
Tout en remuant les tisons

Ou écouter de sa maison
L'étonnant concert des oiseaux.
Est-ce le chant des étourneaux,
Du rouge-gorge ou du pinson?

…Et ressentir dans sa maison
Les bienfaits d'une journée calme…
Vieilles pierres dans la campagne,
Comme près de vous il fait bon!

Léo MARY
Tiré de *Anthologie des poètes de Normandie*,
Éditions Charles Corlet.

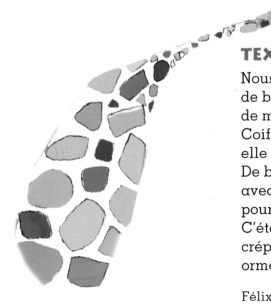

## TEXTE 9

Nous sommes tous nés, frères et sœurs, dans une longue maison de bois à trois étages, une maison bossue et cuite comme un pain de ménage, chaude en dedans et propre comme de la mie. Coiffée de bardeaux, offrant asile aux grives sous ses pignons, elle ressemblait elle-même à un vieux nid juché dans le silence. De biais avec les vents du nord, admirablement composée avec la nature, on pouvait la prendre aussi, vue du chemin, pour un immense caillou de grève. C'était en vérité une têtue, buveuse de tempêtes et de crépuscules, décidée à mourir de vieillesse comme les deux ormes, ses voisins.

Félix LECLERC
Tiré de *Livres en gros caractères*, Hull, Éditions E.L.V.O., 1983.

## TEXTE 10
# Chanson

J'ai fait mon ciel d'un nuage
Et ma forêt d'un roseau.
J'ai fait mon plus long voyage
Sur une herbe d'un ruisseau.

D'un peu de ciment : la ville.
D'une flaque d'eau : la mer.
D'un caillou, j'ai fait mon île
D'un glaçon, j'ai fait l'hiver.

Et chacun de vos silences
Est un adieu sans retour,
Un moment d'indifférence
Toute une peine d'amour.

C'est ainsi que lorsque j'ose
Offrir à votre beauté
Une rose, en cette rose
Sont tous les jardins d'été.

Gilles VIGNEAULT

Tiré de *Le grand cerf-volant*, Montréal,
Nouvelles éditions de l'Arc, 1986.

## TEXTE 11
# Je dessine

Je dessine ton portrait. Je choisis la couleur
de tes yeux dans le dégradé du ciel. Je te fais
des bras d'arbre noueux pour retenir la beauté.
Je te fais de longues jambes pour courir contre
le temps. Je te veux gai comme l'enfant, beau
comme un matin sur la mer. Je dessine ton portrait.
Avec le lait des bonheurs à venir. Avec la douceur
des plumes rares. Avec l'eau de la rivière noire.
Je dessine ton portrait. Je ne laisse pas le temps
l'abîmer. Je l'efface. Mais trop tard.

Catherine FORTIN

Tiré de *Ainsi chavirent les banquises*, Montréal,
Éditions du Noroît, 1994.

## TEXTE 12

# L'artiste

Il voulut peindre une rivière ;
Elle coula hors du tableau.

Il peignit une pie-grièche ;
Elle s'envola aussitôt.

Il dessina une dorade ;
D'un bond, elle brisa le cadre.

Il peignit ensuite une étoile ;
Elle mit le feu à la toile.

Alors, il peignit une porte
Au milieu même du tableau.

Elle s'ouvrit sur d'autres portes,
Et il entra dans le château.

Maurice CARÊME
Tiré de *Les plus beaux poèmes de Maurice Carême*,
Paris, Les Éditions ouvrières, coll. Petite enfance
heureuse, 1985.
© Fondation Maurice Carême

## TEXTE 13

# Le mur et l'œuf

J'ai lancé un œuf dur
Sur un mur
Blanc.

Le mur se lézarda,
S'écailla
Tant

Qu'après ledit lancer,
Le mur fut blanc cassé.

Pierre CORAN
Tiré de *Inimaginaire*, Bruxelles, Éditions Labor,
coll. Espace Nord Junior, 2000.
© SABAM Belgium 2000

## TEXTE 14
# Cette ville qui n'existait pas

Tu avais inventé
dans le grand jeu du rêve
une ville inconnue
et qui n'existait pas…

Une ville sans nom
sans passé et sans gloire
interdite aux humains
et bannie de l'histoire…

Seuls nichaient dans ses murs
les oiseaux du bonheur
et leurs trilles volaient
pour charmer les étoiles.

Ainsi se rejoignaient
en un élan d'amour
dans la ville enchantée
à jamais innocente

la terre enfin lavée
de tous ses vieux péchés
et le ciel embrasé
des feux de l'espérance.

Pierrette SARTIN
Tiré de Jacques CHARPENTREAU, *La ville des poètes*,
Paris, Hachette Livre, coll. Le livre de poche, 1997.
© Hachette Livre

## TEXTE 15
# Lumières

La ville qui s'endort
Garde les yeux ouverts
Et demeure agitée.
Son immense décor
De théâtre en plein air
Concurrence la nuit,
Défie l'obscurité.

Cependant, d'où je suis
Aucun bruit
Ne semble s'échapper
Des milliers de lumières.

Et là-bas les dernières
Fenêtres éclairées
Ont l'air de côtoyer
Les lueurs éternelles
Des fenêtres du ciel.

Roland VIARD
Tiré de Jacques CHARPENTREAU, *La ville des poètes*,
Paris, Hachette Livre, coll. Le livre de poche, 1999.
© Hachette Livre

# Rues

Les rues sont vides Les fenêtres
S'ouvrent enfin sur la nuit

On voit encore des passants
Et des chats qui sortent des murs

Elles conduisent très loin
Les rues que nous avons suivies

Jusqu'aux lisières des forêts
Jusqu'au souffle bas de la mer

Les rues qui s'écroulent ce soir
Avec les villes de poussière

Les rues des gens Les rues des mots
Dans les dédales du poème.

Georges JEAN
Tiré de *Univers poétique*, Poitiers,
Éditions Scolavox, 1983.

de béton la rue
en est grise de poussière
aussi de piétons

Célyne FORTIN
Tiré de *Au cœur de l'instant*, Montréal,
Éditions du Noroît, 1986.

# L'OUVERTURE

**TEXTE 18**

La porte claque
Comme un appel blanc
À l'horizon

Rolande CAUSSE
Tiré de *J'habite un poème*,
Paris, Éditions du Seuil,
1993.
© Rolande Causse

**TEXTE 19**

# La revanche

Quand je suis redescendu dans la ville,
l'herbe avait poussé haut dans les rues
et les talus étaient si beaux
qu'on avait envie de s'étendre
et de ne rien faire que dormir
et rêver jusqu'au soir.

Cependant certains signes nouveaux
ne manquaient pas d'être troublants.
L'herbe si belle et si neuve en pleine rue avait,
par endroits, gagné les toitures inclinées
et avait pénétré, silencieuse, dans les maisons
par des fenêtres ouvertes.

La revanche était démesurée. Colossale.

Gilles VIGNEAULT
Tiré de *La petite heure. Contes 1959-1979*,
Montréal, Nouvelles éditions de l'Arc, 1979.

# Villes en voyage

Je suis au vingt-cinquième étage,
À ma fenêtre, dans la tour,
Devant moi, la ville voyage,
Tant de phares sur son rivage,
Tant de gens rêvant au long cours !

Dans la nuit se plonge la ville
Avec ses maisons et ses toits,
Et je contemple, si tranquille,
Ce grand vaisseau noir qui s'exile
Dans la vaste nuit avec moi.

Les lumières s'allument, dansent,
Et lentement nous dérivons
Vers je ne sais quel monde immense
Où le temps m'emporte, et je pense
Aux jours et aux nuits qui s'en vont.

Je contemple dans les espaces
D'autres navires scintiller.
Et dans ces grands vaisseaux qui passent,
Je sais qu'en leurs traces fugaces
Des villes vont appareiller.

En d'autres lieux, sur d'autres grèves,
En chaque lumière qui luit,
Les villes du songe se lèvent
Et je vis aussi dans les rêves
De tous les enfants de la nuit.

Jacques CHARPENTREAU
Tiré de *La ville des poètes*, Paris, Hachette Livre,
coll. Le livre de poche, 1997.
© Hachette Livre

## TEXTE 21

De la fenêtre d'en haut
je vois
la montagne
et un chemin de bergers
qui monte en lacets

De la fenêtre d'en bas
je vois
la cour
le mur du jardin
et la fontaine
avec la menthe dedans

De la porte de la cour
je vois
encore le mur du jardin
et le sentier
qui descend jusqu'à la route

Quand tu reviendras
tu verras
la fenêtre d'en haut
et la fenêtre d'en bas
éclairées

Quand tu seras dans la cour
tu ne sentiras pas la menthe
il faut passer
la main dessus d'abord

Alors je crois
que j'irai passer la main
sur la menthe
dans la fontaine
quand je t'entendrai
sur le sentier qui monte

Hubert MINGARELLI
Tiré de *Le secret du funambule*, Toulouse,
Éditions Milan, coll. Zanzibar, 1990.

# Dossier ④

## Le monde à vol d'oiseau

# Comment volent les avions

Depuis toujours, l'être humain rêve de voler comme les oiseaux. Malheureusement, il n'a pas les muscles nécessaires pour effectuer des battements d'ailes. Aussi, a-t-il été obligé d'inventer des machines à voler : les avions. Et, pour y arriver, des milliers d'années ont été nécessaires.

## Flotter dans l'air comme sur l'eau

Les pionniers de l'aviation ont longuement observé les oiseaux avant de fabriquer des avions. Ils les ont regardés glisser sur l'air, cette substance que l'on ne voit pas, mais qui est pourtant bien réelle.

Ils ont constaté que les ailes des oiseaux étaient courbées et non pas plates. Ils ont compris que l'air se déplaçait de façon différente au-dessus et en dessous des ailes. En fait, sur l'aile, l'air se déplace plus vite, alors qu'il glisse plus lentement sous l'aile. Cette différence de vitesse entraîne une différence de pression qui, à son tour, crée une force. Cette force, qui agit vers le haut, s'appelle la « portance ». C'est elle qui assure l'équilibre de l'oiseau : elle l'empêche de tomber. Si l'oiseau fermait ses ailes, il tomberait sur le sol, comme une pierre. Il tomberait à cause de la « gravité » qui est la force d'attraction de la Terre. C'est à cause de la gravité qu'une pomme qui se détache de l'arbre tombe. C'est aussi à cause d'elle que, au lieu de t'envoler, tu restes sur le sol. La gravité agit sur tout ce qui nous entoure. La portance et la gravité sont donc deux forces qui s'exercent dans des sens contraires.

Souffle très fort sur une languette de papier.
Que remarques-tu ? La feuille se soulève.

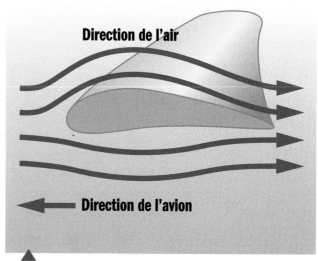

Les ailes d'avions rappellent le profil des ailes d'oiseaux. L'air se déplace plus vite au-dessus qu'en dessous. La pression de l'air au-dessus est alors plus faible qu'en dessous. Cela crée la portance, cette force qui aspire vers le haut.

## Des ailes, mais aussi un moteur

Grâce à la forme de ses ailes, semblables à celles des oiseaux, l'avion peut voler. Mais les ailes ne suffisent pas. Il lui faut aussi un moteur. Celui-ci va fournir à l'avion la « poussée » nécessaire pour lui permettre de décoller. En effet, lorsqu'un avion accélère sur la piste de décollage, la force de portance devient de plus en plus grande au fur et à mesure que la vitesse augmente. Soudain, cette force arrive à le soulever et à l'entraîner dans les airs. Mais avant d'atteindre la vitesse nécessaire, l'avion a besoin d'une longue piste de décollage. C'est un peu la même chose pour un oiseau lourd comme le cygne. Il doit courir longtemps sur l'eau avant d'avoir la force de portance qui va lui permettre de s'envoler.

Plus un avion est lourd, plus il aura un moteur puissant et plus ses ailes seront longues. Un avion de transport pesant plusieurs centaines de tonnes possède un moteur capable de fournir une poussée énorme pour soulever cette masse gigantesque. Quant aux avions qui décollent des porte-avions, comme ils ne disposent que d'une très courte distance pour décoller, ils doivent eux aussi être équipés d'un moteur très puissant, comparable à ceux des fusées, afin d'obtenir une poussée suffisante au décollage.

La poussée connaît, elle aussi, une force qui lui est opposée. C'est la « traînée », c'est-à-dire la force exercée par la résistance de l'air. Pour faire l'expérience de cette force, passe ta main par la fenêtre ouverte d'une voiture en mouvement. Tu sentiras la résistance de l'air qui entraîne ta main vers l'arrière, alors que la voiture file vers l'avant.

Ainsi, l'avion qui avance grâce à la poussée du moteur subit aussi une force contraire qui lui vient de la résistance de l'air.

Bref, voler n'est pas simple. Pour que l'avion puisse se maintenir dans les airs et garder une vitesse constante, il faut que les différentes forces en présence – portance, gravité, poussée et traînée – soient équilibrées par un délicat jeu de balance… grâce auquel des millions de personnes voyagent en avion.

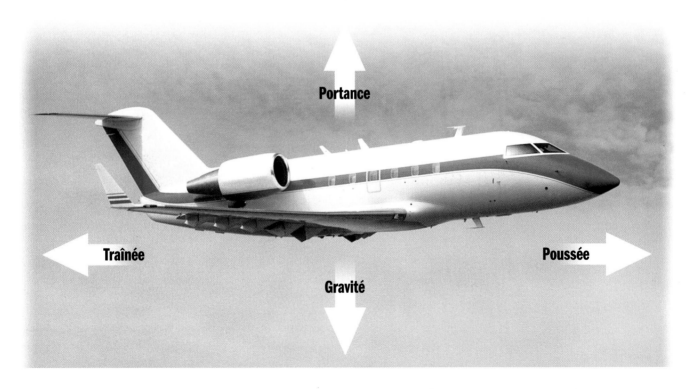

Portance

Traînée

Poussée

Gravité

# Comment volent les oiseaux

Qui n'a pas rêvé un jour de voler comme un oiseau ? Autrefois, des hommes ont tenté d'imiter les oiseaux en utilisant des ailes faites de plumes. Ils se lançaient du haut d'une colline ou d'une tour en battant des bras désespérément… avant de s'écraser au sol ! Ce qu'ils ignoraient, c'est que l'être humain ne possède ni les muscles pour voler ni le cœur pour faire un tel effort. Imagine ! Le cœur d'un moineau en vol bat 800 fois par minute !

Il existe plus de 9000 espèces d'oiseaux pouvant voler. Même s'ils ne sont pas les seuls animaux capables de le faire – pense aux insectes ou aux chauves-souris – les oiseaux sont ceux qui volent le plus haut, le plus loin et le plus longtemps. Certaines espèces peuvent traverser des continents et des océans entiers : ce sont les oiseaux migrateurs. Comment font-ils ?

## Une bonne paire d'ailes et beaucoup de cœur

Les oiseaux possèdent de grands muscles très puissants, qui leur servent à battre des ailes. Plus précisément, il s'agit de deux paires de muscles situées dans la poitrine, qui relient les deux ailes. Chez la plupart des oiseaux, ces muscles représentent le tiers de leur poids. Ces muscles vigoureux sont en quelque sorte les moteurs de l'oiseau.

Puisqu'il s'agit de moteurs, il faut du carburant. Ce carburant, c'est la nourriture. Les oiseaux migrateurs, qui devront effectuer de longues et épuisantes traversées, mangent énormément avant de partir. Ils accumulent ainsi une grande quantité de graisse qui leur sera nécessaire tout au long de leur périple.

Grâce à la forme de ses ailes, l'oiseau peut rester dans les airs.

La forme des ailes compte aussi beaucoup. Les ailes des oiseaux sont courbées, tout comme celles des avions. Lorsque l'oiseau bat des ailes, l'air glisse plus rapidement au-dessus de ses ailes qu'en dessous. Plus l'air se déplace rapidement, plus sa pression diminue. Donc, comme la pression est plus grande sous les ailes qu'au-dessus, il se crée une force vers le haut qu'on appelle la « portance ». C'est la portance qui permet à l'oiseau de s'élever dans l'air.

En fait, on peut comparer le mouvement d'un oiseau à celui d'un… poisson ! Le poisson avance dans l'eau grâce à la poussée de ses nageoires, un peu comme s'il s'appuyait sur l'eau pour se donner un élan. De la même façon, les oiseaux, par les mouvements rapides de leurs ailes, s'appuient sur l'air pour voler.

## Et les plumes ?

Certaines plumes sont également très importantes pour le vol. Il y a deux types de plumes qui aident l'oiseau à voler : les « rémiges », ces grandes plumes des ailes

rémiges

rectrices

Les rémiges permettent à l'oiseau de prendre son envol. Les rectrices lui servent de gouvernail.

dont le rôle est de propulser l'oiseau, et les « rectrices », les plumes de la queue qui lui permettent de se diriger.

## Vol à tire d'ailes

Le vol de l'oiseau se déroule en plusieurs temps : immédiatement après le décollage, l'oiseau replie ses ailes le long de son corps et les plumes s'écartent. La résistance de l'air est alors moins grande et l'oiseau travaille moins fort. Ensuite, les ailes s'abaissent en reculant légèrement, ce qui propulse l'oiseau vers l'avant. C'est par ce mouvement que les ailes « s'appuient » sur l'air.

S'il veut tourner, l'oiseau bouge les plumes de sa queue, mais aussi son cou et ses ailes. Enfin, à l'atterrissage, l'oiseau laisse pendre ses pattes qui amortissent le contact avec le sol… à la manière du train d'atterrissage d'un avion !

## Plusieurs types de vols

Les oiseaux en vol ne battent pas toujours des ailes. Ils les étendent et utilisent tout simplement le vent ou les courants aériens à leur avantage : ils planent. C'est un peu comme lorsque tu descends une pente à vélo sans pédaler !

Le vol plané est particulièrement spectaculaire chez certains oiseaux de mer. Au-dessus des vagues frappées par le vent, ils peuvent planer sans donner un seul coup d'aile, et ce pendant des heures.

Un seul oiseau réussit à faire du surplace en volant et même à reculer : l'oiseau-mouche (ou colibri) dont les ailes battent jusqu'à 80 fois… par seconde ! À cette vitesse, on ne voit presque plus ses ailes !

L'art de voler varie d'une espèce à l'autre. Ainsi, l'hirondelle peut voler longtemps grâce à ses ailes longues et effilées. De son côté, le faisan a des ailes courtes ; il peut s'envoler très rapidement, mais il ne peut pas rester dans les airs très longtemps. Quant à la mouette, ses grandes ailes lui permettent de planer assez longtemps.

Les oiseaux ayant de grandes ailes sont souvent des planeurs, alors que les oiseaux ayant de plus petites ailes doivent battre l'air rapidement pour rester dans le ciel. Ainsi, l'albatros avec ses grandes ailes peut, même par vent fort, se déplacer au-dessus de l'océan à une vitesse pouvant atteindre les 80 km/h. Par contre, le moineau ne peut pas effectuer des vols de grande performance puisque sa vitesse de croisière maximale n'atteint que 27 km/h !

Le colibri bat des ailes si rapidement qu'il fait du surplace.

# Le monde et ses continents

Les deux tiers de la surface de notre planète sont recouverts d'eau. C'est ce qui explique le surnom que l'on donne à la Terre : la planète bleue. Les océans entourent des territoires immenses qui sont hors de l'eau, ce sont les continents. On y trouve des plaines, des collines, des plateaux, des vallées et des massifs montagneux.

## Des lignes imaginaires

La Terre est coupée en deux par une ligne imaginaire, qu'on appelle « l'équateur ». De chaque côté de l'équateur, il y a deux autres lignes imaginaires : le tropique du Cancer et le tropique du Capricorne. C'est pourquoi on nomme les régions situées entre ces lignes et l'équateur, les régions « tropicales ». Ce sont les endroits les plus chauds de la planète, parce que les rayons du soleil les frappent à la verticale.

Aux extrémités, deux autres lignes imaginaires délimitent les pôles, qui sont les régions les plus froides de la Terre. Ce sont le cercle polaire arctique, au nord, et le cercle polaire antarctique, au sud.

Les lignes imaginaires de la Terre : l'équateur, les tropiques du Cancer et du Capricorne, les cercles polaires arctique et antarctique.

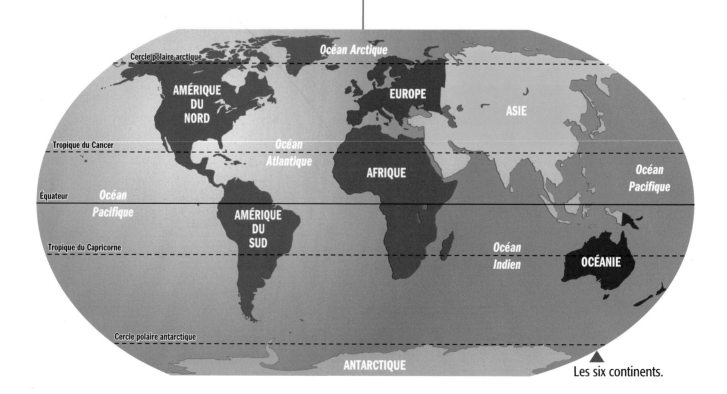

Les six continents.

## Plus de 6 milliards,
## mais bien mal répartis!

La population mondiale augmente de 100 millions de personnes par année. Depuis l'an 2000, nous sommes plus de 6 milliards. Mais la répartition est inégale selon les régions. Les humains se concentrent dans les plaines où le sol est fertile, le long des fleuves et près des côtes. Les hautes montagnes et les déserts chauds et froids sont très peu peuplés. Les déserts, à eux seuls, occupent 1/7 de la Terre. Il y fait très chaud le jour et très froid la nuit.

## L'Amérique

### Le continent qui touche aux deux pôles

Deux grands blocs en forme de triangle sont reliés par un bras étroit. Une longue chaîne de montagnes se dresse tout le long de la côte Ouest de ce continent. C'est l'Amérique, ou plutôt les Amériques, puisqu'elles se divisent en deux parties.

### L'Amérique du Nord

Le nord du continent est occupé par le Canada, le plus grand pays du monde après la Russie. Sa pointe nord est recouverte par les glaces de l'océan Arctique. Vient ensuite la toundra qui cède sa place à d'immenses forêts de conifères et à de nombreux lacs, véritables réservoirs d'eau douce pour la planète. Au centre, se trouvent de vastes prairies propices à l'agriculture. Sur la côte Ouest, il y a les montagnes Rocheuses, qui traversent les États-Unis, pour se prolonger jusqu'en Amérique du Sud.

Le Mexique, avec son désert sec et chaud, fait aussi partie de l'Amérique du Nord.

### L'Amérique centrale et l'Amérique du Sud

L'Amérique centrale est cette longue et étroite portion de terre qui relie l'Amérique du Nord à l'Amérique du Sud. C'est le domaine de la forêt tropicale humide. À l'est, les îles des Antilles, où se trouvent Cuba et Haïti, dessinent un grand arc dans la mer.

L'Amérique du Sud, pour sa part, s'étend de la mer chaude des Antilles jusqu'aux eaux glacées de l'Antarctique. Elle est bordée à l'ouest par la cordillère des Andes, qui est le prolongement des montagnes Rocheuses. La moitié de son territoire est occupée par un grand pays, le Brésil, couvert d'immenses forêts

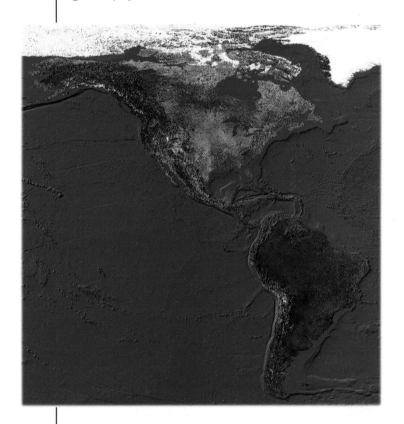

tropicales et du fleuve Amazone dont l'imposant bassin est doté d'une végétation riche et d'une faune extrêmement variée et unique au monde. Au sud, se trouvent les pampas, les vastes plaines herbeuses de l'Argentine. Puis, ce sont les régions froides et désertes de la Patagonie et de la Terre de feu.

# L'Europe

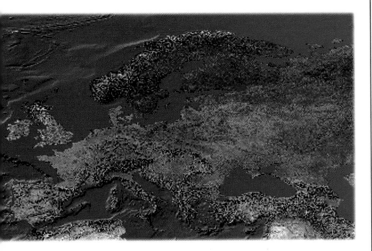

## Le continent de la diversité

Le plus petit de tous les continents, l'Europe, se divise en plus de 40 pays qui possèdent chacun leur langue et leur culture. Il arrive toutefois que plus d'une langue et plus d'une culture cohabitent dans un même pays ou qu'une même langue soit en usage dans plusieurs pays. C'est d'ailleurs le cas de l'allemand, qui est parlé en Allemagne et en Autriche.

Les paysages et les climats de l'Europe sont très variés. Mais de façon générale, les côtes européennes sont très découpées, et la mer n'est jamais à plus de quelques centaines de kilomètres. Le continent est bordé à l'ouest par l'océan Atlantique, au nord par l'océan Arctique et au sud, par la mer Méditerranée.

Les reliefs sont également fort diversifiés. Les paysages du nord sont plats, sauf pour les pays montagneux de la Scandinavie (Norvège, Finlande, Suède). De hautes chaînes de montagnes forment des coupures au sud : les Alpes, qui séparent la France de l'Italie, et les Pyrénées, qui divisent la France et l'Espagne. Loin à l'est, en Russie, les montagnes de l'Oural et du Caucase sont traditionnellement considérées par les géographes comme la frontière entre l'Europe et l'Asie.

Les pays qui entourent la mer Méditerranée sont fertiles et très peuplés. C'est là que l'on trouve les traces des plus anciennes civilisations européennes, soit celles des Romains et des Grecs.

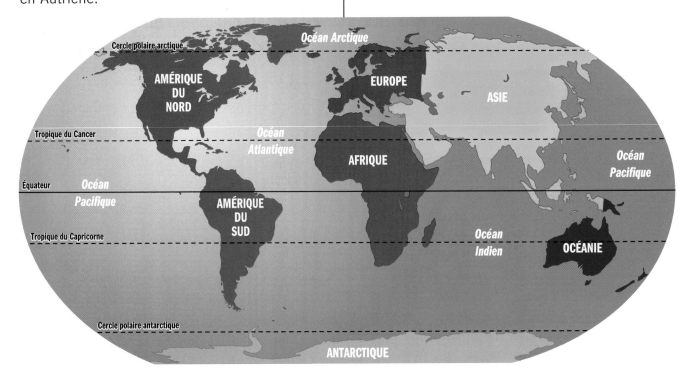

## L'Afrique

### Le continent de la chaleur

L'Afrique est un continent massif aux côtes peu découpées. La majeure partie de son territoire se trouve dans la zone tropicale, ce qui explique que lorsqu'on parle de l'Afrique, on pense aussitôt à la chaleur.

Une bonne partie de l'Afrique est inhabitable. En fait, dans tout le nord de ce continent, seule une mince bande de terre est peuplée ; elle est située le long de la Méditerranée. Comme en Europe, c'est là que vivaient les plus anciennes civilisations de ce continent, dont celle des Égyptiens.

Immédiatement au sud de cette bande de terre étroite, on trouve une immense zone peu habitée : le désert du Sahara. Pendant des milliers d'années, ce désert a constitué une barrière pour les peuples. C'est ce qui explique que les gens vivant près de la Méditerranée ignoraient presque tout des civilisations qui existaient de l'autre côté du Sahara.

À l'est de ce désert, s'élèvent des montagnes et des hauts plateaux parsemés de nombreux lacs. Le plus haut sommet,

le Kilimandjaro, est un volcan. De ces montagnes naissent d'importants fleuves. Ceux-ci, en descendant vers le sud, traversent de vertes forêts et arrosent les plaines arides qu'ils rendent en partie fertiles. C'est le règne de la savane.

L'Afrique compte plus de 50 pays, chacun abritant souvent plusieurs cultures, langues et façons de vivre différentes.

## L'Asie

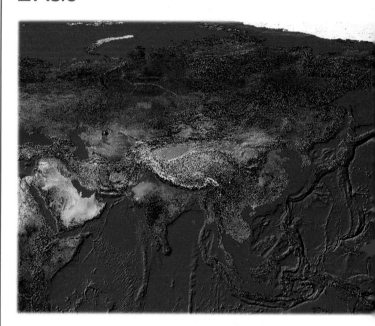

### Le continent le plus vaste et le plus peuplé

Le plus vaste des continents s'étend des glaces du pôle Nord jusqu'à l'équateur. C'est le plus peuplé des continents : près d'un humain sur deux vit en Asie. La Chine compte à elle seule 1 milliard 300 millions d'habitants, et l'Inde, un milliard !

Les monts Oural et Caucase constituent ses frontières avec l'Europe. Au nord, se trouve la plus grande partie de la Russie, le plus grand pays du monde. À l'extrême nord, on trouve la Sibérie, bordée par les eaux de l'océan Arctique.

Au sud-ouest, se trouve le Proche-Orient, connu pour ses réserves de pétrole. C'est une région surtout désertique, à l'exception de ce qu'on appelle le « croissant fertile », qui s'étend du golfe Persique à la côte de la mer Méditerranée. C'est là qu'est née la plus ancienne civilisation du monde, plus ancienne même que celle des Égyptiens : la Mésopotamie.

L'Asie centrale est parcourue par un immense désert et par des steppes, lesquelles sont interrompues par le plateau du Tibet. Immédiatement après, se dresse l'Himalaya, le massif montagneux le plus élevé de la planète.

L'Asie est une terre de contrastes. À d'immenses zones inhabitées – les déserts – ou peu habitées – les steppes et les étendues glaciales du nord – s'opposent des villes surpeuplées et ultramodernes, comme Shanghai, en Chine, et Tokyo, au Japon.

Les cultures chinoise, japonaise, cambodgienne, entre autres, ont des origines aussi lointaines que les cultures européennes, mais elles se sont souvent développées très différemment. Résultat : elles offrent un ensemble de coutumes, de traditions et de rituels riches et fascinants.

# L'Océanie

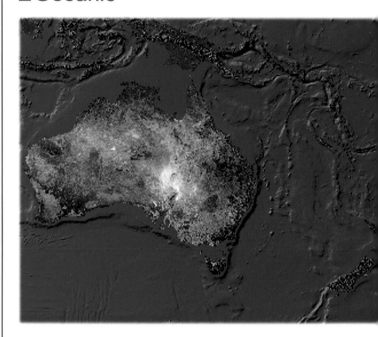

## Le continent le plus sec

Ce continent n'en est pas un au sens strict du terme. Il s'agit plutôt d'un ensemble de terres entourées de beaucoup d'eau, l'océan Pacifique. L'Océanie englobe l'Australie,

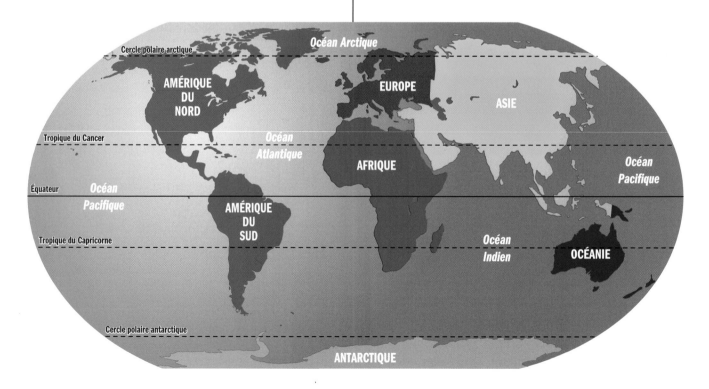

un pays qui est presque un continent à lui seul, la Nouvelle-Zélande et des milliers de petites îles dans l'océan Pacifique. Certaines ont été créées par des éruptions volcaniques, d'autres sont des récifs de corail.

L'Australie est le plus plat et le plus sec de tous les pays. Son centre est formé d'un vaste désert de sable et de pierre. Le sud-est de l'Australie est plus humide et plus peuplé.

La Nouvelle-Zélande est un pays vert aux paysages très variés : montagnes, glaciers, sources d'eau chaude, forêts tropicales et prairies. La plupart de ses habitants sont des descendants de colons européens, mais on trouve une minorité de peuples autochtones. Dans ces pays, on parle l'anglais, le français (dans quelques îles), ainsi que plusieurs langues autochtones.

## L'Antarctique

### Le continent des glaces

Vaste désert de glace, l'Antarctique est pourtant loin d'être plat. Le continent qui entoure le pôle Sud est en effet très montagneux. Les plantes et les animaux y sont rares, voire inexistants, dès qu'on s'éloigne de la côte. Le froid y est extrême. En été, les bords de la banquise fondent, se fracturent et forment des icebergs. Les seuls humains qui vivent sur cette terre sont des scientifiques ou des militaires, installés pour quelques mois ou quelques années dans des stations de recherche scientifique. Ces stations ont été mises en place par différents pays pour étudier la faune, la flore et le climat, entre autres.

---

**Carte d'identité de la Terre**

Nom : Terre

Surnom : planète bleue

Âge : 4,6 milliards d'années

Forme : sphère aplatie aux deux pôles

Rayon à l'équateur : 6378 km

Surface des continents : 149 000 000 km$^2$

Surface des océans : 361 000 000 km$^2$

---

**Les records**

Le plus grand océan : le Pacifique (180 000 000 km$^2$)

Le plus grand continent : l'Asie (44 000 000 km$^2$)

La plus grande île : le Groenland (2 175 000 km$^2$)

La plus haute montagne : l'Everest (8848 m)

Le plus long fleuve : le Nil (6670 km)

La plus haute chute : Angel (Venezuela, 979 m)

---

# Les continents à la dérive

## Un excentrique qui avait raison

Alfred Wegener (1880-1930), un physicien et météorologue allemand, avait remarqué que les continents de l'Amérique du Sud et de l'Afrique s'emboîtaient parfaitement l'un dans l'autre, comme les pièces d'un casse-tête. Selon lui, les continents étaient autrefois réunis et ils s'étaient peu à peu déplacés. Or, il a fallu du temps avant d'admettre qu'il avait raison. Jusqu'à sa mort, Alfred Wegener fut considéré comme un excentrique avec cette théorie appelée « la dérive des continents ».

Plusieurs indices ont par la suite confirmé la théorie de Wegener, aujourd'hui universellement acceptée par les scientifiques :

- Les massifs rocheux de différents continents se ressemblent beaucoup, ce qui signifie qu'à une époque très lointaine, ils étaient réunis.

- On trouve, de part et d'autre des océans, des fossiles[1] de plantes et d'animaux terrestres identiques. Or, il est impossible que ces animaux – et encore moins les plantes – aient pu traverser l'océan ! Ils ne pouvaient donc que provenir d'un seul et même continent.

Fossile de fougère *Glossopteris*.

Crâne de reptile *Lystrosaurus*.

▲
On sait que les continents ont déjà été réunis. On a trouvé des fossiles de plantes et d'animaux identiques sur des continents qui sont maintenant séparés par des océans.

Savais-tu que le sol, sous nos pieds, est constamment en mouvement ? En effet, les continents se déplacent, mais très lentement : de quelques centimètres seulement par année. Ce lent mouvement dure depuis des millions d'années, et cela suffit à modifier peu à peu les continents et les océans.

1. Les fossiles sont les restes ou les empreintes d'organismes vivants, conservés dans la roche depuis des millions d'années.

## Compte à rebours

Il y a 300 millions d'années, il n'y avait sur la Terre qu'un seul et immense continent, entouré d'un gigantesque océan. On appelle cet ancien continent la « Pangée ». Plantes et animaux peuplaient alors toute la surface du globe et les climats étaient plus chauds qu'aujourd'hui.

Il y a 135 millions d'années, l'Afrique s'est séparée de l'Amérique du Sud et l'Inde s'est rapprochée de l'Asie.

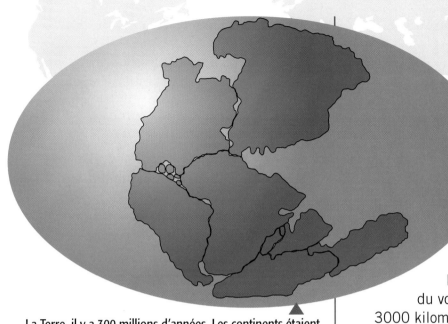

La Terre, il y a 300 millions d'années. Les continents étaient soudés les uns aux autres, pour n'en former qu'un. Les scientifiques l'appellent la «Pangée».

Encore aujourd'hui, les continents se déplacent. Ainsi, l'Europe et l'Amérique continuent de s'éloigner l'un de l'autre, ce qui fait que l'océan Atlantique s'élargit de quelques centimètres par an. Ainsi, dans un futur très, très lointain, on pourra peut-être se rendre en Chine... à pied !

Dans environ 50 millions d'années, on peut supposer que la mer Méditerranée aura disparu, parce que l'Europe et l'Afrique seront sans doute réunies. Par contre, les Amériques seront peut-être séparées...

## Pourquoi les continents bougent-ils ?

Imagine que la Terre ressemble à un oignon : plusieurs couches sont superposées les unes sur les autres.

Au-dessus se trouve la partie solide de la Terre, celle où nous vivons : c'est la croûte terrestre. Cette couche d'environ 35 kilomètres d'épaisseur est toutefois très mince par rapport au reste de la Terre. En proportion, on peut la comparer à la coquille d'un œuf.

La croûte terrestre repose sur une large couche qui est en partie solide et en partie liquide. Cette couche, appelée le « manteau », occupe 80 % du volume de la Terre, et fait 3000 kilomètres d'épaisseur. La partie liquide du manteau est faite de lave en fusion, comme ce qui s'écoule d'un volcan au moment d'une éruption : c'est le magma.

Finalement, au centre de la Terre, il y a le noyau. Celui-ci est composé de fer et de nickel. À cause de la chaleur extrême qui y règne, une partie du noyau est liquide.

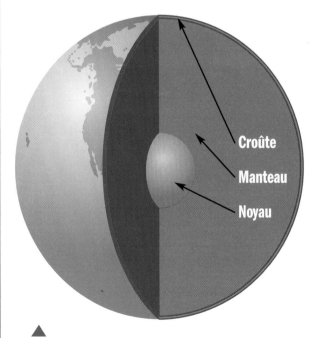

Croûte

Manteau

Noyau

La structure interne de la Terre.

# Le mouvement des plaques

La surface de la Terre est découpée en une vingtaine de pièces, comme s'il s'agissait d'un casse-tête. Ce sont les plaques tectoniques. Ces plaques sont formées de la croûte terrestre et de la partie solide du manteau, c'est-à-dire la partie supérieure. La plupart des plaques « flottent » à la surface de la Terre, agitées par les mouvements de la partie liquide du manteau. Voilà pourquoi les plaques tectoniques se déplacent de quelques centimètres par an. Certaines plaques s'éloignent, d'autres se rapprochent, d'autres encore glissent les unes contre les autres. Leurs mouvements ressemblent un peu à ceux des blocs de glace au moment de la débâcle d'une rivière au printemps.

## Sous l'océan

L'exploration des fonds sous-marins a également permis de comprendre le mouvement des plaques.

Au fond des océans, il y a aussi d'immenses montagnes : on les appelle les « dorsales ». À ces endroits, les plaques s'éloignent les unes des autres. Les nombreuses fissures qui se créent sur ces dorsales laissent échapper le magma brûlant. Au contact de l'eau, celui-ci se solidifie. De cette façon, le fond de l'océan prend de l'expansion et se renouvelle continuellement. La dorsale qui passe au milieu de l'océan Atlantique pousse sur les plaques qui soutiennent l'Europe et l'Amérique du Nord. C'est ce qui fait que ces deux continents s'écartent l'un de l'autre d'environ 10 centimètres par année.

Qui sait à quoi ressemblera la Terre dans des millions d'années ? Elle sera sûrement différente de celle que l'on connaît présentement !

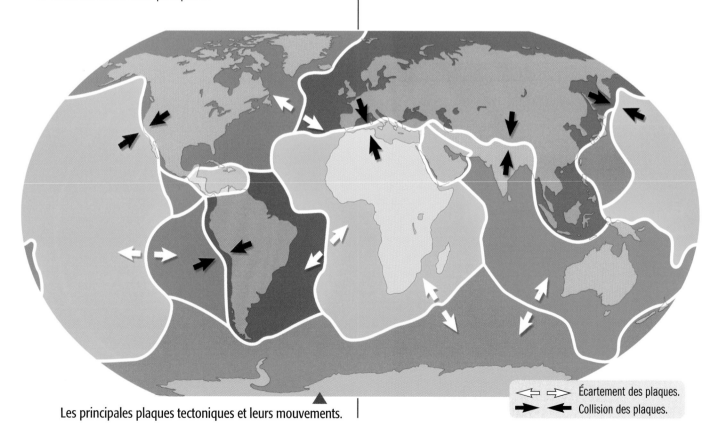

Les principales plaques tectoniques et leurs mouvements.

⇐ ⇒ Écartement des plaques.
➤ ⬅ Collision des plaques.

# Enfants des Caraïbes, de la Guyane à Panama

Ce livre est notre histoire. Nous sommes dix jeunes venus de tous les pays, embarqués pour un tour du monde par les îles, à bord de *Fleur de Lampaul*. À travers mers et océans, nous naviguons vers des îles de toutes cultures pour y partager la vie des enfants de l'an 2000.

[...]

Ce voyage, avec ces interrogations, ces rencontres et ces aventures, nous voulons le partager afin que les enfants du monde puissent mieux se connaître.

## Récit d'une traversée

Raconter une traversée, ce n'est pas facile. Alors nous avons décidé d'écrire à plusieurs un journal relatant les anecdotes et les petites aventures quotidiennes du bord. La scène? Nous avons levé l'ancre il y a quelques heures seulement, la Guyane s'estompe sur l'horizon et nous filons cap au nord, vers la mer des Caraïbes. Les personnages? L'équipage de *Fleur de Lampaul* réuni au grand complet. Et l'intrigue? La voici:

### Vendredi 12 mars 1999

Nous avons enfin repris la mer. C'est agréable de retrouver le large, après une escale vécue comme toujours à un rythme d'enfer! Tout le monde s'est allongé et le carré ressemble à un dortoir: on avait grand besoin de se reposer. Tout à l'heure, Julien nous fera une réunion sur la sécurité en mer, comme à chaque traversée. Le vent est avec nous, et nous filons à six nœuds. Pour l'instant, Renaud, Alexandre et Rianne ont le mal de mer. Ils sont de mauvaise humeur. Normal, ce n'est pas drôle d'aller nourrir les poissons par-dessus bord!

### Samedi 13 mars 1999

Ce matin, douche générale sur le pont. On s'est mis à l'avant, au soleil, avec le jet d'eau. La mer est vraiment chaude: 26 °C,

Le voilier *Fleur de Lampaul*.

nous a dit Manu ! Le frigo est plein de fruits et de légumes, il y a même des œufs dans la cambuse. Ian a décidé de faire du pain. Ça sent bon, dans le carré… Si seulement on pouvait pêcher quelque chose, une bonite ou une dorade. À part ça, Julien a fait une inspection rigoureuse du poste avant, et ça a bardé : c'était un vrai capharnaüm ! Les garçons ont donc passé l'après-midi à ranger leurs bannettes. Décidément, il ne faut rien laisser traîner ici, sinon… poubelle !

## Dimanche 14 mars 1999

Cette nuit, la lune était pleine. Dans la nuit tiède, on avait envie de rester dehors à chantonner en regardant le ciel… Maintenant, il fait si chaud que nous cherchons plutôt l'ombre. Dans le carré, Vera, Rianne et Gouly écrivent leur carnet de bord. Icaro est à l'avant, il révise son histoire-géo. Au bureau, Mado et Raphou tapent les textes à l'ordinateur. Tout cela dans le ronronnement incessant du moteur : il n'y a plus assez de vent. Soudain, une odeur nauséabonde envahit la cale : des boîtes de conserve, rongées par l'eau de mer, ont explosé dans les fonds où elles sont rangées. Nous voilà partis pour trois bonnes heures de ménage. De quoi retourner les estomacs les mieux accrochés !

## Lundi 15 mars 1999

Quelle journée ! Ce matin, Alex a pêché une bonite, et Philippe nous a fait une délicieuse fricassée pour le déjeuner. Chacun s'apprêtait à faire la sieste, quand la cloche s'est mise à sonner : Pierre venait de repérer des dauphins ! Ils ont joué à l'étrave pendant un bon moment, avant de reprendre leur joyeuse route pour une destination inconnue…

## Une baignade dans l'océan

Ce matin la mer était lisse comme un miroir, sans un souffle de vent. On s'est arrêtés pour se baigner, au milieu de l'océan, par deux mille mètres de fond. On a plongé, nagé, et on a aussi fait une bataille : les garçons contre les filles ! Lorsque j'étais dans l'eau, je me sentais très petit, très léger, et tout seul, dans ce bleu immense dont on ne voit pas le bout.

Pierre, 13 ans

## La lune

La lune nous regarde toujours. Quand nous faisons les quarts de nuit, elle se repose dans la grand-voile. Quand nous discutons ou dormons sur le pont, elle rend les vagues tout argentées. Elle semble nous écouter, et raconter des histoires comme une grand-maman qui aurait vécu du temps d'avant les hommes…

Ari, 14 ans

## Mardi 16 mars 1999

Ce matin, nous avons fait une grande lessive, et la *Fleur*, avec du linge multicolore étendu de tous côtés, ressemblait à un bateau-lavoir à la dérive. Renaud et Icaro se font la tête : Renaud était énervé, Icaro lui a mal répondu, et voilà… Impossible de les réconcilier, ils sont aussi têtus l'un que l'autre. Du coup, l'ambiance est un peu tendue. Il y a des jours comme celui-ci où l'on aimerait bien être seul chez soi… Espérons que cela passera devant le dessert à la compote de pommes que Lisa nous prépare.

## Mercredi 17 mars 1999

Sixième jour de mer. Rien à signaler, si ce n'est que nous avons fait beaucoup de travail scolaire, et une réunion avec Charlie pour préparer la prochaine escale au Banc d'Argent. Ari nous a joué du violon. Bonne nuit !

## Jeudi 18 mars 1999

Si les prévisions de notre capitaine sont bonnes, nous devrions arriver demain. C'est donc notre dernier jour de mer. Nous en profitons pour écrire encore un peu de courrier : après, nous n'aurons guère le temps, et nos parents attendent quand même de nos nouvelles.

## Vendredi 19 mars 1999

À l'aube, les côtes apparaissent : c'est la Martinique. Nous allons seulement y faire le plein d'eau douce et de carburant avant de repartir pour une autre semaine de mer en direction du Banc d'Argent. L'excitation grandit à bord. Comme à chaque arrivée, nous entamons un grand ménage : il faut nettoyer le bateau de fond en comble, et ce n'est pas une mince affaire. Mais nous avons de l'énergie à revendre, et la *Fleur* ne tarde pas à briller ! On nous appelle sur le pont pour affaler la grand-voile : nous voilà presque arrivés, et nous sommes impatients d'aller à terre.

Tiré de Raphaëlle BERGERET, *Enfants des Caraïbes, de la Guyane à Panama*, Paris, Gallimard Jeunesse, 1999.

### La pêche en mer

Je suis tranquillement en train de lire, lorsque j'entends de grands cris. Je me précipite sur le pont. Alex et les autres mettent toutes leurs forces en œuvre pour sortir de l'eau un énorme thon qui se débat. Nous cherchons déjà une manière de le cuisiner ; finalement, ce sera à la poêle. Nous remettons aussitôt les lignes : sait-on jamais, ce thon-là avait peut-être des copains qui sont restés à la traîne !

Gouly, 14 ans

### Petit lexique de termes nautiques

Affaler : Faire descendre en tirant.

Bannette : couchette, à bord d'un bateau.

Cambuse : endroit d'un navire où la nourriture est conservée.

Carré : Pièce servant de salon et de salle à manger sur un navire.

Étrave : Partie située à l'avant du navire.

Nœud : unité de vitesse utilisée en navigation maritime et aérienne.

Les carnets du *Mouton noir* racontent la vie d'une famille qui a choisi de faire le tour du monde en bateau. Dans cet extrait, la destination est l'Alaska.

# Les carnets du *Mouton Noir*

Mai 97 : voilà un mois que nous naviguons. Certains jours, la mer s'étire à l'infini, infiniment calme, presque muette. En ce moment, elle tempête. Ce vent qui lui rabat sur le visage sa chevelure verte : ça l'énerve.

À bord, l'équipage subit cette saute d'humeur sans trop d'inquiétude. Ça passera, va ! En attendant, nous mettre à l'abri. Le *Mouton Noir* s'engage entre les îles Walker dans un passage extrêmement étroit et sinueux, bordé de falaises abruptes se jetant sans ménagement dans l'eau bouillonnante. Au bout de ce corridor se trouve un mouillage où nous serons protégés du vent et des vagues. Le tout est de l'atteindre sans écorcher les flancs de notre *Mouton*. Je ne regarde ni à gauche, ni à droite. Je fixe l'étrave, d'où Robert m'indique par des gestes de la main la route à suivre.

Gabrielle et Arnaud, d'habitude si volubiles à l'approche d'un ancrage inconnu, restent en retrait, silencieux. Personne ne leur a demandé de se taire. D'instinct, ils savent ce qu'il faut faire et ne pas faire dans les situations critiques. Ils le savent depuis longtemps. Jamais je n'oublierai le jour où Ford, notre ami et voisin de quai, s'est coupé un doigt en travaillant à sa chaîne d'ancre. Les enfants avaient alors sept et huit ans. Nous étions arrivés à Vancouver quelques semaines plus tôt ; leur vocabulaire anglais se limitait à une dizaine de mots.

Je m'empresse de porter secours à Ford et je dis aux enfants d'aller chercher Walter, dont le bateau se trouve à quelques quais du nôtre. L'Américain arrive bientôt en courant. Comment ont-ils fait ? Walter me le racontera plus tard.

▲ Le *Mouton Noir*.

— En les voyant, j'ai compris qu'il se passait quelque chose de grave. Ils se tenaient par la main et me fixaient avec de grands yeux sérieux. Ils ont dit : « Walter ! Big big big help ! Quick ! »

Comme tous les frères et sœurs du monde entier, Gabrielle et Arnaud se chamaillent quotidiennement. Mais dans les situations d'urgence, ils démontrent une remarquable solidarité. En ce moment, ils observent le spectaculaire paysage qui nous accueille. Le goulot s'élargit et nous débouchons dans un espace magique. Une enclave dans la forêt, une niche à l'abri du mauvais temps.

Tout autour, des pins déchiquetés qui retiennent entre leurs griffes des lambeaux de brouillard. Au-dessus de nos têtes, un petit coin de ciel nuageux traversé de temps à autre par de grands corbeaux noirs, suivis parfois d'un aigle à tête blanche. Notre nouvel univers ressemble à une légende indienne. Il rappelle tout à fait l'atmosphère des îles Haïda Gwaï (les anciennes îles de la Reine-Charlotte, à quelques centaines de kilomètres vers l'ouest), où nous avons déjà séjourné.

Le *Mouton Noir* solidement ancré, notre petite troupe part en canot pneumatique explorer les environs. Descendre à terre après plusieurs jours de mer est un événement vivement attendu... et mérité. Car vivre à quatre dans un espace limité — que dis-je ! à six, n'oublions pas nos deux gros chats ! — n'est pas toujours une entreprise facile, surtout quand il pleut des jours et des jours d'affilée. Vient un moment où un bateau, peu importe sa taille, devient trop petit.

La rive, comme ce sera souvent le cas au cours de ce voyage en Alaska, s'avère difficile d'accès. Nous finissons pourtant par trouver une petite plage où échouer notre dinghy, et nous allons nous balader en forêt. L'odeur de la terre et des feuilles mouillées, le chant des oiseaux, la beauté des fleurs minuscules, l'absence de vent, pouvoir courir : tout nous séduit et pour peu, nous croirions que la vie est meilleure à terre. Mais lorsque, épuisés par la marche, nous regagnons le bord, notre passion pour l'étrange maison qui est la nôtre se réveille instantanément.

Dans notre coquille d'escargot, chaque membre de la famille possède un espace personnel. Les enfants ont leur cabine propre, avec table de travail, placard à vêtements, coffre à trésors, bibliothèque et babillard. La table de navigation, qui ressemble à un cockpit de 747, est le domaine de Robert tandis que mon bureau fait pendant à notre cabine, à l'avant du bateau. Les aménagements intérieurs comprennent en outre une salle de bains, un atelier, une cuisine, et le carré, cet endroit qui sert à la fois de salon et de salle à manger.

Sous chaque banc, sous les couchettes, sous les planchers, sont entassées des provisions. Les denrées comme la farine, le sucre, le café, la levure et autres produits de base sont conservés dans des bidons étanches qui les protègent de l'humidité et des insectes. Nous en stockons en permanence de grandes quantités, ce qui nous permet d'être autonomes plusieurs semaines d'affilée. La pharmacie du bord est elle aussi considérable. Nous la revoyons avec un spécialiste avant chaque traversée importante. En cas de problème grave au large ou dans un territoire isolé, nous avons la possibilité de communiquer par radio avec des amis médecins pour établir un diagnostic. La prévention, toutefois, demeure notre premier remède.

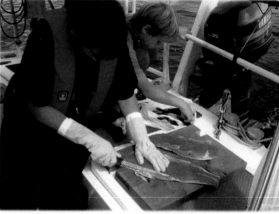

Nous avons à bord des ordinateurs, une télé, un lecteur de vidéocassettes, un autre de CD, enfin bref, ce qui se retrouve dans une maison normale. Seulement, tout est de format réduit, et encastré, tout est fait pour subir la gîte et le roulis. Et puis chez nous, on ne regarde pas la télé et personne ne s'en plaint. Bien sûr, il nous arrive de faire jouer un film puisque nous aimons le cinéma, comme nous aimons la littérature, la peinture, la musique. Dans ces moments de grande intimité familiale, le souvenir me revient de l'époque où nous lisions aux petits une histoire avant d'aller dormir. Alors, installés tous les quatre dans le grand lit des parents, nous oublions que dehors, il pleut encore...

Tiré de Marie-Danielle CROTEAU, *Les carnets du Mouton Noir*, Waterloo, Éditions Michel Quintin, 1999.

Clara Vic tient un journal, son cahier rouge, dans lequel elle raconte
son voyage à Istanbul, en Turquie. Elle correspond aussi avec son ami Bibelas,
dont la tante Bibitsa a déjà vécu dans une petite ville de la Turquie.
Voici les impressions de Clara Vic sur cette région du monde.

# Bibitsa ou l'étrange voyage de Clara Vic

« Jamais je n'oublierai cette ville », écrit Clara Vic dans son cahier
rouge le jour où elle débarque à Istanbul. Et le soir même, elle écrit à
Bibelas :

« Tu devrais voir, tout est gris et en même temps, on dirait qu'il y a
de l'or partout. Je vois ce que voyait ta Bibitsa quand elle venait dans
la grande ville. »

Clara sait qu'elle n'oubliera jamais la gare d'Istanbul. La douceur de
la gare d'Istanbul. Quelque chose d'étrangement doux entre les murs de
cette gare. Les odeurs de la gare d'Istanbul. Les odeurs autour de la gare
d'Istanbul. Et puis le port, tout près. Plus qu'une gare, plus que le plus
gros terminus, que tous les ports qu'elle a connus jusque-là, celui
d'Istanbul est un endroit de bout du monde.

*Les bateaux se croisent comme des autos
tamponneuses et à les voir aller, on a peur qu'ils
se frappent. Des cargos russes, des chaloupes à
moteur, toutes sortes de bateaux. N'importe quoi
pourrait arriver. Il y a des barques qui viennent
s'amarrer entre deux traversiers chaque cinq
minutes. Il doit sûrement y avoir des accidents.
La chose la plus étonnante que j'ai vue, c'est
une toute petite barque, coincée entre deux
traversiers chargés de centaines de personnes.
Dans la barque, deux pêcheurs et un monceau
de poissons. Au centre de la barque, il y a un
feu, un feu au-dessus duquel des poissons sont
en train de frire dans une immense poêle ronde.
Tout ça dans les vagues et les remous. Les
pêcheurs préparent des sandwiches au poisson
qu'ils vendent aux gens sur le quai. Il y a même
une salière attachée par une corde à la clôture
du quai au cas où le poisson ne serait pas assez
salé. Et des armées de goélands qui viennent
chercher les miettes.*

(Extrait du cahier rouge)

Depuis deux ans, Clara Vic habite une île de la mer Égée et lorsqu'on vit dans une île, c'est dans une grande ville qu'on part en vacances.

Destination Istanbul.

[...]

[...] Clara Vic débarque à Istanbul, absolument séduite par les jardins des mosquées et par les cargos qui remontent le Bosphore vers la Russie.

> *Je suis à l'autre bout du monde. C'est ici qu'on traverse d'un continent à un autre. La moitié d'Istanbul est en Europe et l'autre moitié en Asie. De la fenêtre de ma chambre, je regarde le dernier petit morceau d'Europe, et puis l'Asie jusqu'à l'horizon.*
>
> (Extrait du cahier rouge)

Dès le premier jour, Clara veut s'emplir la tête de toutes les images d'Istanbul. Le dresseur d'ours. Les vendeurs de billets de bateau. Quarante autobus rouges, les uns derrière les autres, qui montent vers Sultanahmet. Le vendeur de toupies. Petites toupies de bois marquées de rayures d'or qui tournent sur le pied aussi bien que sur la tête. Clara en a acheté deux tout de suite, elles sont trop jolies.

On pourrait passer une semaine ici sans avoir à mettre les pieds dans un restaurant : on vend de tout dans la rue. Il flotte partout des odeurs d'oignon, d'agneau, de tomate, des odeurs de miel, de poivre et de clou qui se mêlent à celle de mazout des autobus et des bateaux. Des odeurs de poussière aussi.

*Premier soir. J'ai mal aux jambes. Je n'ai jamais vu une ville avec autant de côtes et des côtes aussi drues. Même descendre, ça me tire les mollets. Mais c'est la plus belle ville que j'ai jamais vue. Avec une gare que j'ai aimée tout de suite, je ne sais pas trop pourquoi. Au bureau des renseignements où on change l'argent, il y a Attila, le chef de bureau. Il m'a donné une pomme.*

(Extrait du cahier rouge)

Une rumeur dehors, un bruit qui monte sans qu'on s'en rende compte. Clara sort sur la terrasse.

La rue disparaît sous d'innombrables voiles blancs. D'un bout à l'autre de la rue en pente, des toiles recouvrent tout, accrochées n'importe comment, un peu comme les maisons en couvertures que Clara se construisait quand elle était petite. Elle descend vite les quatre étages sur la pointe des pieds.

En ouvrant la porte, elle tombe sur un marchand de concombres qui lui en offre aussitôt trois avec un grand sourire.

Un marché! La rue s'est transformée en marché. Clara se promène lentement sous les toiles blanches: des montagnes de riz et de fèves sur de grands tapis de coton, des tables qui n'en finissent plus, couvertes de peignes, de chaussettes et de chaussures, de tricots, d'ustensiles de toutes les espèces. Et les concombres, les tomates, les courges... Tout, il y a de tout.

*Hier soir, j'ai à peine eu le temps de regarder la rue. Ce matin, ce n'est plus la même. Elle a quelque chose de très sérieux et de très drôle en même temps. Est-ce que c'est comme ça tous les mercredis? Tout le monde s'amuse et m'offre quelque chose. Je suis rentrée à la maison avec trois concombres, un peigne rouge et une brosse à poils tellement durs que je vais la garder pour brosser Ermis[1], un porte-clé en forme de croissant et un pot de yogourt.*

(Extrait du cahier rouge)

Tiré de Christiane DUCHESNE, *Bibitsa ou l'étrange voyage de Clara Vic*, Montréal, Éditions Québec Amérique, collection Littérature jeunesse, 1991.

---

1. Ermis est le chien de Clara.

Nils Holgersson est un jeune garçon pas très gentil. Un jour, alors que ses parents sont à l'église, il rencontre un lutin qui le transforme... en lutin !

# Le merveilleux voyage de Nils Holgersson à travers la Suède

Il faisait merveilleusement beau, jamais il n'avait vu le ciel aussi bleu ! Les oiseaux migrateurs affluaient. Ils avaient survolé la Baltique et se dirigeaient vers le nord. Il y avait sûrement une foule d'espèces différentes, mais lui ne connaissait bien que les oies sauvages qui volaient en deux longues rangées formant un angle pointu. Il les entendit crier là-haut :

— Nous partons pour les montagnes, pour les montagnes !

Soudain les oies sauvages remarquèrent les oies de la basse-cour et elles se rapprochèrent du sol en criant :

— Venez avec nous ! Venez ! Vers les montagnes, vers les montagnes !

Mais les oies domestiques étaient raisonnables :

— Nous sommes bien, ici !

Oui, la journée était vraiment très belle. Traverser ainsi l'air léger devait être un pur délice ! Chaque fois qu'une bande d'oies sauvages passait, les oies domestiques s'agitaient de plus en plus. Elles battaient des ailes, comme si elles étaient décidées à les suivre.

— C'est de la folie, dit alors la vieille mère oie. Elles vont souffrir de la faim et du froid !

L'appel des oies sauvages avait cependant éveillé chez un jeune jars une irrésistible envie de voyager. Quand une nouvelle bande s'approcha en criant :

— Venez ! Venez !

Il répondit :

— Attendez, attendez ! J'arrive.

Il déploya ses ailes et s'éleva dans l'air, mais il avait si peu l'habitude de voler qu'il retomba à terre.

Les oies revinrent en arrière, ralentissant pour voir s'il allait faire une nouvelle tentative.

Nils, le gardien d'oies, entendait et voyait tout cela du haut de son mur.

« Ce serait dommage que le jars s'en aille, se dit-il. Mes parents auraient beaucoup de chagrin s'il n'était plus là à leur retour. »

Il oublia de nouveau qu'il était petit et sans force. Il sauta au milieu des oies et entoura de ses bras le cou du jars.

— Toi, tu ne partiras pas ! cria-t-il.

Or au même moment, le jars comprit comment faire pour quitter le sol. Il ne put s'arrêter pour faire descendre le garçon, si bien que Nils fut emporté en l'air avec lui.

Ce fut si rapide qu'il en eut le vertige. Avant de réaliser qu'il aurait dû lâcher prise, ils étaient déjà si haut qu'il se serait tué s'il était tombé. Il n'avait plus qu'à essayer de se hisser sur le dos du jars. Puis il dut se maintenir entre les ailes battantes, ce qui n'était pas chose facile. Il plongea ses deux mains profondément dans les plumes et le duvet pour ne pas glisser.

Nils avait la tête qui tournait et il eut les idées embrouillées pendant un bon bout de temps. L'air sifflait et le fouettait. Le vent grondait dans les plumes comme une véritable tempête. Treize oies volaient autour de lui, cacardant et battant des ailes. Finalement, il se ressaisit et comprit qu'il devait tenter de savoir où les oies le conduisaient. Mais il n'avait pas le courage de regarder vers le bas. Cela lui donnait le vertige.

Les oies sauvages ne volaient cependant pas très haut, car sinon leur nouveau compagnon de route aurait eu du mal à respirer. À cause de lui, elles volaient aussi moins vite que d'habitude.

Enfin le garçon s'obligea à jeter un coup d'œil vers la terre. Il vit alors comme une immense nappe étendue sous lui, divisée en d'innombrables carreaux, grands et petits. Tout n'était qu'angles et bords droits, rien n'était rond ni courbe.

— Qu'est-ce donc que ce grand tissu à carreaux ? dit-il, sans s'attendre à une réponse.

Mais les oies sauvages crièrent aussitôt :

— Des champs et des prés ! Des champs et des prés !

Ils traversaient la plaine de Scanie. Les carreaux vert tendre étaient les champs de seigle ensemencés l'automne précédent et devenus verts sous la neige. Les gris jaunâtre étaient des chaumes, les bruns, des champs de trèfle et les noirs, des champs de betteraves ou bien des terres en friche. Il y avait aussi quelques carreaux foncés avec du gris au centre ; c'étaient des fermes et les carreaux verdoyants, des jardins.

Le garçon ne put s'empêcher de rire en voyant tous ces carreaux, mais les oies sauvages crièrent sur un ton de reproche :

— Pays bon et fertile ! Pays bon et fertile !

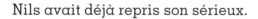

Nils avait déjà repris son sérieux.

« Comment peux-tu rire, pensa-t-il, toi qui te trouves dans la pire des situations que l'on puisse imaginer ! »

Bientôt il eut cependant une nouvelle occasion de s'amuser. Il avait toujours aimé chevaucher à bride abattue, mais jamais il n'était allé aussi vite. Et jamais il n'aurait pensé que l'on pût se sentir aussi bien et aussi libre qu'il l'était dans cet air frais et léger. Du sol montait une délicieuse odeur de terre et de résine. Il lui semblait qu'en voyageant si haut, il s'envolait loin des soucis et des ennuis de toutes sortes.

Le grand jars était fier et heureux de parcourir ainsi la plaine de Scanie en compagnie des oies sauvages. Mais dans la journée, il commença à ressentir une certaine fatigue et se fit distancer de plusieurs longueurs.

Les oies en bout de file crièrent à celle qui conduisait la bande :

— Akka, Akka de Kebnekaïse ! Le blanc a pris du retard !

— Dites-lui qu'il est plus facile de voler vite que lentement ! répondit celle qui était en tête, sans rien changer à son allure.

Le jars fit bien des efforts mais, de plus en plus épuisé, il se mit à perdre de l'altitude.

— Akka, Akka de Kebnekaïse. Le blanc tombe !

— Celui qui n'a pas la force de suivre n'a qu'à retourner chez lui ! cria Akka toujours sans ralentir.

Ah! c'est comme ça, se dit le jars, c'était donc pour rire qu'elles l'avaient fait venir, elles n'avaient jamais pensé l'emmener en Laponie. Il ne pourrait pas montrer à ces vagabondes qu'une oie domestique les valait bien. Cela l'agaçait d'autant plus qu'il était tombé sur Akka de Kebnekaïse. Il avait beau n'être qu'un oiseau de basse-cour, il connaissait la réputation de cette oie chef de bande qui avait plus de cent ans. Elle était très considérée, mais personne n'avait plus de mépris pour les oies domestiques qu'elle. Il aurait bien voulu leur prouver qu'il était leur égal.

Le petit bonhomme sur son dos déclara soudain :

— Mon cher jars Martin, toi qui n'as jamais volé, tu comprends bien qu'il te sera impossible d'atteindre la Laponie ! Retourne à la maison avant qu'il ne soit trop tard !

Ce minable le croyait donc incapable de faire le voyage ! Le jars avait ce vaurien en horreur et il fut pris d'une telle colère qu'il décida d'aller jusqu'au bout.

— Un mot de plus et je te fais descendre ! siffla-t-il.

Et il se mit à voler presque aussi vite que les autres.

Mais le jour déclinait rapidement et les oies piquèrent droit vers le sol. Avant même d'avoir eu le temps d'y penser, le garçon et le jars se trouvèrent sur les bords du Vombsjö. Ce grand lac était presque entièrement recouvert d'une couche de glace pleine de crevasses et de trous, qu'entourait une langue d'eau noire et lisse. À l'endroit où les oies avaient atterri, il y avait une forêt de pins ; sous les branches enchevêtrées, la neige avait gelé.

Tiré de Selma LAGERLÖF, *Le merveilleux voyage de Nils Holgersson à travers la Suède*, traduit du suédois par Agneta Ségol et Pascale Brick-Aida, Paris, Père Castor Flammarion, collection Castor Poche, 1989.

# Dossier ⑤

## Rêve et réalité

# La championne de billes

Lupe Medrano, fille timide qui parlait par murmures, était championne d'orthographe, et trois étés d'affilée vainqueur du concours de lecture de la bibliothèque municipale, ruban bleu du concours de sciences, l'élève la plus douée au récital de piano, et grande championne d'échecs de l'école. On l'avait surnommée « Vingt sur Vingt » et – mis à part un jour en maternelle où elle avait été piquée par une guêpe – elle n'avait jamais manqué un jour en cours élémentaire. Elle avait été au tableau d'honneur pour sa régularité et félicitée à ce titre par le maire.

Mais bien que Lupe ait eu un esprit aiguisé, elle ne pouvait pas obliger son corps, quels que soient ses efforts, à courir aussi vite que celui des autres filles. Elle supplia son corps de se déplacer plus vite, mais ne put jamais battre qui que ce soit au cinquante mètres.

La vérité est que Lupe n'était pas bonne en sport. Elle était incapable d'attraper un ballon ni de deviner dans quelle direction donner un coup de pied au football. Un jour elle avait envoyé le ballon à son propre gardien de but et permis à l'équipe adverse de marquer un point. Elle n'était pas meilleure au base-ball ou au basket, et avait même du mal à garder un cerceau de hula-hoop autour des hanches.

Ce ne fut qu'à onze ans, qu'elle apprit à monter à bicyclette. Et encore avec des stabilisateurs. Elle entrait dans la piscine là où elle avait pied mais ne savait pas nager. Elle ne se hasardait à faire du patin à roulettes que lorsque son père lui tenait la main.

« Je ne serai jamais bonne en sport », se dit-elle rageusement un jour de pluie en contemplant l'étagère construite par son père pour exposer ses trophées. « J'aimerais tant gagner quelque chose, n'importe quoi, même aux billes. »

Au mot « billes », elle se redressa. « Ça y est. Je pourrai peut-être réussir un jour aux billes. » Elle sauta de son lit et fouilla dans son placard jusqu'à ce qu'elle trouve une boîte pleine de billes appartenant à ses frères. Elle renversa les agates sur son lit et en prit cinq des plus belles. Elle défroissa son couvre-lit et s'entraîna à lancer, doucement au début, pour atteindre son but. La bille, propulsée par son pouce, roula et cliqueta contre la bille cible. Mais celle-ci refusa de bouger. Elle essaya encore, et encore. Sa visée devint plus sûre, mais la force de son pouce ne fit bouger la cible que de quelques centimètres. Puis elle prit conscience que le couvre-lit ralentissait les billes. Elle dut aussi admettre que son pouce était plus faible que le cou d'un poussin qui vient de naître.

Elle regarda par la fenêtre. La pluie diminuait, mais le sol était trop détrempé pour jouer. Elle s'assit les jambes croisées sur le lit, roulant ses cinq billes entre ses paumes. Oui, songea-t-elle, je pourrais jouer aux billes. Et c'est un sport. C'est à ce moment-là qu'elle se rendit compte qu'elle n'avait que deux semaines pour s'entraîner. Le championnat, le même que son frère avait disputé l'année précédente, approchait. Elle avait du pain sur la planche.

Pour renforcer ses poignets, elle décida de faire vingt pompes sur le bout des doigts, par séries de cinq. « Une, deux, trois... », grogna-t-elle. À la fin de la première série elle haletait, et ses muscles épuisés la brûlaient. Elle exécuta une série de plus et décida qu'elle avait fait assez de pompes pour la première journée.

Elle pressa une gomme cent fois, espérant que ça renforcerait son pouce. Cela sembla marcher parce que, le lendemain, son pouce était douloureux. Elle pouvait à peine tenir une bille, encore moins l'envoyer rouler avec force. Lupe se reposa donc ce jour-là et écouta son frère, qui lui donna des tuyaux sur la manière de lancer : se baisser, viser d'un seul œil, et appuyer une phalange par terre.

— Pense « œil et pouce » et laisse rouler ! dit-il.

Après l'école, le lendemain, elle laissa ses devoirs dans son sac à dos et s'entraîna pendant trois heures d'affilée, ne s'arrêtant que pour manger un sucre d'orge afin de prendre des forces. Elle dessina un cercle tant bien que mal avec un bâton d'esquimau[1], et y posa quatre billes. Elle se servit de la cinquième, une agate laiteuse avec des volutes hypnotiques, pour les foudroyer. Son pouce était *effectivement* devenu plus fort.

---

1. Bâton de friandise glacée.

Après l'entraînement, elle malaxa la gomme pendant une heure. Elle dîna de la main gauche pour économiser sa main lanceuse, et ne dit rien à ses parents à propos de ses rêves de gloire athlétique.

Entraînement, entraînement, entraînement. Malaxage, malaxage, malaxage. Lupe s'améliora et battit son frère et Alfonso, un gosse du voisinage qui était censé être un champion.

— Mec, elle est terrible! déclara Alfonso. Elle peut battre les autres filles c'est sûr. Je crois.

Les semaines passèrent rapidement. Lupe travaillait si dur qu'un jour, pendant qu'elle essuyait la vaisselle, sa mère lui demanda pourquoi son pouce était enflé.

— C'est du muscle, expliqua Lupe. Je me suis entraînée pour le championnat de billes.

— Toi, trésor?

Sa mère savait que Lupe était nulle en sport.

— Oui. J'ai battu Alfonso, et il se défend bien.

Ce soir-là, pendant le dîner, M^me Medrano dit à son mari:

— Chéri, tu devrais jeter un coup d'œil sur le pouce de Lupe.

— Hein? répondit M. Medrano en essuyant sa bouche pour regarder sa fille.

— Montre à ton père.

— Est-ce qu'il le faut? demanda une Lupe gênée.

— Allez, montre à ton père.

Lupe leva la main à contrecœur et fléchit son pouce. On voyait le muscle. Le père posa sa fourchette.

— Que s'est-il passé?

— Papa, je me suis entraînée en malaxant une gomme.

— Pourquoi?

— Je vais participer au championnat de billes.

Son père regarda sa femme, puis sa fille.

— C'est quand, ma chérie?

— Ce samedi. Tu pourras venir?

Le père avait projeté de jouer au ping-pong avec un ami samedi, mais il répondit qu'il y serait. Il savait que sa fille

pensait qu'elle était nulle en sport et il voulait l'encourager. Il alla même jusqu'à installer des ampoules dans la cour pour qu'elle puisse s'y entraîner à la tombée de la nuit. Il s'accroupissait, un genou par terre, ravi à la vue de sa fille battant facilement son frère.

Le jour du championnat débuta par une matinée froide et venteuse. Le soleil dispensait une lumière argentée derrière des nuages ardoise.

— J'espère que ça va se dégager, dit son père, se frottant les mains après être allé chercher son journal.

Ils finirent leur petit déjeuner, firent nerveusement les cent pas autour de la maison pour attendre dix heures, et prirent à pied la route pour se rendre jusqu'à la cour de l'école (bien que M. Medrano eût proposé de conduire Lupe pour qu'elle ne se fatigue pas). Elle s'inscrivit et on lui assigna son premier match sur le terrain de base-ball.

Lupe, marchant entre son père et son frère, tremblait de froid, et tout le monde regarda son pouce. Quelqu'un demanda :

— Comment peux-tu jouer avec un pouce cassé ?

Lupe sourit et ne répondit pas.

Elle battit sa première concurrente facilement, et se sentit navrée pour elle parce qu'elle n'avait personne pour l'encourager. À part son sac de billes, elle était toute seule. Lupe invita la fille, prénommée Rachel, à rester avec eux. Elle sourit et dit : « D'accord. » Ils se dirigèrent tous les quatre vers un arbitre installé devant une table pliante qui assigna à Lupe une autre adversaire.

Elle battit également cette fille, une élève de cinquième prénommée Yolanda, et lui demanda de se joindre à leur groupe. Ils allèrent vers d'autres matches et d'autres victoires. Il y eut bientôt une foule de gens qui suivaient Lupe pour la finale contre une fille en casquette de base-ball. Cette fille semblait sérieuse comme un pape. Pas une fois, elle ne regarda Lupe.

— Je sais pas, papa, elle a l'air forte.

Rachel serra Lupe dans ses bras en disant :

— Va la battre.

— Tu peux y arriver, l'encouragea son père. Pense seulement aux billes, pas à la fille, et laisse ton pouce faire le travail.

L'autre fille commença en premier et gagna une bille. Elle loupa le coup suivant, et Lupe, un œil fermé, son pouce frémissant d'énergie, chassa deux billes hors du cercle mais rata le coup suivant. Son adversaire gagna deux billes de plus avant de louper encore. Elle tapa du pied en disant: «Zut!» Le score était de trois à deux en faveur de M$^{lle}$ Casquette de Base-ball.

L'arbitre arrêta le jeu.

— Éloignez-vous s'il vous plaît, laissez-leur de la place, cria-t-il.

Les spectateurs s'étaient trop approchés autour des joueuses.

Lupe gagna ensuite deux billes et s'apprêtait à gagner sa quatrième quand une rafale de vent lui souffla de la poussière dans les yeux: elle loupa son coup lamentablement. Son adversaire gagna très vite deux billes, resserrant le score, et passa en tête à six contre cinq sur un heureux coup. Puis elle rata. Lupe, dont les yeux brûlaient quand elle battait des paupières, compta sur l'instinct et le muscle de son pouce pour marquer le point décisif. On était maintenant à six à six, avec seulement trois billes restant en jeu. Lupe se moucha le nez et étudia les angles. Elle mit un genou à terre, stabilisa sa main, et lança tellement fort qu'elle foudroya deux billes en les chassant hors du cercle. Elle avait gagné!

— J'ai réussi! murmura Lupe.

Elle se releva, les genoux douloureux d'être restés pliés toute la journée, et embrassa son père. Il la serra dans ses bras en souriant.

Tout le monde applaudissait, excepté M$^{lle}$ Casquette de Base-ball, qui faisait la tête en fixant le sol. Lupe lui dit qu'elle était une grande joueuse, et elles se serrèrent la main. Un photographe de presse prit des photos des deux filles côte à côte, avec Lupe tenant le plus grand trophée.

Gary SOTO
Tiré de *Tout pour une guitare*,
Paris, Flammarion,
coll. Castor Poche, 1993.

# Le poisson volant

Orou, un jeune guerrier, se dirigeait l'air soucieux et le pas volontaire vers la cabane du sorcier. Il en avait assez de se heurter en permanence à son rival, Atii, qui le surpassait parfois à la nage ou à la course et menaçait de lui enlever le cœur de la fille du chef. Il devenait urgent d'accomplir un exploit si grand que personne ne pourrait jamais le dépasser ou même le contester. C'est ce qu'Orou expliqua au sorcier : il voulait entreprendre l'impossible recherche de la pierre magique qui gisait sous les mers et séparait le royaume des vivants de celui des morts.

Quand il eut entendu Orou exprimer son projet, le vieux magicien resta ébahi. Il usa de toute sa sagesse pour mettre en garde l'audacieux jeune homme. Rien n'y fit. Orou était décidé, obstiné, et rien ne le ferait changer de voie. Le sorcier s'inclina donc, indiqua la route à suivre et offrit au téméraire Orou un talisman pour le protéger.

Dès l'aube, Orou mit sa barque à la mer, non sans avoir d'abord promis monts et merveilles à sa belle et nargué son adversaire, Atii. Ramant vigoureusement, il navigua longtemps sur un océan calme où jouait un soleil radieux, faisant éclater sur l'écume des vagues une féerie de couleurs. Puis, le vent se leva et peu à peu se mit à mugir, à hurler. La petite embarcation, secouée au gré des flots, tenait le choc d'une tempête qui faisait rage sous un ciel de plus en plus sombre. Lorsque les éléments se calmèrent, Orou put regarder sereinement autour de lui. À quelques encablures, se dressait une île montagneuse où il décida d'aborder. Après avoir mis son canot à sec, il visita l'île, soucieux avant tout de se ravitailler. Au cours de ses pérégrinations, il parvint devant une grotte. Quelle ne fut pas sa surprise d'en voir sortir un vieillard aux cheveux blancs mais puissamment bâti qui, s'approchant amicalement de lui, lui offrit l'hospitalité! Durant le repas, le vieil homme dit s'appeler Tauna et s'enquit de ce qui amenait son hôte dans les parages de cette île peu fréquentée. Orou expliqua le but de son entreprise. Tauna hocha la tête et dit:

« Ton projet est périlleux. Cependant, je veux t'aider car tu me sembles un bon garçon. Je sais comment découvrir le pays du Corail où se trouve la pierre magique. Toutefois, avant de t'y rendre, il faut te préparer, car il est difficile de demeurer longtemps au fond de la mer. »

Des jours entiers, conseillé par Tauna, Orou plongea dans les flots bouillonnants. Il devait chercher de minuscules coquillages. Certains d'entre eux contenaient un petit caillou blanc et rond. Tauna lui avait dit d'en rapporter suffisamment pour se faire un collier. Les jours passèrent et nombreuses furent les nuits où la pleine lune resplendit dans les cieux. Sans désemparer, Orou plongeait, nageait sous les eaux, fouillait les rochers pour trouver un de ces coquillages. Quand par bonheur il en découvrait un, il l'ouvrait de son couteau et avait parfois la chance de voir briller un caillou blanc. Aussi longue que fut cette épreuve, il finit par posséder assez de cailloux pour s'en faire un collier. Ce jour-là, Tauna lui remit une plume rouge, lui en indiqua l'usage et, du doigt, lui montra la direction vers laquelle voguer.

Orou fit ses adieux au bon vieillard, poussa sa barque à l'eau et, ramant avec force, gagna le large. Se jugeant assez éloigné de l'île, il jeta la plume rouge au vent. Elle virevolta, puis fila presque en ligne droite. À grands coups d'aviron, Orou la suivit. Soudain, la plume s'arrêta et se posa sur les flots. Avec un cri de victoire, Orou se jeta à la mer, et, se frayant un chemin parmi les poissons de toutes les couleurs, les algues, les poulpes, il fila au plus profond qu'il était possible d'aller. Là, un incroyable spectacle s'offrit à ses yeux: de magnifiques rochers parés de toutes les nuances de rouge se dressaient devant lui. Il était face au monde du Corail.

Il n'eut guère le temps de jouir de cette splendeur qui s'étalait devant lui. En effet, une voix retentit, celle du gardien des lieux, un immense poisson volant. Gravement, celui-ci dit à Orou:

« Je sais que tu viens chercher la pierre magique. C'est ton droit, mais il te faut d'abord subir une épreuve : tu dois te prosterner trois fois en signe d'adoration. »

Orou, un peu intimidé, fit signe de la tête qu'il acceptait l'épreuve. Aussitôt, le poisson volant se changea en une redoutable et horrible araignée de mer. Le jeune homme se prosterna. Il en fut de même lorsque le poisson se transforma en une gigantesque anémone. Orou se prosterna. La peur n'habitait pas son cœur. Le terrible gardien se métamorphosa à nouveau : cette fois, il ne présenta plus à Orou l'aspect d'un monstre, mais le visage souriant d'Atii, le rival détesté. Orou recula... Cela ne dura que l'espace d'un instant, mais c'était beaucoup trop. Le poisson déclara simplement : « Tu as perdu ! »

Aussitôt, Orou sentit que la surface de son corps durcissait, il se couvrait d'écailles peu à peu et bientôt, il fut à son tour un poisson volant ! Pour avoir été trop orgueilleux, il s'était condamné à nager au fond des eaux, ou voler à leur surface pendant quelques siècles, avant de pouvoir un jour, peut-être, reprendre forme humaine...

Tiré de Franck JOUVE et Alain QUESNEL, *Entre ciel et terre*, Paris, Hachette Livre, coll. Mythes et légendes, 1997.

# L'ESPRIT DE LA LUNE

Un jeune garçon orphelin était la risée de tout son village. Le destin ne l'avait pas choyé. En plus d'être laid et de bégayer, il avait perdu ses parents, emportés sur la banquise quand il n'était encore qu'un bébé.

Mais ce n'est pas tout! En grandissant, il se révéla extrêmement maladroit. Le pauvre garçon était incapable de lancer le harpon, d'attraper du gibier ou de construire un iglou. Même dans les jeux, il commettait les pires maladresses.

Le jeune garçon occupait son temps à se promener et à regarder les autres. Comme il ne savait que faire de ses mains, il les gardait toujours dans les poches de son parka. Cette habitude faisait rire tout le monde:

— Il a mangé ses mains! criait-on en le voyant ainsi.

Lui ne se fâchait jamais. Il se contentait de rire avec eux. Pourtant, quand il se retrouvait seul, il ressentait chacune de ces moqueries comme une blessure. Une blessure qui lui creusait une crevasse dans le cœur. Et le jeune garçon se mit à avoir peur d'y être complètement englouti.

Il se réfugia alors dans ses rêves. Un jour, il serait capable de tellement de choses que les autres l'envieraient.

Ainsi se passait la vie du jeune garçon orphelin.

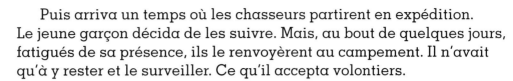

Puis arriva un temps où les chasseurs partirent en expédition. Le jeune garçon décida de les suivre. Mais, au bout de quelques jours, fatigués de sa présence, ils le renvoyèrent au campement. Il n'avait qu'à y rester et le surveiller. Ce qu'il accepta volontiers.

N'ayant rien à faire, il ramassa un os de phoque abandonné par les chasseurs. Il achevait de le ronger quand une idée lui passa par la tête. Une image, plutôt. Il se revoyait, enfant, regardant le shaman[1] jeter les os pour entrer en contact avec les esprits de l'au-delà.

Le jeune garçon lança alors son os en l'air, très haut, exactement comme le faisait le shaman. Ainsi, il saurait si son rêve allait se réaliser. L'os virevolta un instant puis retomba sur le sol. Après quelques rebonds, il s'immobilisa, la face plate tournée vers le ciel. Le jeune garçon ignorait le sens de ce signe. L'os aurait très bien pu se retrouver sur l'autre face. Pourtant, il eut la conviction que désormais tout lui était possible.

Bravant l'interdiction des chasseurs, il les rejoignit en suivant leurs traces. En le voyant arriver sur leur territoire, ils ne purent dissimuler leur étonnement :

— Comment as-tu fait pour arriver ici sans l'aide de personne, toi qui n'es même pas capable de retrouver ton iglou ?

Le jeune garçon ne répondit pas et se contenta de sourire, comme il avait coutume de le faire. Il n'avait plus les mains dans les poches de son parka mais aucun chasseur n'y prêta attention. N'ayant rien pris, ils étaient de mauvaise humeur et avaient hâte de se reposer. Il en profita pour emprunter un harpon, discrètement, et s'éloigna du campement.

---

1. Shaman : celui qui avait le pouvoir d'entrer en contact avec le monde surnaturel. Connaissant les amulettes, les incantations et les tabous, il pouvait agir sur les gens et sur les choses.

Lorsque le jeune garçon revint un peu plus tard, les chasseurs n'avaient même pas remarqué son absence. Mais quand ils le virent avec deux phoques – un sur chaque épaule! – aucun d'eux n'en crut ses yeux. Ils ne rêvaient pourtant pas. Personne ne dit quoi que ce soit. Ils étaient tous convaincus qu'il les avait trouvés sur la banquise.

Pourtant, à compter de ce jour, les chasseurs durent changer d'opinion. Non seulement le jeune garçon n'était plus maladroit, mais il ramenait toujours les plus grosses prises.

Il devint rapidement un très grand chasseur, le meilleur du village. Jamais il ne manquait ses proies et son adresse faisait l'envie de tous.

Parfois, on lui demandait son secret. Il ne répondait rien et se contentait de sourire en caressant de la main l'os de phoque qu'il portait suspendu à son cou.

Ainsi se continua la vie du jeune garçon orphelin devenu un grand chasseur grâce à un os de phoque magique.

C'était il y a bien longtemps, mais, moi le conteur, je l'ai entendu dire, alors je vous le répète pour que personne ne l'oublie.

Jacques PASQUET
Tiré de *L'esprit de la lune*, Montréal, Éditions Québec Amérique, 1992.

# Christine Janin
## L'aventure des sommets

Christine Janin, médecin et alpiniste, a été la première Française à conquérir l'Everest, la première Européenne à faire le tour de la planète en gravissant les sommets les plus élevés et la première femme à atteindre le pôle Nord en skis!

Après avoir accompli ces exploits, Christine Janin a décidé de combiner ses deux passions : l'escalade et la médecine et de réaliser un autre rêve : permettre aux enfants et aux adolescents atteints du cancer d'atteindre leurs propres sommets...

### La passion du sport

Christine Janin naît le 14 mars 1957, en Italie. Très jeune, elle est habitée par la passion du sport : le ski, le soccer, l'escalade, rien ne l'arrête. D'ailleurs, Christine veut être la meilleure dans toutes ces activités.

Au moment de choisir son métier, elle hésite entre professeure d'éducation physique et médecin, puis elle opte pour la médecine. En 1981, elle accepte d'occuper la fonction de médecin dans une expédition qui se rend au mont Gasherbrum II, dans la chaîne de montagnes de l'Himalaya. Lorsqu'elle contemple le paysage à 8000 mètres d'altitude, elle se rend compte qu'elle est pleinement heureuse sur les sommets! La montagne lui offre un défi, une occasion de se dépasser et un immense sentiment de liberté.

En 1990, Christine Janin devient la première Française à escalader l'Everest, le plus haut sommet du monde. En 1992, elle participe au « Tour du monde des cimes », une expédition qui l'entraîne sur tous les continents.

Après ses expéditions, on lui demande de raconter ses aventures aux écoliers, puis aux enfants malades de l'hôpital Trousseau, à Paris. C'est lors d'une de ces visites à l'hôpital qu'un rêve surgit : elle va aider les enfants à se surpasser et à gravir leur propre Everest. En 1994, elle crée l'association « À chacun son Everest », qui offre aux enfants et aux adolescents atteints du cancer des séjours d'une semaine en montagne, où ils sont initiés à l'escalade.

### Toujours plus loin

En 1997, Christine Janin organise une expédition en vue d'atteindre le pôle Nord. Elle veut ainsi financer l'achat d'une maison d'accueil pour les enfants cancéreux. Le 3 mars, elle quitte la Sibérie avec un compagnon d'expédition, le Russe Sergueï Ogorodnikov. Ensemble, ils franchissent près de 1000 kilomètres en skis et à pied, et... atteignent leur but!

Au cours de cette expédition, les deux compagnons, qui ne parlent pas la même langue, se mesurent à de nombreuses difficultés. Ils affrontent de terribles tempêtes de neige et un froid glacial de −45 °C.

Des adolescents s'apprêtent à escalader un sommet.

Parfois, à bout de forces, Christine a envie d'abandonner, mais elle pense alors aux enfants qui l'attendent en France et à son rêve de maison pour les jeunes malades. C'est ce qui lui donne la force de continuer. Finalement, le 5 mai, Christine et Sergueï atteignent le pôle Nord !

Près de 1000 enfants malades ont suivi l'expédition de Christine et Sergueï en écoutant les informations, et plusieurs leur ont expédié des messages et des dessins par courriel. Certains d'entre eux sont même allés les accueillir en hélicoptère au pôle Nord !

Christine Janin affirme que cette expédition a été beaucoup plus difficile que l'ascension de l'Everest, car elle devait absolument la poursuivre jusqu'au bout pour être en mesure d'aider les enfants. Le chalet « À chacun son Everest » a ouvert ses portes le 28 juin 2001 à Chamonix, en France. Christine a réalisé son rêve !

## À chacun son Everest

Les enfants atteints de cancer doivent vivre avec le regard des autres. Ils sentent bien dans les yeux des gens la pitié et la peur. Parmi les amis ou dans la famille, certaines personnes sont incapables de parler de la maladie. La peine est trop grande. Or, les enfants malades ont besoin d'en parler. Au chalet « À chacun son Everest », ils peuvent communiquer entre eux et constater qu'ils ne sont pas seuls.

Le chalet « À chacun son Everest ».

Christine Janin utilise des mots reliés aux expéditions et à la montagne pour parler de la maladie. Selon elle, le diagnostic est comme une avalanche qui ensevelit les malades et leur entourage sous le chagrin, la peur et le découragement. La maladie devient une montagne à escalader, le traitement, un itinéraire à suivre. Et, tout au long du traitement, il faut maintenir le cap en faisant confiance à ceux qui nous entourent.

Les jeunes malades accueillis au chalet « À chacun son Everest » vivent une aventure exceptionnelle. Celle-ci leur procure de l'énergie, de la confiance en eux et le goût de lutter pour leur vie.

Lorsqu'ils escaladent une montagne, ils n'ont pas comme objectif de parvenir au sommet, mais de vaincre leurs propres limites. Des enfants de six ans parviennent à escalader 800 mètres de parois rocheuses. Certains jeunes malades affrontent la montagne même s'ils ont reçu leur traitement de chimiothérapie. Lorsqu'ils sont fatigués, ils font une pause, puis ils repartent à la conquête de leur propre Everest !

À leur retour au chalet, les enfants sont heureux et fiers. Ils se sentent transformés par leur expérience : ils ont démontré qu'ils peuvent accomplir des exploits malgré la maladie.

## Une immense famille

Après avoir gravi les plus hauts sommets de la planète, Christine Janin a décidé de donner un nouveau sens à sa vie. Elle s'est engagée dans la réalisation d'un rêve qui lui permet d'être utile aux enfants malades.

Christine Janin a dit un jour : « Je n'ai pas d'enfants, mais j'ai une grande cordée de 900 gamins, une immense famille... »

La montagne représente un défi, mais il faut maintenir le cap.

# Stephen Hawking
## Le chercheur d'étoiles

Dans un bureau rempli d'ordinateurs, un homme est concentré sur sa tâche. Cet homme, c'est le physicien Stephen Hawking, qui a transformé notre conception du monde et du cosmos. Il est assis dans un fauteuil roulant et il utilise des appareils complexes pour écrire, car son corps est paralysé. De plus, il a perdu l'usage de la parole. Mais son esprit est au sommet de ses capacités et il voyage jusqu'aux limites de l'Univers.

### Le jeune Stephen

Stephen Hawking naît le 8 janvier 1942 à Oxford, en Angleterre. Son père est médecin et voyage beaucoup pour faire de la recherche. Sa mère occupe d'abord des postes de secrétaire, puis elle devient professeure à l'université de Cambridge.

Le jeune Stephen adore jouer avec des trains électriques et construire des modèles réduits de bateaux et d'avions. Il a l'habitude de démonter les objets pour comprendre leur fonctionnement, mais il n'est pas très doué pour remettre les morceaux en place !

À 17 ans, il fréquente déjà l'université d'Oxford, où il a obtenu une bourse d'études. Il se passionne pour la physique, une science qui répond à des questions comme : « Pourquoi est-ce que l'eau gèle lorsqu'elle est refroidie ? », « Qu'est-ce qui cause les odeurs ? » ou « Pourquoi les étoiles brillent-elles ? »

Pendant ses études, il passe des heures dans sa chambre à lire des ouvrages de science-fiction, qui lui font découvrir des mondes étranges et merveilleux. Il se pose beaucoup de questions sur le sens de l'Univers et en discute avec ses amis. Il rêve de devenir chercheur en physique pour répondre à toutes ces questions.

### La maladie

Au cours de la dernière année de Stephen Hawking à Oxford, ses mouvements commencent à devenir maladroits. Peu après son entrée à l'université de Cambridge, il apprend qu'il est atteint de sclérose latérale amyotrophique (ou maladie de Lou Gehrig). Cette terrible maladie, contre laquelle il n'existe aucun remède, s'attaque aux cellules du cerveau et de la moelle épinière qui contrôlent les muscles. Elle atteint d'abord les bras et les jambes, puis elle empêche progressivement le malade de parler, d'avaler et de respirer. Cependant, son esprit demeure actif.

Hawking est sous le choc. Il ne veut pas poursuivre ses études, puisqu'on lui affirme qu'il ne lui reste que deux ans à vivre. Mais la maladie ne progresse pas aussi rapidement que prévu, ce qui l'incite à continuer. De plus, il est amoureux de Jane Wilde, une jeune femme qu'il a rencontrée au cours d'une fête du jour de l'An. Cet amour partagé lui donne une raison supplémentaire de vivre. En 1965, à l'âge de 23 ans, Hawking devient chercheur en physique au collège Gonville and Caius et il se marie avec Jane.

# En voyage dans l'Univers

Dans sa petite voiture à trois roues, Hawking se rend tous les jours à l'observatoire. Il continue à se poser des questions : « Comment l'Univers a-t-il commencé ? », « Pourquoi est-il constitué de cette façon ? », « Aura-t-il une fin ? », « Si oui, pourquoi et comment cette fin se produira-t-elle ? »

En étudiant les étoiles, le chercheur répond à ces questions et propose des théories passionnantes sur le début et la fin de l'Univers.

## Plaisirs et difficultés

En 1967, Jane et Stephen ont le grand bonheur de voir naître leur premier fils, Robert. Stephen se déplace avec des béquilles, mais il s'occupe de son enfant et continue à travailler avec plus d'enthousiasme que jamais. Le couple aura deux autres enfants : Lucy, en 1970, et Timothy, en 1979.

Jane apporte à Stephen un soutien affectueux et une aide précieuse. Elle transcrit les textes de son mari à partir de ses gribouillis informes ou de ses paroles de plus en plus difficiles à comprendre.

Lorsqu'il lui devient à peu près impossible de communiquer, Hawking fait son travail mentalement. Il utilise sa grande capacité de concentration et sa prodigieuse mémoire pour créer et retenir ses théories avant de remettre un travail final.

À partir de 1974, l'état de Hawking se détériore grandement. Il doit se déplacer en fauteuil roulant motorisé, il ne peut plus s'alimenter seul et, quand sa tête tombe sur sa poitrine, il est incapable de la relever sans aide. Mais c'est aussi au cours de cette année-là qu'il commence à recevoir des prix pour son travail. Il est élu membre de la *Royal Society*, un organisme voué à la promotion de l'excellence dans plusieurs secteurs, dont celui des sciences.

Stephen Hawking avec sa deuxième épouse, Élaine.

En 1979, Hawking est nommé titulaire de la chaire de mathématique à l'université de Cambridge, le poste le plus prestigieux d'Angleterre dans ce domaine. En 1988, il publie son premier livre : *Une brève histoire du temps: du big bang aux trous noirs*. Ce livre remporte un énorme succès, ce qui est très rare dans le domaine scientifique. Il est traduit en 20 langues et se vend à 6 millions d'exemplaires ! Depuis, Hawking a publié d'autres livres et il voyage pour faire connaître ses théories.

Malgré son handicap, Stephen Hawking donne des conférences partout dans le monde. On le voit ici devant l'observatoire à New Dehli, en Inde.

Stephen Hawking est maintenant reconnu comme l'un des plus grands scientifiques du monde. De plus, c'est une vedette du petit écran : il a joué son propre rôle dans un épisode de la série télévisée *Star Trek: la nouvelle génération*, au cours de la saison 1992-1993 !

## Un homme courageux et tenace

Au début de sa maladie, Stephen Hawking marchait avec difficulté, à l'aide d'une canne. Il devait souvent s'appuyer contre un mur pendant de longues minutes pour reprendre son souffle. Mais il a poursuivi son travail avec acharnement, car il voulait trouver des réponses à ses questions...

Hawking veut être considéré et traité comme un être humain normal. Il déteste la pitié que peut provoquer son handicap et il a toujours voulu demeurer le plus autonome possible.

Le chercheur affirme qu'avant sa maladie, la vie l'ennuyait. Quand on lui a annoncé qu'il allait mourir, il a compris qu'il désirait vivre pour continuer à explorer les galaxies, afin d'aller jusqu'au bout de son rêve.

## L'ordre de l'Univers

Stephen Hawking, qui communique maintenant à l'aide d'un ordinateur d'où émerge une voix synthétique, a célébré son 60e anniversaire de naissance en janvier 2002. Avec une grande détermination, il a déjoué la maladie qui aurait dû l'emporter vers la fin des années 1960.

Ce grand physicien a élaboré des théories qui semblent plus fantaisistes que les romans de science-fiction, mais qui apportent des réponses aux questions qu'il se posait lorsqu'il était enfant. Et il nous a permis de mieux comprendre l'ordre de l'Univers.

Quand il contemple le ciel nocturne, Stephen Hawking sait que les étoiles brillent pour tout le monde...

# Les animaux et le rêve

Dans une grotte sombre, des centaines de chauves-souris dorment, la tête en bas. Près d'une grange, un cheval et une jument somnolent, bien plantés sur leurs pattes. Roulé en boule sur un coussin moelleux, un gros chat est assoupi. Lorsqu'ils sont profondément endormis, ces animaux explorent le pays des rêves, comme les humains...

## Quels animaux rêvent?

Le sommeil et le rêve existent chez les oiseaux et les mammifères, en fait, chez tous les animaux à sang chaud. Il y a une seule exception connue, le dauphin. Celui-ci ne tombe jamais dans un sommeil profond puisque, selon les experts, il aurait toujours une partie du cerveau en éveil.

Quant aux animaux à sang froid, comme les poissons, les amphibiens (grenouilles, crapauds) et les reptiles (serpents, lézards), ils ont aussi des périodes de repos au cours desquelles ils demeurent immobiles. Mais ils ne rêvent pas. Dans cette catégorie, il y a aussi une exception : la tortue, qui passe une grande partie de son temps dans une attitude de sommeil. Elle présente des mouvements rapides des yeux et une détente des muscles du cou. Ce sont ces indices qui permettent aux experts de déterminer qu'un animal rêve.

Le lézard se repose, mais il ne rêve pas!

Contrairement aux autres animaux à sang froid, la tortue rêve.

## Les étapes du sommeil

Chez les oiseaux et les mammifères, il existe cinq étapes de sommeil, comme chez les humains.

Au cours des quatre premières étapes, l'animal passe graduellement du sommeil léger au sommeil profond. Les ondes émises par son cerveau sont lentes.

Puis, survient un changement radical : le cerveau de l'animal se met à émettre des ondes rapides comme s'il était éveillé. Pourtant, l'animal dort profondément. C'est ce qu'on appelle le « sommeil paradoxal ». On peut alors voir que l'animal s'agite, ses pattes remuent, la respiration et les battements de son cœur deviennent irréguliers... Il rêve!

## Les profondeurs du rêve

Le rythme de sommeil des animaux varie selon les espèces. Les chevaux ne sommeillent que trois à quatre heures par jour, alors que les ratons laveurs, ces grands paresseux, dorment jusqu'à 20 heures par jour !

Le sommeil paradoxal est un moment très dangereux pour un animal. Comme son cerveau est entièrement occupé par le rêve, il ne peut pas détecter la présence de ses ennemis. Le lièvre, par exemple, n'entendra pas le renard s'approcher et ne sentira pas son odeur. Pour dormir, les animaux recherchent donc un endroit de leur territoire où ils ne risquent pas d'être attaqués.

Le sommeil paradoxal des animaux les plus vulnérables dure donc moins longtemps. Le mulot est un « petit rêveur ». Il doit rester éveillé le plus longtemps possible pour trouver sa nourriture et échapper à de nombreux prédateurs. Par contre, le chat, un redoutable chasseur, pourrait gagner un championnat ! Il rêve pendant environ 200 minutes par jour,

soit 100 minutes de plus que les humains. Mais il ne faut pas oublier qu'il dort souvent plus de 12 heures sur 24 !

## À quoi rêvent les animaux ?

On ne peut pas demander à Fido de nous raconter ses rêves ! Cependant, en observant les mouvements de ses yeux et de ses pattes lorsqu'il dort, on peut savoir à quel moment il est en train de rêver...

Les rêves des animaux sont différents des nôtres. Les animaux ne peuvent pas créer un monde imaginaire en rêve. Cependant, ils éprouvent des émotions, ils reconnaissent des éléments de leur environnement et font des apprentissages. Le souvenir de leurs expériences peut surgir dans un rêve.

Le neurophysiologiste[1] français Michel Jouvet a installé des capteurs sur la tête d'un chat pour étudier les réactions de son cerveau pendant l'éveil. Ces capteurs ont servi à imprimer des courbes liées à chaque activité (manger, jouer, guetter, courir, attaquer) ou émotion (peur, agressivité) du chat.

▲ À quoi peuvent bien rêver ces chatons blottis les uns contre les autres ?

---

1. Neurophysiologiste : personne qui étudie le système nerveux des êtres vivants.

## Les effets du rêve

On croit que comme pour les humains, le rêve est une nécessité pour les animaux. Pendant qu'ils rêvent, ils apprennent comment agir et comment réagir.

De plus, des expériences menées sur des rats ont prouvé que les animaux rêvent davantage lorsqu'ils vivent une situation stressante, comme c'est le cas pour nous. Un groupe de rats a été placé dans une cage normale, et un autre groupe, dans une cage où l'environnement était inhabituel. Les rats du second groupe ont fait beaucoup plus de rêves que les rats du premier groupe !

Le sommeil et le rêve sont essentiels chez les animaux et les êtres humains parce qu'ils régénèrent le corps et abaissent le niveau de stress.

Le jaguar peut dormir pendant de longues heures perché dans un arbre.

L'expérience s'est poursuivie pendant le sommeil de l'animal. Une des courbes enregistrée pendant le sommeil était identique à une courbe enregistrée au cours de l'éveil, alors que le chat poursuivait une souris. Cette expérience a démontré que le chat reproduisait en rêve ce qu'il avait fait éveillé. Lorsqu'il explore le pays des rêves, il s'oriente, surveille une proie, la capture ou... prend la fuite.

Michel Jouvet a poursuivi ses expériences sur des pigeons et des poules. Il a prouvé qu'au contraire de la plupart des mammifères, les oiseaux font des rêves très courts, qui ne durent que quelques secondes.

La queue enroulée autour du corps, ce petit rongeur, appelé « muscardin », dort profondément.

# Le pays des rêves

Raphaëlle marche lentement dans le sable, sur une plage inondée de soleil. Soudain, un gigantesque dragon surgit ! Raphaëlle est terrifiée ! Pourtant, l'animal s'approche d'elle avec douceur et, de son énorme langue, il lui lèche le visage en y laissant une longue trace baveuse…

Elle se réveille : son chien Bilou est en train de la couvrir de baisers affectueux et… mouillés. Elle rêvait.

## Tout le monde rêve

Certaines personnes disent qu'elles ne rêvent jamais. En fait, c'est plutôt qu'elles ne se souviennent pas de leurs rêves, car tout le monde rêve. En effet, des scientifiques ont découvert que lorsque notre cerveau se met à rêver, notre corps réagit de façon étonnante. Par exemple, lorsqu'il commence un rêve, le dormeur sursaute, son visage s'anime, ses yeux bougent très vite sous ses paupières.

Même les nouveau-nés rêvent. On les voit grimacer, faire des mouvements avec la bouche comme pour téter, esquisser leurs premiers sourires. On dit que les humains commencent à rêver dans le ventre de leur mère !

Bébé dort à poings fermés.

## Les étapes du sommeil

Partout dans le monde, des chercheurs et des chercheuses ont observé le cerveau des humains pour comprendre ce qui se passait pendant le sommeil. Ils ont utilisé un appareil appelé « électroencéphalogramme ». Cet appareil capte les ondes émises par le cerveau et permet d'en mesurer l'activité.

Les chercheurs tentent de percer les mystères du sommeil en analysant les ondes du cerveau.

Lorsque nous nous endormons, nous commençons un voyage qui va se répéter trois, quatre ou cinq fois pendant la nuit. Chacun de ces voyages se divise en cinq étapes.

Pendant les quatre premières étapes, les ondes du cerveau sont lentes. À la première étape, on commence à s'endormir. Les yeux se ferment, mais on continue de percevoir les bruits extérieurs. Le sommeil est très léger. Au cours de la deuxième étape, ce sont les oreilles qui se mettent au repos. Mais on peut encore se réveiller sans difficulté. Le sommeil est toujours léger. La troisième étape est le début du sommeil profond. On dort à poings fermés. Seul un bruit inhabituel, comme un coup de tonnerre, peut nous réveiller. À la quatrième étape, on dort très profondément. Même les bruits de tonnerre ne peuvent nous tirer du sommeil. Si quelqu'un nous réveille à ce moment-là, on se sent désorienté. C'est durant cette étape que certaines personnes sont somnambules, c'est-à-dire qu'elles se lèvent, parlent ou agissent tout en dormant.

Pendant toute cette partie du voyage, nos muscles nous permettent encore de bouger, de changer de position, de nous couvrir ou de nous découvrir. Notre respiration et les battements de notre cœur sont lents et réguliers. Notre visage est sans expression.

Puis, arrive la cinquième étape où les ondes du cerveau sont rapides. Nous sursautons. Notre visage s'anime, exprime des émotions, nos yeux surtout bougent beaucoup. Le cœur bat plus vite, la respiration augmente. Nous rêvons ! L'activité du cerveau est alors à son maximum. Cela peut sembler étonnant, puisque nous dormons. Notre cerveau fonctionne comme lorsque nous sommes éveillés, mais nos muscles sont comme paralysés. C'est pour cela qu'on appelle cette phase le « sommeil paradoxal ». (Un paradoxe, c'est une contradiction.) Puis, après une quinzaine de minutes, un grand soupir marque la fin de cette cinquième et dernière étape du sommeil. Si on se réveille à ce moment, on se souviendra très précisément du dernier rêve.

Et nous voilà prêts à recommencer le voyage depuis la première étape. Curieusement, au cours de ce deuxième périple, la durée du sommeil paradoxal sera plus longue, et les rêves seront plus nombreux.

## Les rêves : des aventures dans la nuit

Mais que sont les rêves ? Le plus souvent, ce sont des suites d'images qui ne racontent pas vraiment une histoire. Ou encore, il s'agit d'une histoire tellement abracadabrante, qu'elle ne pourrait pas arriver dans la réalité. On y trouve des gens que l'on connaît bien, d'autres que l'on croyait avoir oubliés, et aussi des inconnus. Les rêves peuvent être sonores ou, plus rarement, contenir des odeurs. La plupart des gens rêvent en couleurs.

On dit que les rêves sont essentiels aux êtres humains. On s'est rendu compte qu'une personne privée de la phase de sommeil paradoxal, soit celle où les rêves sont nombreux, sera tendue et ne se sentira pas bien.

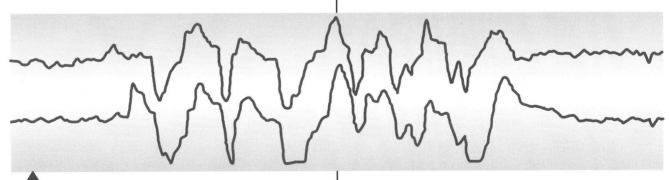

▲ Pendant la phase du sommeil paradoxal, nos yeux bougent sans arrêt. Le tracé du haut correspond aux mouvements de l'œil droit, celui du bas, aux mouvements de l'œil gauche.

On ne sait pas exactement à quoi servent les rêves ni pourquoi le sommeil paradoxal est indispensable. On sait toutefois que le rêve aurait un rôle à jouer dans le développement de la mémoire. En dormant, nous revoyons les tâches exécutées durant la journée, ce qui nous aide à les mémoriser.

Cette jeune fille ne se souviendra sans doute pas de ses rêves. Pourtant, ceux-ci l'aideront probablement à surmonter des difficultés ou à faire des apprentissages.

Même les cauchemars seraient utiles selon les spécialistes des rêves. Près de 40 % des rêves faits par les jeunes enfants sont des cauchemars ! Or, il semble que les mauvais rêves contribuent au développement et à l'apprentissage de la vie. Ils aideraient les enfants à faire face à certaines situations stressantes : un peu comme une répétition de la vraie vie !

## La signification des rêves

Dans l'Antiquité, les Grecs et les Égyptiens croyaient que les rêves étaient des messages envoyés aux humains par les dieux. Aujourd'hui, on pense plutôt que les rêves nous envoient des messages de notre inconscient. L'inconscient est un univers mystérieux à l'intérieur de nous, où sont conservés nos souvenirs, nos émotions et, parfois, des pensées contradictoires, comme vouloir être grand et petit en même temps. C'est une partie de notre être que nous connaissons mal.

Les messages que l'on reçoit de notre inconscient dans nos rêves sont difficiles à comprendre. C'est un peu comme s'ils étaient dans un langage codé. Par exemple, Raphaëlle qui a rêvé d'un dragon menaçant a peut-être vécu une situation qui lui a fait peur pendant la journée…

Mais il faut bien se garder de donner une signification précise aux rêves, car leur interprétation est très personnelle. Un rêve peuplé de chats aura un sens différent selon que l'on aime ou que l'on craint ces animaux. Ainsi, les rêves peuvent aider à se connaître… et offrir une occasion de raconter des histoires passionnantes.

Faites de beaux rêves !

**Annexes**

# Suggestions de lectures

## Dossier 1
## Le passé sous enquête

CHAFFIN, Françoise. *Les civilisations du soleil*, Paris, Éditions Fleurus, collection La grande imagerie, 2001.

Dans la même collection : *Les Grecs*.

DUCHET-SUCHAUX, Gaston. *Les Hébreux*, Paris, Éditions Hachette, collection En savoir plus, 1994.

HART, George. *Mémoire de l'Égypte*, Paris, Éditions Gallimard, collection Les yeux de la découverte, 1990.

Dans la même collection : *Les peuples du soleil*.

KAKÉ, Ibrahima Baba. *Au temps des grands empires africains*, Paris, Éditions Hachette, collection La vie privée des hommes, 1991.

Dans la même collection : *Au temps des Hébreux, 40 av. J-C.-70 ap. J.-C.* ; *À Babylone : la Mésopotamie au temps de Nabuchodonosor II* ; *Au temps de la Grèce ancienne* ; *Au temps des empereurs Tang* ; *Au temps des Mayas, des Aztèques et des Incas*.

McDONALD, Fiona. *Aztèques : si tu étais un Aztèque, comment vivrais-tu ?*, Paris, Éditions Hachette, collection De mémoire de, 1995.

OAKES, Lorna. *Les Mésopotamiens*, Paris, Éditions de La Martinière jeunesse, collection Vivre comme, 2001.

Dans la même collection : *Les Aztèques et les Mayas* ; *Les Chinois* ; *Les Grecs* ; *Les Incas*.

PURIN, Sergio. *À l'époque des Incas*, Paris, Éditions Casterman, collection Des enfants dans l'histoire, 2001.

SCHOFIELD, Louise. *La Grèce ancienne*, Paris, Éditions Nathan, collection Les clés de la connaissance, 1999.

Dans la même collection : *La Chine ancienne*.

WILLIAMS, Brian. *Les Chinois*, Paris, Éditions Gründ, collection Entrez, 1996.

Dans la même collection : *Les Aztèques* ; *Comment on vivait en Égypte*.

## Dossier 2
## Des histoires pour tous les goûts

BRISOU-PELLEN, Evelyne. *La maison aux 52 portes*, Paris, Éditions Pocket, collection Pocket junior, 2000.

CHABIN, Laurent. *Piège à conviction*, Montréal, Éditions Hurtubise HMH, collection Atout - Policier, 1998.

HÄRTLING, Peter. *Ben est amoureux d'Anna*, Paris, Éditions Pocket, collection Kid Pocket, 2001.

MAJOR, Henriette. *Zapper ou ne pas zapper ? Voilà la question*, Saint-Lambert, Éditions Soulières, collection Chat de gouttière, 2000.

PULLMAN, Philip. *Jack le vengeur*, Paris, Éditions Gallimard jeunesse, collection Folio cadet, 2000.

ROUY, Maryse. *Jordan apprenti chevalier*, Montréal, Éditions Hurtubise HMH, collection Atout - Histoire, 1999.

De la même auteure, dans la même collection : *La revanche de Jordan*; *Jordan et la forteresse assiégée*.

VAILLANCOURT, Danielle. *L'histoire de Louis Braille*, Saint-Lambert, Éditions Soulières, collection Ma petite vache a mal aux pattes, 2001.

# Dossier 3
## En forme !

ATLANI-SOYER, Evelyne. *Dans le mouvement : bouger, respirer, sauter, danser, se remuer les méninges, aller de l'avant*, Paris, Éditions Hatier, collection Grain de sel, 1990.

Dans la même collection : *Comment ça va la santé ?*

BROCHU, Yvon. *On n'est pas des monstres*, Montréal, Éditions Québec Amérique, collection Littérature jeunesse, 1992.

FIELL, Charlotte et Peter. *Design du XXe siècle*, Cologne, Éditions Taschen, 2000.

FONTANEL, Béatrice. *Le travail des sculpteurs*, Paris, Éditions Gallimard, collection Les racines du savoir - Arts, 1993.

HENRY, Jean-Marie (éd.). *Le tireur de langue*, Voisins-le-Bretonneux, Éditions Rue du monde, collection La poésie, 2000.

KOENIG, Viviane. *Les plus belles légendes de la musique*, Paris, Éditions de La Martinière jeunesse, 1999.

LALLEMAND, Orianne (éd.). *Mon poémier*, Paris, Éditions Mango jeunesse, 2002.

LYNCH, Anne. *Merveilles de l'architecture*, Paris, Éditions Nathan, collection Les clés de la connaissance, 1997.

SANDERS, Pete. *Dépression et santé mentale*, Montréal, Éditions École active, collection Mieux comprendre, 2000.

YOURCENAR, Marguerite. *Comment Wang-Fô fut sauvé*, Paris, Éditions Gallimard jeunesse, collection Folio junior, 1999.

## Dossier 4
## Le monde à vol d'oiseau

BERGERET, Raphaëlle et l'équipage de Fleur de Lampaul. *Enfants des Caraïbes : de la Guyane à Panama*, Paris, Éditions Gallimard jeunesse, collection Le Tour du monde par les îles, 1999.

Dans la même collection : *Enfants d'Océanie, de Nouvelle-Calédonie en Australie*; *Enfants de l'Atlantique, de Madère au Cap-Vert*.

BYARS, Betsy. *Cap sur l'Ouest*, Paris, Éditions Père Castor Flammarion, collection Castor poche - Senior, 1995.

COSTA de BEAUREGARD, Diane. *Voler comme l'oiseau*, Paris, Éditions Gallimard jeunesse, collection Les racines du savoir - Sciences, 1994.

DOHERTY, Gillian. *Les oiseaux*, Londres, Éditions Usborne, collection Découvertes Usborne, 2001.

GILLE, Didier. *La grande dérive des continents*, Paris, Éditions Nathan, collection Monde en poche, 1993.

GOUICHOUX, René et François AULAS. *Léonard de Vinci, le génie*, Paris, Éditions Nathan, collection Mégascope, 1999.

HÉBERT, Jacques, *Deux innocents en Amérique centrale*, Saint-Lambert, Éditions Héritage, collection Autour du monde, 1991.

Du même auteur, dans la même collection : *Deux innocents au Guatemala*; *Deux innocents au Mexique*; *Deux innocents dans un igloo*.

SACKETT, Elisabeth. *Atlas du monde*, Paris, Éditions Casterman, collection Atlas, 1999.

## Dossier 5
## Rêve et réalité

BEAULIEU, Alain. *Le solo d'André*, Montréal, Éditions Québec Amérique jeunesse, collection Titan jeunesse, 2002.

BECK, Martine. *Le sommeil et ses secrets*, Paris, Éditions Gallimard, collection Découverte Benjamin, 1987.

BOUTON, Jeannette. *Vive le sommeil : connaître, respecter, aimer son sommeil*, Paris, Éditions Hatier, collection Grain de sel, 1987.

CROTEAU, Marie-Danielle. *Le chat de mes rêves*. Montréal, Éditions de la courte échelle, 2001.

GERAS, Adèle. *Louisa près des étoiles*, Paris, Éditions Père Castor Flammarion, collection Castor poche - Junior, 2001.

SANGBERG, Monica. *Le rêve de Federico*, Paris, Éditions Alternatives, 1994.

TASMA, Sophie. *Le secret de Camille*, Paris, Éditions L'École des loisirs, collection Mouche, 1996.

TIBO, Gilles. *Noémie. Le jardin zoologique*, Montréal, Éditions Québec Amérique jeunesse, collection Bilbo jeunesse, 1999.

TROUGHTON, Joanna. *Le rêve de la tortue : conte africain*, Paris, Éditions Gründ, collection Un pays, un conte, 1990.

# Liste des stratégies

## Lecture

## Écriture

# Liste des principaux apprentissages en lecture et en écriture

## Structure des textes

## Syntaxe

## Orthographe grammaticale

# Orthographe d'usage

# Conjugaison

# Vocabulaire

# Index des notions grammaticales*

* Les chiffres en caractères gras renvoient aux pages où on trouvera une explication des notions.

# Sources des photographies et des illustrations

## Photographies

# Illustrations